講談社文庫

照柿(上)

高村 薫

講談社

照柿（上）・目次

照柿（下）・目次

照柿

てりがき

（上）

人生の道半ばにして
正道を踏み外したわたくしは
目が覚めると暗い森の中にいた

ダンテ『神曲』地獄篇一・一〜三

第一章　女

八月二日だった。

車窓のガラスに当たる西日が痛いほど暑く、合田《ごうだ》雄一郎《ゆういちろう》は開いていた文庫本を閉じて、思わず顔をそむけた。日は電車の進行方向の斜め正面から差しており、いつの間にか、先頭車両の左側のドア口にあった額いっぱいに熱線が差していたのだった。しかし、混雑した車内で顔の向きを変えると、すぐ後ろに立っていた若い同僚と目が合い、それも気まずくてまた元の位置に顔を戻し、ドアのガラス越しに外を見た。

気が狂いそうだ、と思う。

沿線の工場街の空に浮かんだうろこ雲が濃い臙脂《えんじ》色のシミのようだった。その下に複線になって分かれていく鉄路が伸び、下車予定の拝島《はいじま》駅のホームの端が見えてきた。

「暑そうですね」と同僚の森義孝は呟き、ドアロの横に踏み出してきた。それに対してほんの一言の相槌を打つ声も出ず、雄一郎はすでに一つボタンを外してある半袖のポロシャツの二つ目のボタンに、無意識に指をかけた。熱せられた額の裏には《暑い》などという平凡な一語は浮かんで来なかった。代わりに《気が狂いそうだ》という呻き声がのたうち続けていた。

電車のスピードが落ちた。ガラスを透過する西日越しに、ホームの屋根が光りながら滑り込み、次いでその下の陰が光と交替した。急に翳《かげ》った日差しで一瞬目がくらんだ直後、ホームの跨線橋《こせんきょう》の階段口から赤いスーツの女が飛び出してくるのが見えた。入ってくる電車に乗ろうという足取りではないと思うと、すぐ後ろから白い開襟シャツ姿の男が現れ、女のほうへ手を伸ばした。何か怒鳴っていた。女は走る。男が追いかける。走る女は一度男の手に摑まって後ろへ引っ張り戻され、再び離れた反動で女の上体は前へ飛び、転がった。

雄一郎の目の前で、運転手の背が前のめりに立ち上がった。急ブレーキで車体が揺れ、いくつかの悲鳴が上がった瞬間、車体はかすかにもう一度軋み、そのまま数十メートル滑り、止まった。

その数秒間、まず車窓の外のホームを走り去る白いシャツの男を見送り、年齢や姿恰好を目に焼き付けたのは職業的な条件反射に過ぎなかった。次いで、どよめき立ちすくむ人々のなかにもう一つ別の女の顔を見届けたのも。白シャツの男に続いてかき消えたその女の服装は、青いスカートと白いブラウスだった。

「追いますか」と森が無表情に階段口を顎で示した。

「その辺まで行ってみろ。所轄が来たら任せればいい」

雄一郎は適当にそう応えた。ひとりで男と女の両方を追うわけにいかないことを思えば、同僚は事故により強く結びついている男のほうを追うだろうなと、他人事のように思ってみた。一瞬、自分なら女を追うだろうという気がしたのだが、理由は分からなかった。

電車は止まったがドアはすぐに開かず、「事故がありました」と繰り返す構内アナウンスの声と乗客のざわめきが、蒸し風呂の車内に響くばかりだった。雄一郎は座席の窓を一つ開け、外に出ている運転手を呼び、黒地の手帳を見せて「出してくれ」と告げた。運転手はもどかしい手つきで運転室のほうからドアを開け、刑事二人を混雑するホームへ出した。その直後、森はあらためて指示を待つまでもなく、白シャツの男が消えた跨線橋へ一足先に走り去っていった。

「お客さん！」と駅前派出所から駆けつけてきた巡査が呼ぶ。雄一郎は手帳だけかざして見せ、先頭車両の前に出てホームの端から下へ飛び下りた。

再び炎天の西日が額に差した。網膜に焼きついたらしい、女のスーツの赤が目の中で躍った。車内から見た女の印象は痩せ型の長身、年齢は三十過ぎという以上のものではなかったが、この炎天下に赤いスーツを着るような人種はおおかた水商売か。そんな予断が走ったのも暑さのせいだった。

雄一郎は足元に注意を配りながら線路を歩き出し、レールの外に飛び散った赤い衣服片、原形をとどめない肉片などを一つ一つ覗き込んでいった。車輪に巻き込まれたらしい頭部を探したが見当たらず、車体の下を覗き込むと、熱せられた鋼や塗料の臭いに混じって、潰れた臓器の血が臭い立った。嗅ぎ慣れた臭いだった。到着した所轄の署員たちが、現場を被うための青いビニールシートを広げながら走ってきて、「おい、あんた!」とまた誰かが呼んだ。

「本庁の合田です」とだけ応えてすませた。

「飛び込み、ご覧になったんですか」と相手は言う。たかが自殺の現場に、いちいち桜田門が首を突っ込むなという迷惑顔だった。

「見ました。男に追いかけられて、摑み合った拍子に女が落ちた。男は逃げた」

雄一郎は、ホームで見たもうひとりの女のことは言わなかった。事故との関連のあるなしにかかわらず、言及すべき点を故意に抜かしたのは、ただの個人的な気分の都合だった。その女について《青いスカートと白いブラウス》といった説明の一言を、この男の前に並べる忍耐がなかったのだ。

肩章に星二つの巡査部長は「何か探しておられるのですか」としつこく続けた。

「靴か、ハンドバッグを」と雄一郎はあいまいに応えた。

「それは、私らが回収します」巡査部長は言ったが、雄一郎は首だけ横に振ってそれをやり過ごし、また下を向いて歩き出した。だいぶん離れたところに落ちている白いパンプスの片方が見えた。習慣であらかじめはめていた白手袋の手でそれをつまみ上げ、靴の中敷きに記されている号数を見た。《23》とあった。それだけ確認し、パンプスを元の位置にそっと置き直す。

そうして屈めた腰を再び伸ばすと、上を向いた額に何度目かの西日が当たった。その額がいやに冷たいと思ったとたん、急に血が下がって足が少しふらついた。寝不足と日射病が重なる夏には、貧血がよく起こる。

下を向いて、雄一郎はひとり不謹慎ににやにやした。一つは、十二年刑事をやっているうちに身についた、自分の行動の不可解な規範とその厚顔さに呆れる気持ちから。一つは、三十四歳にもなった男ひとりの頭の中身を恥じる思いから。こんなところで何をしているのだと、もう一人の自分が笑ったのだ。

思えば、落ちた女を見たときにある考えが閃き、どうしても身元を確認せずにおれなかったのは、ほとんど衝動に近かった。六年も前に別れた妻の貴代子ではないかととっさに思ったこと自体、拝島という場所を考えれば何の根拠もなかったし、貴代子の履いていた靴が《23・5》だったというのも、別人と分かって安堵するほどのこともない荒唐無稽な連想だった。しかし、まったく何を考えていたのだと自分を笑ってみても、それもまた何かのポーズではないのか。そう自分に呟きながら、雄一郎はもう一度、足元の白いパンプスの片方を見た。履き潰して少し横に広がり、形が崩れかけているのがわびしいと思った。貴代子ではないかと閃いた理由はなおも釈然としなかったが、無意識のうちに真っ先に探したのが、ハンドバッグや衣類のポケットではなく靴だった理由は、個人的に納得出来ないでもなかった。五年という短い結婚生活のなかで、仕事の都合でほとんど家に帰ることのなかった男がたまに家に帰ってしたのが唯一、夫婦二人分の靴磨きだったということが一つ。さらに、別れて六年ともなれば、相手の身体について確信を持てるのはもう靴のサイズと形しかないというのが一つ。

そういえば貴代子は足の幅が小さく、型崩れした靴は一足もなかったのだったが、そんなことをちらりと考えると、額にあらたな冷汗が噴き出した。怒りを覚えるのは、この暑さと、そのせいで自制がきかなくなってくる自分自身の双方に対してだった。額の裏がひりひりし、飛び跳ねるか、大声を張り上げるかしたいほどの苦痛と力の潮が、じわじわと満ちてくるのが分かった。

恐れ、脅えながら、雄一郎は炎天の下の自分の腕を見る。満ちてくるのは、なにがしかの熱と輝きを含んだ苦痛であり、夏の盛りになると、ほとんど習慣的に繰り返す病気だった。まったく脈絡もなく、突然、自分の若さを五臓六腑で感じる。日を浴びた肌は艶やかに光り、筋肉は充分な張りがあり、何もかもが過剰な力と輝きを発しているように見える。三十を過ぎてから、肉体の充実は必然やバランスを欠いた、真空で引き裂かれるような浮遊感と苦痛を伴って襲ってくるようになったのだが、夏はその苦痛がとくに激しかった。

雄一郎は早々にパンプスから目を逸らし、線路から引き揚げた。ほんの数分の間に、炎天下の敷石の上に立っていたコットンパンツもシャツの背も焼けつき、振り返ると、西日を浴び車体の臙脂色も燃え出しそうに見えた。これも熱のせいだろうか。いや、青梅《おうめ》線の古い車両がこんなに濃い臙脂であるはずはないと思いながら、雄一郎はその輝くばかりの臙脂色をしばらく眺め、またふいに何かの雑念を呼び起こしていたが、今度のそれはかたちにもならなかった。

ホームによじのぼると、また私服の刑事に呼び止められた。玉の汗を垂らして「ただの飛び込みですから、どうかお引き取りを」という、その口許も目も西日の下で熱溜めと化し、ふだんはかたちもない本庁への憎悪を一気に噴き出さんばかりだった。

「飛び込み自殺は一人でやるもんやろ。女に連れの男がいるのを見た」

生まれ育った大阪の言葉が出ると、初対面の相手はたいていのけ反るように顎を引く。誰も笑いはしない。大阪言葉の柔らかい語尾や上がり下がりの調子が、雄一郎の口から出ると仄暗い岩盤を感じさせるものになるのか、この私服も笑いはしなかった。

「ともかくここはうちが適切に処理しますから、お引き取りを」男は繰り返した。

「では、よろしく」

先に忍耐が尽きたのは雄一郎のほうだった。相手を手のひと払いで押し退けて、雄一郎は跨線橋の階段へ歩き出した。むやみに人を威圧する気はなかったが、人の前に立った自分の外面がどんなものであるかは、自分が一番よく知っていた。よくて石。冷血動物で普通。悪くすれば、殴りつけたい豚だ。

そうだ、逃げた男がどうしたというのだ？　雄一郎は自問してみる。女が線路に飛び込むのを止めようとしたのなら、男に過失はない。また、たまたまホームの端で摑み合った結果の事故だったとしても、過失致死での立証は難しい。その程度の現場でわざわざ線路にまで降りたあげくに所轄と揉めたのが、阿呆でなくて何だというのだ？　そして、そんな自省したのも束の間、雄一郎は跨線橋の階段を上がったところで、通路のコンクリートに一点の赤黒い血痕を見、また一寸自動的に足を止めていたのだった。

血痕の三メートル先には、先ほど白シャツの男に続いてホームから姿を消した当人とおぼしき女が、こちらに背を向けて通路の壁にもたれて立っており、雄一郎は数秒、汗で濡れたその白い半袖のブラウスの背中に見入った。薄い生地の張りついた筋肉の、くっきりしたなだらかな凹凸だった。膝丈の青いスカートの裾から伸びた脚も、同じように逞しくすらりとしており、その筋肉はストッキングをつけていないために白く光っているふくらはぎへ、くびれた足首へ、サンダル履きの小さめの踵《かかと》へとつながっていた。背丈は百六十を少し越えるぐらいか。後ろでゆるく束ねた髪はほつれて、半分は肩の上だった。白シャツの男を追ってホームから跨線橋を駆け上がったのはもう十数分も前のことだったが、呼吸とともにその肩がまだわずかに上下していた。

「失礼」

雄一郎が声をかけると、女はゆっくり頭を動かし、振り向いた。ふくらはぎと同じ白さ、同じ艶をもつ顔だった。その秀でた額に浮かんだ汗の粒を見ながら、雄一郎は紅潮とはほど遠いその汗のかき方を自分と同じだと感じ、この女も貧血だと思ったが、すぐには自分がそんなことを考えたということにも気づかなかった。そうしてさらに、自分の目の前にあいている黒い大きな二つの穴に見入り、見入っているという意識もないまま、ふいに新たな身体の熱を感じた。骨が熱いと感じた。

雄一郎は習慣で警察手帳を突き出し、女はそれには目もくれずにまず一言、「あとにして！」と発した。挑みかかってくるような底力のある、仄暗い声だった。

「いま、女性が線路に落ちたのですが、そのときホームから逃げた男性のあとを追ったのはあなたですか」

「逃げたのは私の主人です」

女は短く噴き出すような抑揚で言い放った。

「では、落ちた女性は」

「知りません」

「警察へ行って事情を話してください」

「あとで行きます。書くもの、ありません？」

女は雄一郎の眉間のあたりに据えた目を動かしもしなかった。雄一郎は警察手帳をしまい、代わりに私用の手帳を開いて差し出した。女は雄一郎の手からそれをもぎ取り、手早く二行ほどの走り書きをするやいなや、押しつけるように雄一郎の手に突き返した。

「住所と名前です。どこへも逃げませんから、もう行っていただけませんか」

その声はなおも低く硬かった。一呼吸毎に、刺しては絡みつく棘《とげ》と蔓《つる》を繰り出して、相手をじわじわとからめとるような感じだった。雄一郎は、その場で手帳に自分の氏名所属と警視庁交換台の電話番号を書いた。

「担当は出来ませんが、困ったことがあったら相談には乗れます」

そう告げて、破ったページ一枚を差し出すと、女はそれを引っ掴むやいなや通路を走り出し、改札へ通じる階段に消えてしまった。それを見送る数秒の間、雄一郎は自分の頭が働いていないのを感じ、それから、相変わらず自分のものでないような足で元のホームへ引き返して、居合わせた警官に跨線橋にある血痕を保全するよう告げた。少し離れたところから私服の刑事がまた何か言うのが聞こえたが、無視してすませた。

改札を出ると、退いていた汗がまた噴き出した。少し前に別れた森義孝が、色が消し飛んだような炎天の下の歩道を、ハンカチで額の汗を拭いながら戻ってくるところだった。森には整髪料や塗料や接着剤などの揮発性物質のアレルギーがあり、刑事という生業には致命的な、その身体的ハンディに打ち勝ってきた精神力が、三十一という年齢を過剰にも過少にも見せているのだったが、まるで鋳型にはまったようなサイボーグも、夏の日差しの下ではやはり生身の若さが勝っているように見えた。

森は戻ってくると、ホームから逃げた白シャツの男を国道十六号線のコンビニエンスストア付近で見失ったと手短に言い、雄一郎のほうは、たったいま現場にいたもうひとりの女から名前と住所を聞いたことも言わずにすませた。そして、何かしら見透かしたかのように、森は「寝不足ですか」などともう一言いい、雄一郎はいまのいま、森のどこに上司の顔色をそんなふうに窺う必要があったのか分からないまま、神経にかちんときた。実際寝不足には違いなかったし、それにはちょっとした理由もあったが、係の仲間はみなうすうす察しているそれを、本人に面と向かって指摘する森という男は、この暑さのせいで陰湿な年増女に化けたか、ただのバカか、どちらかだった。森の問いかけには応えず、内心また不謹慎な笑いの衝動にかられながら、雄一郎は顎で《行くぞ》と促した。

駅舎を出て照りつける西日のなかへ歩き出すと、額から流れ落ちる汗が首筋を伝った。それが襟足から胸元に下っては冷え、悪寒を誘うと、いましがた会ったばかりの女の額の汗を自分の汗のように感じ、かすかに興奮しているような、うちひしがれているような捉えどころのなさだと慰みに考え続けた。かと思えば、散漫になってゆく頭のどこかに線路から見たあの電車の臙脂色が浮かび、また一寸元来た方向へ振り向いていたりもした。もう駅から遠く離れていたので、止まっている電車はおろか駅舎すら見えなかったが、あれはどこかで見た色だとあらためて考えてみた。あの光の粉をふいたような臙脂色には特別の名前がついていたはずだ、と。そうだ、あれは何という名前だったか――。

歩きながら、その名前をなんとかひねり出そうとするうちに、何者かの顔が一つふいと浮かんでは消えていった。あまりにぼんやりして名前も素性も分からない顔一つだったが、その臙脂色について、遠い昔に自分に語った者がいたことを突然思い出し、その何者かではなかったかと考えた。

＊

それは八月二日の朝だった。その前夜、野田達夫は一睡もしなかったが、十数年ぶりに訪れた突然の不眠は、肉体と頭の双方が直面しているある種の変調の兆しだった。

午前七時十五分。達夫はＪＲ青梅線羽村《はむら》駅前のバス停に立っていた。外見といえば、開襟シャツとコットンパンツにスニーカーという風体で、髪を短く刈った小さな頭と実年齢不詳の蒼白な顔色に似合わず、上背も胸郭もある強靱な体格の持ち主だった。

一目見た姿がそれなら、二度目に眺めた印象には少し人目を引くものがあった。精気のない重たげな瞼の下でちらちら微動している眼球は、ある種の殺気立った神経の徴《しるし》だし、少々大き過ぎたり小さ過ぎたりする顔だちの細部の不釣り合いは、不寛容や冷酷と極端な繊細さのアンバランスを無頓着にのぞかせていたが、さらに注視したならば、やがてそれらのアンバランスの下にうごめく不安定な情動が見えてくる。そうした印象を合わせると、達夫という男の姿は、舗石の一部のように目立たない一方、色違いのタイルのように浮いているといったところだった。

実際、勤め人たちが目をつむっていても自分の行く先に辿り着き、それを疑いもしない足取りで整然と流れていくなかで、達夫本人は、周囲の人間も景色も何ひとつ見ていなかった。自分の身体から忍耐や怠惰や自虐性などの複雑な混合ガスがじわじわ滲み出しているのを感じながら、どうするわけでもなくじっとしていたのは、不眠の後にやって来た鈍い偏頭痛に気を取られていたからだ。

達夫が駅前のバス停に立ったのは、その朝がほんの二回目だった。自宅のある加美平《かみだいら》団地から勤め先の工場まで、これまでは自転車で通っていたが、昨日の朝、団地の入口に置いてあったはずの自転車がなくなっていたのだ。ろくにブレーキもきかないボロをわざわざ持っていくやつがいるとは想像もしなかったが、盗人のおかげで、昨日からは団地から十五分歩いて駅まで行き、ピストン輸送されている工場のバスに乗るはめになっていた。

達夫は、バスの正確な発着時刻を知らなかった。昨日はとにかく駅まで行くと、ちょうど車体に会社の名の入ったバスが見えたので、それに乗った。しかしそれだけで、次々に後ろから押されて乗るだけで精一杯だったために、時刻を確かめるのは忘れてしまった。今朝は、昨日と同じぐらいの時間に同じ場所に立ったが、一台先に行ってしまった後だったのか、バスの到着を待ち続けてすでに五分だった。

その五分の間に電車が二回着き、そのつど駅前広場のあちこちで、バス待ちの群れがドカ雪のように膨らんだ。羽村は工場の町だ。南の福生《ふつさ》、北の青梅の一部にまたがるごく小さな地域に、H自動車の工場を中心に、部品メーカーや家電・電気・機械・薬品メーカーなどの工場が大小八十幾つある。その隙間に倉庫会社がひしめき、それらを貫いて産業道路が縦横に走っている。いくつかの工場は自社の工員を運ぶためのバスを走らせており、さらに路線バスもある。朝のいっとき、駅前はひっきりなしに発着するバスの排気ガスと、人間の身体の発する熱が本ものの渦を巻き、未だ薄い日差しの底でもうもうと立ちのぼっていた。それらの灰色のガスも熱も臭気も、すでに各工場の吐き出すそれと一つにつながり、うごめく人間も、時間も、空気も、すべてが工場の鼓動と一つだった。

達夫は、肺の浅いところから突き上げてくる生欠伸《なまあくび》の二連発を洩らした。その欠伸が顎の付け根からこめかみにつながる痛みを伴っていたせいで、達夫はまた少し、ひと晩寝なかったことを考えた。今日一日の疲労の予感というより、もう長年経験したことのなかった不眠という事態に不安を覚え、身体が勝手に身震いした。

さえざえとした頭の芯で鈍い痛みが脈打っているのを感じたとき、達夫はその芯に鮮やかな炎の色がひとつ浮かんでいるのを見た。濃い臙脂色に艶と深い輝きを加えた、一種独特の色だった。そういえば、あの色の名前は何というのだったか——。

そうだった。昨日、工場の熱処理棟にある旧式の炉で見た色だ、と達夫は思った。焼入れの温度は製品の大小と鋼材の種類によって異なるが、その古いプッシャ型浸炭炉では昨日、量産型のテーパローラ・ベアリングの処理をやっていて、仕上げ温度は九三〇度プラスマイナス三度で自動制御されていた。その温度で加熱された炭素鋼は、いつもは淡く薄い赤に輝いているが、昨日の午後、その色が一瞬ふだんよりはるかに濃い臙脂色を帯びているように見えたのだ。炉の温度が下がっているのだと思ったが、炉の制御盤の温度計の数字は適正値を示していた。とすれば、自分の目のほうがおかしかったのであり、それが証拠に、しばらく眺めていると、炎はいつの間にか本来の淡赤色に戻ってしまっていたのだった。

そうだ。照柿《てりがき》という色だ。唯一、晩秋の西日に照らされて映える熟柿《じゆくし》の色。達夫は、もう二十年も見たことも口にしたこともなかった特別な色の和名一つを思い出してから、そんなものがいまごろ突然浮かんでくるのも、変調の一つの徴だろうと思った。

変調といえば、ポケットに入っている二通のハガキもそうだなと達夫は思い出した。二通とも、自宅とは別に借りているアパートの方に昨日届いていたものだった。一通の差出人は青梅の市民美術展実行委員会。黒いゴム印で三桁の数字が押してあり、赤のゴム印で《入選》とあり、その下にボールペンの手書きで作品の表題が書いてあった。ほかに、数行の印刷された文字が並んでいたのだが、そちらのほうは読まなかった。

達夫は月に二回、青梅市内にある美術教室に通っていた。香山静山という芸大教授が開いている教室で、生徒は小中学校の教師や主婦や子どもだった。達夫は十数年前、市内の電信柱の張紙でその教室を知り、何となく通い始めて彫刻刀を手にするようになった。しかし所詮は工場勤務のかたわらやっていることだから、時間も金もかけられず、素材の木も未だに製材所から貰ってきた切れ端を使っていたし、美術展用の大きな作品など彫ろうとしたこともなかった。それでも、教室に通っている生徒はみな香山の推薦で市や都の美術連盟の会員になっているため、美術展などに出展する機会はあり、年に数回、お付き合いで素人の作品をあちこちに出品する。市民美術展はその一つだった。

昨日は、達夫はその《入選》の二文字を数回眺めた後、三桁の数字で示された出展作がどんな作品だったか思い浮かべようとしたが、出来なかった。もう十数年、あちこちへいろいろな作品を送ってきたために、幾多の作品が混同していたというのではなく、たんに思い出せなかったのだ。もちろん《入選》という文字を見たのも初めてだったが、付随して起こってくるはずの感情はほとんどなかった。むしろそのことのほうが驚きで、ハガキの裏表を眺めながら、しばし自分自身の腹のうちを訝《いぶか》ったが、やはり何も出てこず、結局ハガキをいったんポケットに収めて自宅へ帰ったのだった。すでに深夜だったし、一日工場で働いたあとでものを考えるような忍耐は、達夫にはなかったからだ。

もう一枚のハガキは、もっと奇妙なものだった。差出人は銀座のササ井画廊というところで、表のほうは画廊が持っているルドンの絵の写真になっていた。そして、その下に万年筆の手書きで『近々お立ち寄りください　笹井』と書いてあったのだが、達夫には画商の知り合いはいなかったし、笹井という人物はもちろん知らなかった。香山教授の関係かとも思ったが、個展の案内でもなかった。そういうわけで、何かの間違いにしても宛名はたしかに自分のものだったし、だいいち自宅とは別のアパートの住所に宛てているのが気になって、結局それもポケットに収まることになったのだった。

そうして二通のハガキについては明日か明後日、気持ちの余裕があるときにあらためて考えようと思い、実際に昨夜はそのまま忘れてしまったのだが、めったに来ることのない珍しいハガキは、たしかに自分の心身のどこかに余分な空気穴を開けたに違いないと達夫は思った。そして、空気を吸い込み過ぎたエンジンはひと晩中不快な爆発を続け、ただでさえ不調だった燃焼をさらにおかしくしたのだ、と。もっとも不調の真の原因は不明だった。分かるのは、昨日や今日に突然出てきたものではないということだけだった。

達夫は下を向いた。市民美術展に《入選》したのがどんな作品だったか、いまごろちらりと思い出した。格別な思いもなく、手の向くままに数日で彫った小さな作品で、『恋人』という赤面するような表題がついており、春先の三月に自分で風呂敷に包んで実行委員会に運んだとき、大の男が気後れしたのを覚えていた。もっとも、細部の造形はやはり思い出せなかった。それを彫っていたときのふうわりと温んだ穏やかな気分は覚えているような気がしたが、どんなふうに温かかったのかは、やはり分からなかった。

次いで、達夫はふいに朝刊を小脇にはさんでいたのを思い出したが、先に両隣の男が前後して先にスポーツ紙を開いてしまい、達夫のスペースはなくなってしまった。両側から迫ってくる紙面の隙間で肩をすぼめたまま、意味もなく二度ばかりその辺の顔を見回し、知っている顔がないことを確かめてまた下を向いた。十七年勤めているといっても、工場には千人以上の従業員がいる上に、達夫の受持ちの熱処理工程は、熟練工を必要としない職場なので、仕事量やほかの工程の都合に合わせてしょっちゅう手が入れ代わっており、しかも三直制の二十四時間操業だった。達夫は熱処理工程の職長で、二ヵ月前に工程長が交通事故で大腿骨折をやってからは臨時の工程長代理も兼ねているが、工員たちも自分も互いの顔をどれほど知っているかあやしいものだった。

そうか、俺は工程長代理だったのだと達夫はさらに考えてみた。名目だけの代理職など、ついつい忘れてしまう。身体を動かす場所もなく、時間潰し半分、達夫は熱処理工程にいる人間の顔を一つ一つ並べてみたが、十ほど浮かんだところで、次はもう出てこなかった。いくら出入りが激しいとはいえ、百人以上いるはずの工員の十分の一しか顔が分からないのは、自分が初めから覚えていないのか、それとも忘れたのか。いったいどっちだろうと考え始めると、これだと特定出来ないさまざまな理由で、次第に身が固くなっていった。自分が異質だという感覚。あるいは周りが全部異質だという感覚。そこから来る不快感は、物心ついたころからの達夫の伴侶だった。

頭の芯に刺さった鈍痛の針が少しずつ鋭くなっていた。掌で顔を拭うと、張りのない薄い皮膚が、皺を作りながらひたひたと掌に張りついた。大型炉の並んだ高温の作業場では、慢性的に発汗の量に比して水分の補給が追いつかない。それだけでなく、《今日の改善、明日の改善》という標語を掲げて、一歩一秒の非生産時間の無駄を削ってきた日々、極力歩かなくなった身体のすみずみが、退化して干からびていた。十年も前、すでに二十代の半ばで、達夫は自分の肉体が老いたと感じたものだ。照柿、か。畜生。

顔を拭う手指の隙間から、達夫は充血した目を広場のロータリーへ走らせた。頭痛のせいか、排気ガスのせいか、何もかも揺らいで見えた。バスはどうした、バスは。

「バスは何分に来るんだ」

達夫は右隣へ声をかけた。紙面からちょっと顔を上げた男は、あの世から変な声が聞こえたと思ったのか、そのまま新聞に目を戻してしまった。

達夫は、生来のしつこさで懲りずに左隣に尋ねた。

「おい、バスは何分に来るんだ」

新聞越しに「待ってりゃ来る」という返事があった。

すでに午前七時二十二分だった。バス待ちの無言の列は団子になって歩道をふさぎ、だらだらと膨らんでいた。喋る者はなく、灰色の作業着の山にスポーツ紙の華が咲いているだけだった。だんだん高くなっていく日差しで陽炎《かげろう》が立ち、気温が上がり始めていた。

「いつも、何分毎に来るんだ」

達夫は左隣へ二度目の声をかけた。

「五、六分」左隣は応えた。

「うるさい」「それがどうした」後ろのどこかで誰かが言い、続いて低い声がぱらぱら上がった。「遅いぞ、今日は」「何してやがる」「来るまで乗れねえ、着かねえ、働けねえ」「バス、遅いぞ」「事故か」「遅刻だ」「知るか」

それらに混じって「くそったれぇ」と誰かが罵《ののし》る。「工場長、出てこぉい」「給料上げろ」「改善、カイゼーン！」

投げやりな笑い声がさざ波になったときだった。達夫の目は、前方のロータリーを横切ってくるひとりの女に留まった。白い半袖のブラウスと青いスカートの女だった。ストッキングをはいていないらしいふくらはぎが日差しを浴びて白く光り、急ぎ足の足元はサンダル履きで、足を運ぶたびにぽろりと脱げそうだった。

達夫はその女の顔を遠目に眺め、目を凝らし、《美保子だ》と気づいて、バス待ちの列を抜け出した。国道沿いの信用金庫の窓口にもう十七年座っている女で、十年ぐらい前まで毎月工場へ積立て預金の集金に来ていたころ、同じ羽村の薬品メーカーに勤める男と所帯を持ったのだが、それ以前の独身時代、達夫とは一度ならず関係を持った仲だった。ともに別の相手と結婚した後、会えば口をきく程度の付き合いが続いていたが、この半年はほとんど顔を見ていなかった。病気でもしていたのか。あの女も出勤前の時間だろうに、あの恰好は何だ。

達夫はロータリーへ大股で歩き出し、向こうからやってくる女と向き合った。女はいったん足を止め、達夫を見、「急いでるのよ」と低く響く声で言った。少し下を向いた額が達夫の身体で陰になり、青白い石のような肌には冷たそうな汗が滲んでいた。そういえば、この女の色白さはいつも冷えきった手足の重さや静けさと対になっていて、しかも挑むように硬いのだと達夫は思い出した。

「どうしたんだ」

短い返事を返して女はまた歩き出し、達夫はそれに続いた。ロータリーから駅舎の庇《ひさし》の下へ入ったところで、女の肘を引いた。

「亭主がどうしたんだ」

「居所が見つかったのよ」

「居所って」

「拝島の旅館」

達夫は相手の夫婦間の事情を詳しくは知らなかった。女が亭主と別居していようが、亭主が不倫をしていようが、自分にはどうでもよいことに思えた一方、気がつくと昔と同じように女の大きな暗い眼球に見入っている自分がいた。相変わらずちりちり光るような張り詰めた闇だと思い、何を凝視しているのか分からない、犬のような、大粒の葡萄のような目だと思った。

「拝島へ行くのか」

「そうよ」

「信用金庫は」

「休むわ」

女は混雑した自動券売機前の人波をかきわけてゆく。勤め人や大柄の学生の群れに混じると、けっして小柄ではない女のブラウスの背が小さく見えた。後ろで束ねたまとめ髪から後れ毛が垂れ、ヘアピンが一本抜けかけていた。

女は切符を買って戻ってくると、達夫の前をすり抜けて改札のほうへ足を向けた。「美保子」と呼ぶと、まだいたのかというふうに女は振り向いた。

「なに？」

「髪のピンが抜けているぞ」

「ちゃんと梳《と》かしてこなかったのよ。急いでいたから」

女は低い声で呟き、そわそわと片手を後ろ髪に当てながらもう背を向けかけていた。そのとき、ロータリーのほうが見えたのか、「バスが来ているわ」と言い、達夫が振り向くうちに女は改札を通っていってしまった。

バスがロータリーを回ってくる。団子になっていた列がいっせいに詰まって押し合いが始まり、達夫は改札に背を向けて早足に列へ戻った。運転手が怒鳴っていた。「一号車が、コープミートの角でバイクを撥ねやがってよう。これ一台で回ってるんだから、押すな、押すな、順番に乗れ！」

ドアが開くのを待ちかねた男らが乗降口で押し合った。どの背も足も、競馬場の開門とは違う、重い動きだった。押されるままに達夫も押し返した。長年重い安全靴に慣らされた足は、軽いスニーカーを履いているときでも、地に張りついたようにしか動かない。その足で詰め寄り、乗降口へよじのぼり、押し合いへし合い奥へ進みながら、達夫は何人かを押し退けて車窓から駅舎のほうへ目を走らせた。

改札の柵の向こうはうごめく夏服の群れだった。女の白いブラウスは、そのなかに吸い込まれてしまって、もう見えなかった。しばらく目を凝らしている間、達夫はふと浮き立つような感じのなかにいたが、そういうときはいつも、ゆるゆると血の巡りが悪くなり、身体のあちこちに空洞が出来てそこに異種の細胞がうごめき出すのだった。これといったかたちを持たずアミーバのように増殖するそれは、期待や嫉妬や失望や焦燥などへ刻々と姿を変えるのだが、すべては情欲の変形だった。久しく姿の見えなかった女とともに、久しくなりをひそめていた細胞が急に動き出すというのは、いかにも自分らしいと思った。

偶然出くわしたにしても、もうすぐ炎天になるのに日傘も持たずに、ポシェット一つ手にサンダル履きで拝島へ行くという女ひとり、ロータリーで姿を見たときにはすでに目に張りついていたのだ。それが佐野美保子であったからか、あるいは別の女でも構わなかったのか、それは分からなかったが、洗いざらしの白い半袖のブラウスや、裸の足やサンダルなどの取り合わせが、この暑さに似合い、じりじりする自分の身体に似合い、変調に似合っていたのは確かだった。

いや、達夫は昨晩、寝つけない蒲団のなかで団地のそばを通りすぎてゆく救急車のサイレンを聞き、もう何年も前に自殺未遂を図った美保子の亭主が夜中に救急車で運ばれていったときの騒ぎを思い出すともなく思い出したのだったが、その矢先にこうして美保子に遭遇するというのは、偶然にしても出来すぎていると考えてみたりもした。

とはいえ、なにしろバスのなかは暑かった。何ヵ月ぶりかで顔を見た女について淫靡な空想に耽るどころではなく、達夫はまとまった何かを考えるのを諦めざるを得なかった。代わりに、バスに詰め込まれていた五分間、とめどない雑念に次々に襲われた。二通のハガキ。塾帰りの息子の手提げカバンから覗いていたファミコン雑誌。美容院に行ってきたらしい妻の蜂の巣みたいな頭。熱処理棟。照柿の色。汗ばんだ六十人分の体臭に蒸され、足元から伝わってくるエンジンの振動に揺すられ、頭の芯でキリになっている頭痛に歯ぎしりするうちに、達夫は結局、寝不足の疲労が何より大問題だと思い始めた。今日一日、いったいどうやって切り抜けるのだ、と。

照柿、か。あれは、老朽化した炉の断末魔の悲鳴の色だ。それとも、俺の脳味噌の色か。

真っ直ぐに通っている産業道路の両側は、ひたすらコンクリート塀の列だった。その内側にはおおむね夾竹桃《きょうちくとう》かシラカシかケヤキの植栽があり、さらにその背後に変電設備の鉄塔と送電線と工場のトタン屋根が広がっている。煤煙と粉塵で色褪せた木々と空も含めて、見えるものはすべて鉄錆色一色だ。そういう道をバスは五分ほど走り、勤め先の工場に着く。

大きく開かれた工場の正門の門柱には、『太陽精工株式会社羽村工場』と書かれた銅板がはめこんである。門の脇に守衛所があり、常勤の守衛が二人いる。別に、車両専用の出入口もある、工場の規模は一級だった。ベアリング生産では国内五指に入る大手で、関東に二工場、東海に三工場、関西に二工場ある。羽村工場は五十年来、各種汎用ベアリングのほか、H自動車が作るトラックやバス専用の各種軸受け、シャフト類、ジョイント類、ハブユニットなどの生産を受注している。

三万坪の敷地に、床面積二千坪以上の工場棟が六棟。ほかに倉庫、資材置場、事務所棟、搬送センターなどがある。工場のトタン屋根には青い色が塗ってあるのだが、下からは見えない。その屋根の上には緑十字の旗と《安全第一》と書かれた旗がひるがえっていた。窓という窓が開いているのは、事務所棟と研究所棟と一部の検査機器が入っている棟以外は空調設備がないためだ。煤煙に燻《いぶ》された窓の磨りガラスに、薄い朝日が当たって眩しかった。二十四時間操業で動いている機械の轟音が、朝一番の工場の空へ昇っていた。

午前七時四十五分。サイレンが鳴り出した。一日に何回、何時に、何のために鳴るのか、千人の従業員の誰も分かっていないサイレンだった。六棟の工場建屋は、精鍛二棟、旋削一棟、熱処理一棟、研削・組み立て二棟の各工程に割り振られているが、製品は何種類もあって、それぞれ工数（製品を作るのにかかる時間数）が違う。ロット数も手数（納品日までの日数）も違い、工程によって二交替だったり三交替だったりする。そもそもカンバンのノルマをこなすのにかかる工数が違い、入っている機械の能力も違うから、工程ごとにまったくばらばらの時間割で動いているのであり、当世流行のライン・バランスなど、望むべくもない体制なのだった。そこに一日何回、何時にサイレンが鳴ろうと、実際のところ誰にも関係なかったが、一応誰の耳にも届いていた。これから勤務に就く者にも、夜通し炉に鋼材を放り込んでいた者にも。トタン屋根で騒いでいるスズメにも。

しかし、熱処理棟に付属している事務所とロッカールームは唯一、朝日もスズメの声も無縁の穴蔵だった。年中薄暗い蛍光灯が何本かついているコンクリートの部屋に、百個の鉄のロッカーが並んでおり、そのロッカーも床も壁も、層をなしてへばりついた油の黒褐色だった。

「おはよう」と達夫は声をかけた。

「へえ」と工員が鼻先で応えた。

達夫は湿っぽい長袖の作業服に着替え、安全靴を履いた。交替の十五分前にまだそこにいたのは達夫と、古株の源太爺さんだけだった。源太は安全帽を頭に載せたまま、しつこく首の汗疹《あせも》を掻いていた。皺深い首筋にサロンパスが見えた。壁一つ隔てた作業場の音が、ロッカーの群れと天井に反響しており、じわじわと熱も伝わってくる。焼入れ油槽と組み合わされた各種の大型炉が二十台。高周波処理装置八台。集塵機、換気用ファン、コンベア、フォークリフト、全部動いていた。

「様子、どうかな」

「さあ」

「溜まっているんだろうな」

「でしょうな」

建屋には、前工程と後工程の引取り用出入口が一つずつある。前工程の精鍛と旋削は、バカでかい型打ちプレスやバリ抜きのプレスとNC旋盤が何十台も揃っていて生産能力は高く、後工程のほうも、研削と組み立てはほぼ機械化され、効率のよいラインになっている。ところが、真んなかにはさまれた熱処理ときたら、高周波焼入れは完全手作業だし、連続炉もバッチ式炉も処理量は決まっているし、いったん炉に放り込んだら所定の時間は取り出せないのだから、前後からどんなにせっつかれようが、処理能力には限界があるのだった。その結果、後工程から前工程へロット単位で引取りを行うカンバン方式は、慢性的に熱処理工程でずっこけることになる。カンバンに従って、処理する分だけしか引き取らないということをやっていると、精鍛と旋削の方で仕掛品の山が出来てしまうため、仕方がないからとにかく引き取ってくる。そういうわけでまず、旋削棟の方を向いている第一入口は、いつも仕掛品の詰まった鉄カゴを載せたパレットがひしめいているのだった。

一方、後工程のほうは、熱処理の仕事が進まないものだから、引き取りたくても引き取るブツがない。そこで、研削・組み立て棟のほうを向いている第二入口は、いつも空の鉄カゴが並んでいるというわけだった。奇跡でも起こらない限り、第一入口と第二入口に余分なカゴの姿がないというすっきりした状態は、夢のまた夢だった。それでもとにかく納期をこなすためには、二十四時間炉を燃やし続け、ひたすら製品を放り込み続けるしかない。

作業場を覗くまでもなく、二つの入口付近がどうなっているかは分かっているのだが、とにかく毎朝一番に強迫観念のように達夫が思い浮かべるのはそれだった。次に、夜間に事故はなかったか、機械の不調はないか、オイルバーナは大丈夫か、などと考える。それと並行して、事務所の壁に張り出してある作業表と出勤表を確認し、欠勤者がいないかどうか確かめる。ひとりでも欠けていたら、管理課へ走ってよそから誰か回してもらわなければならない。それから今度は、不良品が出てないかと心配したりする。そうしてその次にやっと、工程管理や後工程の方から必ず舞い込んで来るはずの催促や苦情を、どう受け流そうかと頭を巡らせるのだ。

ゴワゴワの靴紐を締めながら、達夫は作業表と出勤表を睨み、今日は何とかいけそうだと、まず考えた。午前零時から朝八時までの作業員は全員揃っていた。朝八時から夕方四時までの頭数は、班長が一名欠員。これは達夫が代行すれば埋め合わせはつく。名前と顔が一致せず、初めて見た名前も二つあったが、大事なのはとにかく頭数だった。炉の管理が出来る必要最低限の要員は別にして、あとは製品を炉から炉へ運び、高周波処理装置へ製品を一つ一つ放り込む手さえあれば、誰でもいい。

午前七時五十分。源太はまだ発疹を掻いていた。「軟膏にかぶれちまったんでさ」などと、ぬけぬけと言った。

「掻いたらバイ菌が入るぞ」

「慣れてまさあな」

源太はもう四十年この作業場にいる男だった。熟練工ではあるが、製品の精度や熱処理技術の仕様基準が年々上がってゆくようには、本人の頭の精度は上がらない。老眼鏡をしょっちゅう忘れるのはまだいいとしても、バイ菌だらけの高熱の作業場で発疹を掻くのは大バカだ。何年働いてもいっこうに《改善》されない無頓着さに腹が立つ一方、かぶれて痒いまま一日働く仲間の苦痛を想像すると、達夫はさらに腹が立ってきた。

「死ぬぞ」と達夫は吐き捨てた。源太はヘッヘッと笑っただけだった。異質という言葉が、また達夫のこめかみをちらりとかすめていった。

着替えの最後に安全帽をかぶり、顎で紐を締めながら、朝礼時の一言の標語を考えようとしたとき、頭の上で事務所の呼出しランプがチカチカし始めた。各工程と資材課、工程管理課、検査課、技術課などの各部署別に十ほどランプが並んでいる。灯ったのは工程管理課のランプだった。

「今朝は早いですなあ」と源太がにやにやした。

朝礼まで五分しかないと思いながら、達夫は電話に飛びついた。

「はい、熱処理！　何ですか」とつながった受話器に怒鳴った。受話器から聞こえてきたのは、出目金というあだ名のついている工程管理課の係長の声だった。

《そっちの遅れ方がひどいもんだから、課長が呼んでいるぞ》

「今は手がふさがっている。交替してからだ」

《課長は本社へ出かけるんだ。すぐに来いって》

電話は切れてしまった。

「朝礼はやっときますよ」と源太が言った。「《今日もゼロ災で行こう》でいいでしょ」

「すぐ戻る。新入りの面倒見てやってくれ」

達夫は、作業場に通じる通路とは別の、十分前に入ったロッカールームのほうから外へ出た。走るほどのことではないので、大股で歩き出した。建屋の轟音が遠ざかると、今度は隣の精鍛棟で炸裂しているプレスの地響きと旋削棟の旋盤の唸りがしばらく聞こえ、それも遠ざかると、事務所棟の方からラジオ体操の音楽が流れてきた。日当たりのいいビルの前の空き地で、青い制服を着た事務職員の男女が二十人ばかり、手足をリズミカルに曲げたり伸ばしたりしていた。一つの敷地の中で、随分いろいろあるもんだと呆れ半分思い、すぐに目はよそへ逸れてゆく。

薄い青に晴れあがった夏空に、雲が一つ飛んでいた。高卒で工場に入ったとき、達夫はとりたてて職業意識のようなものは持たなかった。奥深いところで、やっと鎮まっている情動を何としても押し止めておくために、ただそれだけの理由で適当に就職したが、気がついてみるといつの間にか熱処理工程を任される立場になり、若いころの自分からは想像もつかない精力と神経を、毎日の仕事に費やしているのだった。

もっとも、職長だの工程長代理だのといってもただの現場責任者であり、上から渡される計画表に基づいて日々の生産量を達成すべく走り回り、型番ごとの熱処理仕様表に従って炉の管理をするだけの仕事ではあった。熱処理技能士の資格はもっていたが、技術管理や品質管理の重要な部分は、大学で金属工学を修めてきた技術課の連中が握っていた。別棟の空気清浄装置付きの技術課の部屋で、糊のきいた白衣を着て金属顕微鏡を覗いたり、高性能の分析機器を使ったり、コンピューターの端末を叩いたりしている彼らとは、ほとんど顔を合わすこともなかった。

久しぶりに空を仰いだために、頭の中で鈍痛の塊がごろごろ転がっていた。隣の横田基地で離着陸を始めた輸送機の爆音に追われて、達夫は空から目を逸らし、目の前に迫った事務所棟にまっすぐ飛び込んだ。

太陽精工の製造部に工程管理課などという仰々しいものが出来たのは、十年ほど前に本格的に自動車メーカー数社の部品生産を始めたころだった。それまでは、普通の汎用ベアリングが主で、しかも半分は高度成長の波に乗った見込み生産だったから、とにかく作れるだけ作っていればよかったが、ベアリングとはまったく仕様の違う自動車部品を各種、一つの工場で同時に作り始めると、それだけで生産工程がいっぺんに煩雑になり、全体の管理が必要になってきたのだった。もっとも三年前までは、上のほうでどんなに作業伝票が飛び交おうが現場には大した影響はなく、とくに熱処理工程は、大きさもかたちも違う製品を多種類扱わなければならなくなって、やたらに忙しくなっただけだった。

ところが三年前、末永という名前の若い課長が本社からやって来てから、何やら雰囲気が変わり始めた。まず、工場じゅうの大掃除があり、赤札と称して不用品を一斉処分し、すかすかになった作業場の床にはまばゆい白線が引かれた。パレット置場、仕掛品の移動線、作業員の動線などを示す線だ。

それから、かたちばかりだった引取りカンバンのルールが厳しくなった。工程ごとに作業のピッチタイムの測り直しがあり、一動作何秒、一作業何分何秒、一工程何時間何分と、作業基準が決められた。機械の手待ち、工員の機械待ちの時間もなくなった。手が空いたら、次々に手を必要としているところへ回るよう、次の次の次ぐらいまで、あらかじめ作業が割り当てられるようになったからだ。そうして合理化が進められたおかげで、いまは十年前の三分の二の頭数で、二・五倍の経常利益を確保しているのだった。

さらに、昔は見たこともなかった表だのグラフだのが現場まで下りてきて、工程ごと製品ごとのノルマが、予定線からどれぐらい外れているか、どれだけ取り返さなければならないか、一目で分かるようになったほか、不良品の発生率がいくらだとか、非生産時間がほかと比べてどうだとか、言われるようになった。すべて、さらなる合理化のためだが、人と機械のほうは、そう簡単には変われない。ひょいと動かすわけにいかない巨大な熱処理施設などは、そのいい例だった。機能性や合理性とは対極にある大型炉にたまった矛盾や無駄や非合理は、箒《ほうき》で掃いて掃き出せるようなものではない。その非合理のなかで営々と働いている達夫たち現場の頭の中身を替えろというのは、アメンボに向かってじっとしていろというのと同じぐらい虚しいことだった。

末永課長は達夫と同年輩だったが、ひょろりと長い手足を前後に動かして、音もなくすいすいと歩き回るので、アメンボと呼ばれていた。慶応ボーイだという噂だが、何を間違ってこんなところに入ってきたのか、高卒の達夫には見当もつかなかった。自ら作業帽を被って一日の半分は工場を歩き回り、じっと人間と機械の動きを睨んでいるかと思えば、手にしたノートに何か書き込んでおり、二回に一回の割合でそのあと「ちょっと」と職長にお声がかかる。

縁なし眼鏡の目も、声も、動作もしごく穏やかな上に、冷静かつ論理的な物言いは工場の雰囲気にも体質にも合わず、末永は三年経っても未だに異質な空気をその辺にまきちらしており、浮いているという意味でもアメンボなのだった。現に、末永の下にいる出目金係長などは、課長の姿が見えないところでは事務机でゴルフ雑誌を開いている。

異質。達夫は苦笑した。しかし末永のそれは、自分とは対極にある異質だ。安全靴の靴底をゴツゴツ鳴らして階段を上がりながら、達夫は先日来、末永との間には懸案が山ほどたまっていることを一寸考えた。

この三年のうちに工場長よりも各現場の事情に通じるようになった末永は、精鍛その他の各工程のバランスが取れていないことは、もちろん分かっている。各種機械化による生産効率の上昇と多品種小ロット生産の矛盾が、熱処理に集中していることも分かっている。根本的な改善をしたければ、真っ先に手をつけなければならないのが受注品の見直しであることも分かっているし、そうは言っても不況下では当面の売上確保のために作れるものは何でも作るしかないのも分かっている。その上で、現在ある設備の中で、型番ごとの段取り替えの時間と経費を減らし、全部の炉をいかに効率よく使い回して仕掛品の山を減らすかを、末永は現場にしつこく言ってくるのだった。

しかし、現場に言わせればそんなことは百も承知であり、効率を上げたいのなら、大手の熱処理工場がどこでもやっているように、とりあえず全部の炉を集中制御にすることだった。そこを、新たな設備投資無しに、現存の設備で《改善しろ》と末永は言うのだ。

しかし、百歩ゆずって現存の設備で努力するにしても、それならば達夫としては、せめてガタのきているコンベアとか、古いガス変成炉の点火しにくいバーナとか、浸炭ガスが溢れ出す炉の破れ扉とかを早急に修理してくれと言いたかった。油送管の漏れ、しょっちゅう故障する焼入れ槽のファン、ローラーチェーンの故障などは言うまでもない。製品を入れるカゴの変形ぐらいならハンマーで叩いて直してやるが、たとえば伝票の字も読めない夜間照明の暗さは事故にもつながる。先週も、蛍光灯を増やすの増やさないのというみみっちい議論をしたところだった。もちろん、言いたいことはほかにもあった。使用年数が三十年以上になる古い炉のうち、いくつかはいつ壊れてもおかしくない状態だということ。週一回の定期保守を、もっと増やしてほしいこと。とはいえ、事故が起こってからでは遅いことぐらい大卒の頭なら分かっているだろうし、その上で優秀な脳味噌が的確に判断した結果が現状だというのなら、達夫としては現場の経験云々を言う気はなく、実際言ったこともなかった。そもそも、何がどうだと筋道を立てて説明する忍耐も頭もないから、自分は現場なのだ。

今日もどうせ、あの何とかチャートというグラフのまっすぐに伸びた予定線の下で、ぐにゃりと垂れ下がった実績線を拝まされ、ついでに、納期まで何日という手数表を見せられるのだが、そこで一言蛍光灯の話でも蒸し返すか、それとも「へえ」と頭だけ下げて引き揚げるか。気分次第でどちらにしようかと迷いつつ、達夫は二階へ上がって《工程管理課》という札の下がったドアの前に立った。頭痛はまだやまず、被ったままだった安全帽を思い出し、頭からひっぺがして手に持った。

空調のきいた明るい部屋の奥の机で、末永は立ったまま受話器を耳に当てているところだった。いつもの作業着ではなく、スーツにネクタイを締め、机には蓋を開けたままのアタッシェケースが載っていた。末永は、ドア口に現れた達夫のほうへすぐに目をやり、受話器を手でふさいで「あ、野田さん」と言った。「そこに置いてあるそれ、見て」

それだけ言って末永は電話に戻ってしまい、達夫が辺りを見回すと、「それ」と別の机から出目金係長が顎で示した。

誰かの空いた机の上に、テーパローラ・ベアリングのカップ（外輪）が一個、載っていた。達夫の熱処理棟の、あの旧式のプッシャ型浸炭炉で焼入れをしている製品の一つで、外径二百六十ミリ。精度はＰ６Ｘの上級。円錐形のコロをはめた保持器付きのコーン（内輪）と組み合わされて一体になり、工作機械や産業機械などの軸受けに使われる。

達夫は、研削剤の油でニビ色に光っているその鋼鉄の輪っか一個を手にとって、もう一度辺りを見回した。出目金と目が合った。《出てこいと言った理由が違うじゃねえか》と達夫は目で言い、《ノルマの催促でなくてよかったじゃねえか》と出目金はにやにやした。

電話を終えた末永が自分で達夫のほうへ足を運んできた。

「それ、抜き取り検査で挙がってきたやつなんだが、割レが出ている」

「はあ――」

達夫は手にしている幅三十ミリ、直径二百六十ミリの輪っかに目を凝らした。輪の内側の、コロと接触するはめあい面に肉眼でそれとわかる微細な亀裂があった。円周と直角の方向に一センチほど走っていた。いわゆる《研削割レ》と言われるもので、原因の一つが事前の鋼の熱処理にあるのは明らかだった。とくに低温焼戻しが充分に行われていないと、研削熱による焼戻し収縮が起こる場合があるのだが、そんなことは末永は百も承知のはずだった。だからこそ熱処理工程の職長である達夫が呼ばれたのだが、しかし達夫にしてみれば、自分より先に技術課のやつらを呼べと言いたかった。現場は技術課から回されてきた仕様表の通りに炉を動かしているだけなのだから。

「昨日、同じロットの中から三十個ほど出てきたらしい。気づかなかったのか」と末永は無表情に言った。

「はあ――」

同型のカップは月産五万個。外径の違う同型のテーパローラを合わせると内輪・外輪合わせて全部で月産十八万組。ラジアルのボールベアリングを入れると合計百万組の輪っかを作っているのに、その中の外輪三十個など、誰が知るか。

しかし、だった。達夫は疑心暗鬼になって油光りする鋼に目を走らせた。記憶にある限り、《研削割レ》を起こした鋼など、この十七年で一度か二度、見たことがあるかないかだった。焼入れ・焼戻しともに、温度と時間の管理を仕様どおりにしておれば、まず焼きむらや硬さ不足などの不良は起こり得ない。三十年間毎日動かしてきた炉で、なぜ昨日突然に不具合が出るのだ。

「考えられる原因は熱処理しかない」末永は言った。

「研削の砥石とか研削剤とか、ほかにも原因は考えられます」

「同じロットの中で、三十個だけ割レを起こしたんだから、砥石の問題じゃない」

「それを言うなら、うちもこの型番なら同じ炉で一度に千個処理しています。その中の三十個だけが割レを起こしたというのは――」

「全部が全部、割レを起こすとは限らんだろう。単発の温度管理のミスだろうから、至急に改善してほしい」

「はあ――」

「今朝はそれだけだ。進度表は自分で見て、遅れている分は極力追いついてほしい。ぼくは今日は本社へ行くから時間がない。不良発生の原因は今週中に報告するように」

原因の特定は、実際にはアメンボが言うほど簡単な話ではなかった。正確に言えば、鍛造や旋削段階でのミス、熱処理のミス、後工程の研削のミス、全部あり得た。達夫は時間節約のために、鈍痛の疼く頭で山ほどのことをいっぺんに考えようとし、結局出来ないと分かって階段の途中で足を止めた。

ただでさえ、ほかに考えることは一杯あるのだから、出来るだけ近道をしなければならなかった。技術課だ、と閃いて、達夫は降りかけていた階段をさっさと逆戻りし、三階にある技術課のドアを叩いた。

「これなんですが。担当は」

輪っか一個を突き出してそう言うと、空調の効いた部屋にいた白衣の若造が黙って片手を出した。

「割レの原因なら残留応力の測定が必要だが、分析に時間がかかります」などと若造は言った。もし許されるなら怒鳴りつけたい思いで、達夫は努めて静かに言い返した。

「X線検査なんか要らない。顕微鏡で組織を見てくれたら、熱処理の状態がどうだったか一目で分かるでしょう。こっちは熱処理の仕方に不具合があったのかどうかを知りたいだけだ。至急、調べてください」

「そのサンプルは昨日、回ってきています。検査結果が出たら、そっちにも回します」

「いますぐ出来ないんですか」

「こっちも急ぎの仕事が溜まっていますから」

そう言うが早いか、若造は意味不明の数字が躍っているコンピューターのCRTに目を戻してしまった。達夫はあきらめなかった。輪っか一個を握りしめて事務所棟を出ると、自分の熱処理棟を通り過ぎて研削工程の一棟に向かった。熱処理棟の三倍の広さがある研削工程の建屋は、手前に研削盤が並び、その奥に自動化された組み立てラインが製品ごとに一列になっていた。達夫は初めに、建屋の入口脇にある事務所の窓口に首を突っ込み、輪っか一個を突き出して「これなんだけど」と声をかけた。

するとと職長の山岡というのが振り向いて、「いま、そっちへ行こうと思ってたところだ」と言い出した。「ステアリング・シャフト、どうなっているんだ。今朝一番に引き取ったのが二カゴ、百本だぞ。午前十一時のH自動車からの引取り分が二百六十本」山岡は達夫の眼前にかざした納品伝票を叩いてみせた。「こっちの研削の時間をみて、残り百六十は九時に入れてくれないとどうにもならん。それに、ジョイントの軸が三百二十――」

「ジョイントは仕上がっているはずだ。シャフトのほうは九時には揃える。それよりこれだ。昨日このカップを削ったのは誰だ？」

「割レの出たやつか？　このくそ忙しいときに――」山岡は油のしみた指先で作業表の束を摑み、窓口に置いた。「自分で調べてくれ。おい、九時だぞ、九時！」

山岡は作業場に出ていってしまった。達夫は製品ごとの作業表をざっとめくり、当該の型番が含まれていたロット番号と、それが研磨された時間帯と研削盤の台番号、作業者の村田という氏名を見つけ出した。次いで、貼り出してある今日の作業者の名前を見、村田が同じ台で作業に就いていることを確認すると、輪っか一個を手に達夫はすかさず村田を探し始めた。

作業場では、形も大きさも違う各種研削盤が二十数台、研削液の飛沫を飛び散らせてガラガラ、ギャアギャア、キンキン、唸っていた。各台のそばには、仕掛品が四百とか五百個の単位で入った台車付きの鉄製のカゴが置いてあり、村田という男が動かしているのは、台番号十二番のプラネタリ式の内面研削盤だった。ベアリングの輪っかをチャックで固定して、回転する砥石が内径のはめあい面を規定寸法まで研ぎ上げるようになっている。一個研ぐのに約五秒。チャックから輪っかを外し、また次の輪っかをはめ、スイッチを入れる作業だった。

「仕事中にすまん。ちょっとこれ、見てくれ」と達夫は声をかけた。

製品をチャックから外してカゴに入れながら、村田は振り向いた。達夫の手にしたカップに目をやり、「それがどうかしたんすか」と言いながら、手を止めることもなく次の製品をチャックに固定し始める。

「この割レ、あんた自身の心当たりはないか？」

「そんなことは機械に――」その続きは、再び動き出した砥石の唸りと、削られる鋼の悲鳴と研削液の噴き出す音にかき消された。

「砥石の異常はなかったか?」達夫は声を張り上げた。

「砥石?」

「作業表によると、あんたは昨日、このカップの入っていたロットの前に別の型番を仕上げている。このカップを削る前に付け替えた砥石に——」

「そこ、危いぞ!」という声がよそから飛んできて、今度は達夫の声が遮られた。頭上に張り巡らされたクレーンのレールを、チェーンで吊り下げられた段取り替えのための幅研削用砥石が轟音を立てて移動してゆく。達夫は場所を移動しながら、「付け替えた砥石に異常はなかったか」と、やっとあとを続けた。

「え?」製品の付け外しをしながら、村田はうるさそうに聞き返す。

「砥石の間違い、不具合、作動異常!」

達夫がそう怒鳴ると、ひと呼吸置いて「熱処理の問題でしょう」村田は言い、作業に戻ってしまった。

達夫は諦めずに次の部署へ足を運んだ。今度は、組み立てラインの手前にある検品場だった。ラインに送る前の外輪・内輪・コロなどを、十ミクロン単位の寸法別にロボットたちが仕分けしている場所だった。その手前に、本来なら傷や割レの有無を目でチェックする人間がいるはずだったが、姿が見えなかった。この間まで不良品を入れるカゴがその辺りにあったはずだが、それも見えなかった。

「おい、このやろう。カゴをどこへやった！」ロボットに怒鳴ると、ラインのどこからか顔を出した男が「何か言ったか？」と怒鳴り返してきた。

「不良品のカゴはどこだ？」

「あっち！」と指差されたのは、組み立てラインの端の端だった。達夫はほとんど人けもない自動化ラインの通路を前のめりになりながら五十メートルも歩き、建屋の端に出て壁一枚で仕切られた製品置場に出た。

天井まで積み上げられた縦横高さ一メートルの鉄のカゴの列のすみに、不良品の札を下げたカゴが型番別に十数個置いてあり、達夫はそこから目当てのカゴを一つ探し出した。テーパローラの二百六十ミリサイズのカップが三十二個、カゴの底に投げ込んであった。そのなかから五つ六つ自分の手で取り上げ、はめあい面の割レを目で確かめて、達夫はもはやクズ鉄でしかないそれらをそっとカゴに戻した。

削り直しがきかない割レが出ているものもあるところから見て、やっぱり熱処理かと冷静に思ってみた後、達夫は手にしていたカップ一個で鉄カゴの縁をガンと一発殴りつけた。びりびり手首に響く痛みが頭の芯まで伝わり、鈍痛に火がついた。呻きながら、はっと我に返って時計を見、達夫は走り出す。八時四十五分だった。

怒りの虫が増殖し、膨張していく様は、酔いが回ってもまだウィスキーを呷《あお》る手が止まらないのに似ていた。そういうとき、自分が酔っていることはしっかり分かっているように、怒っていることも分かっているのだったが、心身に満ちてくる怒りは達夫の場合、その対象や理由がよく分からないことが多かった。ほんとうのところ、たかが鋼の輪っか。三十二個だろうが三百個だろうが、何ということはない。実質的な被害は僅少だし、直接の被害云々といった話でもない。目くじらを立てるような事態では決してない。知らん顔の連中のほうが正しい。それは百も承知の上で、とにかく理屈抜きにウィスキーの手が止まらないように、どこかで芽生えた怒りは止まらないのだった。止まらないことは、達夫自身が知っていた。

実際には、達夫には十七年の工場勤めで鍛えられた忍耐という制御弁があった。ある程度以上は、必ず強力な自動制御が働いて、感情の突出を押さえ込むのも分かっていた。分からないのは、出口もなく増殖し続ける怒りが、自分のなかでどういうふうになってゆくのか、だ。実際、名づけようのない気分、近年なかった何ともいえない不穏な悪寒を達夫は感じ始めていた。

輪っか一個を握りしめて、達夫が自分の熱処理棟の第二入口に立ったのは、午前八時四十七分だった。入ったところの白線の上に、いつものごとく引取りカンバンをぶら下げたままの空の鉄カゴが並んでいた。習慣と忍耐と反射神経で、達夫はまず自動的にカンバンに指示された型番とロット数を確かめ、頭のなかにある作業表のそれぞれのノルマと照合し、何時までに何を何個処理するかを概算した。同時に、各炉の各型番の焼入れ終了時刻を反芻し、各炉の処理能力に合わせて次の焼入れの順番をどうやり繰りし、目標の数字にどう近づけるかを見積もるのだ。そのときは、真っ先にまず百六十本のステアリング・シャフトが仕上がっているのを確認し、ひとまずほっとした。

その間十秒ほどだったが、不良品の輪っか一個のことはとりあえず頭になかった。それから、いつものように目を上げると、熱と煙でぼんやりとゆらいでいる二千畳敷の作業場が視界に広がった。床から天井まで、操業五十年間の重油のススでほとんど真っ黒に染まった空間に、油焼入れの臭気がたれ込めていた。その彼方に炉の炎とフレームカーテンの火炎と焼けた鋼材の赤が茫々と光り、それが油を撒いたような床に点々と映り、ゆらめいているのだった。

一、二回瞬きするうちに目が闇に慣れ、達夫は炉と人と物の動きに数秒目を走らせた。今流れているのは十種類の製品で、各種ベアリングの輪っかが六種類、円錐コロが二種類、ジョイントとロッドエンドとシャフトが各一種類。二十台の炉と高周波処理装置八台が、それぞれの型番の焼入れと低温焼戻しをやっていた。

鋼材の種類、製品の形状、大きさによるが、羽村工場が扱っている製品は、コロを除いてどれも焼入れに四、五時間、焼戻しに一時間半ぐらいかかる。集中制御になっていないために、各炉に一名がつき、制御盤の温度と時間を始終見ていなければならない。ローラハース式のコンベアで途切れなくカタカタと炉から送り出されてくる製品、焼入れ油槽からクエンチコンベアで一個、また一個と上がってくる製品が、コンベアを流れて最後にカゴに収まるまで目を離せない。旧式のバッチ式炉では、いったんトレイを放り込んだらしばらくは放っておけるが、焼入れ終了時にトレイを取り出し、焼戻し用の炉へ移動させる作業が要る。

高周波処理の方では、作業員八人が八台の装置の前に立ち、シャフト類を一本一本手で装置に入れ、ネジ切りされた部分にコイルの端子をはめ、通電する。八〇〇度以上に焼けた鋼材の熱を浴びっ放しなので、事故を防ぐためには、一人で作業を続けられる時間は三十分。三十分毎に交替し、炉の見張りや引取りや運搬をやり、また装置の前に戻ってくる。焼戻しを終えた製品は、空冷をかねてコンベアの上をゆっくりと流れてゆく。それを最後に集めて、型番ごとにカゴに収める作業もある。そうしてたえずぐるぐる移動している人間の動きを見、処理の流れに停滞がないかを達夫はまず見るのだった。

それから、各炉の管理状態と仕上がりなどを見るために、自分の足で一つ一つの持場を回り始める。そのころになってやっと、達夫の耳と全身に、作業場の天井に谺《こだま》する各炉のバーナの轟音、ガス変成炉の挿入口と取り出し口に噴き出すフレームカーテンの燃焼音、焼入れ油槽で唸る油の気配、回しても回しても追いつかない換気用のファンの音などが聞こえてくる。自分の靴音も聞こえない騒音だ。

十七年前、新入りの達夫が研修のために初めてこの作業場を訪れたとき、やはりこの、後工程の方に面している第二入口から入ったのだった。そのとき、この入口から一番近いところに四台並んでいる大型炉を見て、なぜか《路面電車だ》と思ったのを覚えていた。それらはいずれも、旧式のプッシャ型浸炭炉だった。耐磨耗性や靭性を得るために鋼の表面に炭素を拡散浸透させる浸炭処理を行う炉で、吸熱形変成ガスで鋼材を加熱し、焼入れのために温度を下げ、地下に掘られた油槽で焼入れし、再び引き揚げて抽出口から送り出すようになっている。旧式なので、洗浄や焼戻しの作業を一貫して行える連続炉にはなっていない。

炉は、オイルバーナが燃える火室とガス浸炭を行うガス室と、地下に掘られた焼入れ油槽を合わせた一つの大きな箱になっている。箱の長さは十二メートル弱、幅は三メートル弱。それが路面電車に見えたのは、製品を炉に送り込み、送り出すための長いコンベアが線路のように炉の前後に続いているからだろう。

鋼鉄のローラが並ぶそのコンベアの上を、製品を入れた鉄のカゴが順番に送られてゆく。炉に入る前にベスチブル（控室）にカゴが一個一個吸い込まれ、そこから長い炉に入ってゆく。そのなかで、製品はラジアントチューブで熱せられた九三〇度の高温ガスでゆっくり加熱された後、八五〇度まで順次温度を下げられ、それから鉄カゴごと地下の油槽に浸けられる。そして、そこから引き揚げられると、やがて送出口からコンベアに乗ってカタカタと送り出され、今度は焼戻し用の炉へ吸い込まれてゆく。

　達夫はまず、その四台の炉で処理されている型番の、熱処理仕様表に目を通し始めた。仕様表には、浸炭深さ・表面硬さ・内部硬さ・歪み許容値などの数値が並んでいるが、それらは技術課の分野だ。達夫が見るのは指定された炉の番号、ロット数量、キャリアガス流量、そして熱処理の各段階ごとの時間と温度を指定してあるグラフだった。それから時計を見、制御盤で温度とガス量を見、規定値内に収まっていることを確かめる。次いで、作業表に決められた予定数との対比。コンベアの上で待機しているカゴの列を見、輪っかがきちんと並べられているか、カゴが歪んでいないかなども見る。バーナの唸りも耳で聞く。

　作業場に入ってほんの一分ほどだが、達夫はすでに汗をかいていた。動悸も始まっていた。いつもより、ずっと早く消耗がやってくる兆しだったが、毎日繰り返している反復動作に支障が出るほどではなかった。№４の四台目の浸炭炉へ回ると、見張りに立っている源太の姿が見えて、達夫はあらためて手にしていた不良品のカップ一個を思い出した。見てみろと手真似で示し、それを差し出すと、源太は明るく輝いている炉の小窓の前へ輪っかを翳し、割レの部分から遠視の目を遠ざけて、鈍い表情で首をすくめた。

「昨日、この炉で焼入れしたやつだってよ！」

　達夫は炉の壁を叩き、源太の耳元で怒鳴った。源太は口を開いて大声を出す労力を惜しみ、首だけあいまいに横に振った。

「温度、ちゃんと見てるか！」達夫はさらに声を張り上げた。「温度だぞ、温度！　炉の温度、下がってないか！」

熱と粉塵にやられた喉がひりひりしてきた。自動制御の炉で、熱電温度計が勝手に温度を測りバーナを自動的に調整しているのに、温度が下がらないかと尋ねるのが虚しいのは自分でも分かっていた。達夫は口を開くのを止め、自分で温度計を見た。デジタル表示の数字は、八五〇度プラスマイナス二度で上下していた。処理時間のほうの数字は、四時間二十分。仕様通りだった。加熱が終わり、規定値まで温度は下がっていた。間もなく焼入れ槽にカゴが下りてくる。

「ここがまずいんでさ」と初めて源太が言い、炉の下にある焼入れ槽の縁を自分の安全靴でつついた。「攪拌機《かくはん》のやろうがご機嫌ななめで――」

達夫は炉のわきに屈んで真っ黒な油槽を覗き込み、攪拌されているのを確かめ、さらに温度計を見た。油温は六十二度で正常値だった。しかし、攪拌ファンにトラブルはないと思ったのも束の間、達夫の目はすかさず余計な異常を見つけてしまった。

そのときちょうど、最初のカゴの一列が炉内からエレベーターで油槽に下りてきたところで、真っ赤に焼けたカゴと輪っかが油槽に浸けられた瞬間、かなりの水蒸気が上がったのを見たのだ。焼入れ用の鉱油は空気中の水分をどうしても含むが、その水分の量が増えると、焼けた鋼の熱で水分が沸騰する。沸騰すると油の体積が膨れる。油が膨らんだら油槽から溢れる。辺りが油の池になったら、掃除にかかる時間と人手をどうしてくれる。

また一つ不快の芽が噴き出すのを感じながら、達夫は「油に水が入ってる！」と源太に怒鳴った。耳の遠い源太は「え？」と聞き返す。

「そのうち油が溢れるぞ。油の入れ替えの段取りをしろ」と達夫は繰り返した。「油の入れ替え！」

「へえ」と源太は気乗りしない返事をし、それから目敏く足元を指さして「へへ」と笑った。ちょうど油槽から引き揚げられ、油をたっぷり垂らして炉から送り出されてきたカゴが、目の前のコンベアを流れてきたところだった。垂れた油がこれみよがしにコンベアのローラを伝って床に垂れ、万年油浸しの床に落ちてぴちゃぴちゃはねていた。達夫はむかむかしながらもう一度「油の入れ替えだ！」と怒鳴り、その場を離れた。

そんなことをしているうちに、達夫は再び不良品のカップのことは忘れてしまい、残りの十六台の炉を次々に見て回った。それぞれの熱処理仕様表を自分の目で確かめ、コンベアを流れていく製品に目を凝らし、焼入れ油槽や水焼入れの水槽を覗き、温度を確認し、カゴのロット数を頭で積算し、作業着の腕をまくっている工員に袖を下ろさせ、床に落ちているチリ紙一つを拾ってポケットに突っ込む。

汗は噴き出し続け、動悸は止まなかった。遅れの出ている型番がいくつかあり、そのやり繰りでいっぱいになり始めた頭の周りで、不快な鈍痛の塊が一つごろごろしていた。その痛みを思い出したり忘れたりしながら、達夫は炉から炉へ歩き回り続けた。

二十台の炉は加熱形式は違っても、達夫の目にはどの炉もおおむね《路面電車》だった。たとえば№15と№16、17は、コロや小型の輪っかやロッドエンドを一度に連続処理する炉で、ガス浸炭・油焼入れ・焼戻し・洗浄のそれぞれの箱が《電車》。それを結ぶ長いコンベアの線路を、小さなコロや輪っかが数千、数万の単位で流れてゆく。炉の入口と出口の手前には、空気の混入を防ぐためのフレームカーテンと呼ばれるガスの眩《まばゆ》い火炎が、轟々とガス口から噴射していた。そこで達夫の足はまた止まったが、黄色に明るく輝くその炎のなかにススが散り、まだら模様を描いて飛んでいるのを見つけたためだった。すかさず「君!」と見張りの工員を呼ぶ。

「キャリアガスを止めて、バーンアウトしろ」

「昨日したんですが」

「またススが出てる!」

炉が古いせいもあるが、定期的に蓋を開けて炉内に空気を送り、ススを燃やし尽くさなければ、焼きむらの原因になる。「温度が高くなり過ぎないよう、ちゃんと見ていろ」とだめ押しの声をかけて、達夫は次の炉へ足を進める。

№18から№20までは、古いピット式のガス変成炉で、これは《電車》というよりは、特大の《石炭ストーブ》だった。一度は引退した設備だが、多品種生産のために炉が足りなくなって、数年前から現役に復帰した。焼入れ能力に問題はないが、なにせ古いために扉はガタガタで、トレイを滑らせるレールも曲がっている。ガスが漏れ出すために炉内の温度管理に手間がかかり、へたをすると地下の油槽に火が回る。おまけに、出し入れのときに点火するフレームカーテン用のパイロット・バーナが、開けっ放しの第一入口から入ってくる風でしょっちゅう立ち消えするので、赤ペンキで《まずパイロット・バーナ点検を》と書いた札を炉にぶら下げて、事故を防いでいるのだった。しかし、今日はとりあえずバーナの異常はなかった。

最後に、高周波処理装置が八台。四台が焼入れ用で、四台が焼戻し用。この部門は慢性的に人手が足りず、他工程からの応援や、本社の新卒の研修生を回してもらって、何とかやりくりしていた。装置の扉を開け、一本ずつ鋼材を突っ込み、処理部分に特殊な端子をはさんで瞬間的な表面焼入れをするだけの単純作業が二十四時間繰り返され、八台で一日二千本をこなす。

達夫は、作業員一人一人の動作を見、通電されて一瞬のうちに淡赤色に焼ける鋼の色を見た。冷却剤を吹きつけられて、また一瞬のうちにニビ色に変わり、もうもうと煙が立つ。再び扉を開け、処理品を摑み出してカゴに入れ、また次の未処理の製品を装置に入れる作業は、焼入れで一本二十秒が標準と決められている。

「おい、端子が歪んでるぞ！」

達夫は動作のおぼつかない臨時工の手から未処理のシャフト一本を取り、自分の軍手の手でそれを装置の中に突っ込み、両端に端子を固定してみせた。

達夫も昔、数年これをやった。装置と向き合って一日八時間。数千時間の炎熱地獄の中で、暴れ狂っていた自らの体内の溶岩が抑えられてゆくのが分かった。十代のころ、あれほど激しかった情動の発作や暴発をじりじりと吸い取っていったのは、この熱だったのだ。装置のこの小さな覗き窓の中で、自分の魂の大部分は灰になったのだと、達夫はときどき思うことがある。

しかし、いまはただ物理的な熱さにうちのめされて、達夫は装置から一歩退いた。代わりに装置の制御盤を見、電圧や周波数の数値と、冷却剤の温度を確認した。達夫は電動機も発電機も分からないが、メーターに表示される数値の異常だけは、自分の監視範囲に入れていた。数値の異常は即、不良品の発生を意味するからだ。

そうして八台の制御盤を確認した後、今度は十メートルほど離れたNo.8炉のコンベアに目がいった。油槽からクエンチコンベアで引き揚げられてきた輪っかが、ローラにひっかかって団子になっていたが、付近には誰もいなかった。達夫はすかさず自分の足を運び、治具を使って団子になった製品を一列にならし始めた。見張りの工員が走ってきたので、達夫は「ローラが一本曲がってるから、気をつけていろ」と注意し、通路の方へ一歩下がった。その直後、今度は退いた足の踵が何かにごつんとぶつかった。

振り向くと、誰かが台車付きの鉄カゴを押して、通路を通り過ぎてゆくところだった。

「おい！」と達夫は呼んだ。返事がないので「おい！」と繰り返して達夫はその工員を追いかけ、肩をつついた。すると工員はやっと振り向き、とたんに「通り道でぼやぼやしてんじゃねえよ！」という挨拶だった。

それは、初めて見る若い男だった。達夫はとっさに酷薄そうな薄い目と唇などを見てとった一方、いったい自分の耳がおかしいのか、それともこいつがおかしいのかと一秒呆気に取られ、次いで腹の底で何かの衝動がどっと膨らんだ。

「おい、名前は！」

達夫の声は周囲の轟音にかき消され、届かなかった。もう一度「名前は！」と怒鳴ったときには熱と油煙で咳き込み、その間に男は空冷用のコンベアのほうへ行ってしまって、もう姿はなかった。達夫は、ほんの数秒見ただけの男の顔について、やけに細い逆三角形だったことぐらいしか覚えていなかったが、それにしては身の毛のよだつ不快さだった。

達夫は冷や汗を噴き出させて再び歩き出し、条件反射で腕時計を覗き、定時の進度チェックまでまだ一時間あることを確かめた。次いで突然、氷水一杯が欲しいと思った。激しくなる一方の頭痛と動悸が水一杯で治まるはずもなかったが、いったん欲しいと思い始めると眩暈《めまい》がするほど欲しくなってきた。事務所の薬罐《やかん》に入っている生ぬるい出涸らしのお茶ではなく、氷水なのだ。氷水が。

なぜ氷水なのだと自分に尋ね、いちいち理由がいるのかともう一人の自分が応え、また別の声が額の裏で奇怪な笑い声を上げた。ともあれ久しく起こらなかった衝動の渦は、いったん起こると止まりそうになかった。十七年蓄えてきた忍耐はどこへ行ったのか、達夫は大股で出口のほうへ歩き出した。そのとき何度か轟音の狭間から自分を呼ぶ声が聞こえたのだが、半分は空耳だと思い、半分は聞き流した。確かに誰かが呼んでいると思い直したのは、第一入口を一歩出たときだった。声の主は作業場内にあるスピーカーだった。

『お電話がかかっていますので総務へ来てください』

総務へかかっている《お電話》。なぜこちらの事務所へ切り換えないのかと苛立ちながら、達夫十七年間で初めて自分宛てにかかってきた《お電話》に驚き、一瞬頭痛を忘れたのも束の間、突然頭に新たな空気穴が開いて、場違いな笑いの塊がひとつ、喉から飛び出した。それから、また大きな身震いと鈍痛の山が来た。

電話は、事務所棟の一階の総務にかかっていた。明るい部屋に入ると、何かの芳香剤の匂いと、端末のキーボードや書類や筆記用具を動かす軽い物音が、羽毛のようだった。一時間ほど前にラジオ体操をしていた女子事務員が、「そこ」と電話を指差してくれた。誰からだとも言わなかった。達夫は安全帽も取らずに、その受話器を取った。

「野田です」と言うと、聞こえてきたのはもう何年も会っていない実妹の尚子の亭主、江口良浩の声だった。反射的にろくでもない想像がよぎり、次いで拍子抜けした。電話口で何分も待たされた江口は、一秒でも早く用件をすませたいと言わんばかりの早口で、今朝六時過ぎに義父の野田泰三《たいぞう》、すなわち達夫の父が死んだと告げた。
《そういうことですからお通夜が明日。告別式が明後日です。手配は卓郎さんがやります。急なことなので都合がつかないかも知れないけれども、一応お知らせしておきますよ。尚子とぼくは明日、大阪へ行きますから》
「行けたら行くよ。卓郎さんにそう言っておいてくれ」
《いくら実家と疎遠でも、葬式ぐらい出るべきだと思いますけどね、ぼくは。今晩もう一度電話します》
「ああ」
達夫は受話器を置いた。最初に浮かんだのは、今電話口で声を聞いた江口良浩の顔だった。八年前に妹の結婚式のときに会ったのが最初で最後のそれは、一世一代の正装用のネクタイで首を締め上げられたニワトリのような男の顔だった。次いで、妹尚子の顔。母良子の顔。泰三の実弟卓郎の顔。いずれも八年前の結婚式の席で見たのが最後だった。肝心の父泰三は、病気を理由に結婚式の席にはいなかった。泰三の顔を最後に見たのがいつだったのか、達夫はすぐには思い出せなかった。多分十八、九年前だと数えてみたが、最後に見たその顔もあまりはっきりした輪郭はなく、代わりに大阪の東住吉区にある実家のぼんやりした影絵が浮かび、消えた。

そしてその直後、達夫の頭には一陣の風がどっと吹き込み、またエンジンの爆発が始まったのだった。今度はよほど大きな空気穴が開いたのか、吸入と排気のスピードは一段と上がっていたが、不快ではなく、むしろ気持ち良かった。ここへ来るまで、あれほど疼いていた鈍痛にさえ風が吹き込んでいた。渇きも動悸も激しくなっているのに、そのリズムが心地好かった。身体が間違いなく興奮しているのを感じながら、達夫はそれに伴う感情を探り、大したものは何もないと知って、さらに痛快な気分になった。

達夫は受話器を置いた後、数秒そうして机のそばに立ったままだった。周囲の目はまったく眼中になかった。近くから誰かの声が聞こえて振り向くと、声をかけた相手のほうが言葉に詰まったような表情を見せた。

「何かあったのかい」総務の課長が言った。

「実家の親父が亡くなったらしいです」

課長は周囲の事務員と顔を見合わせた後、「それはそれは」と呟いた。「そういうことなら、すぐに帰らなきゃな」

「まあ、明日でいいと思いますが」

「実家はどこだね」

「大阪です」

「へえ、そう——。ともかく、そういうことなら管理課へすぐに知らせたほうがいい。あんたが休むと、代わりの人間も手配しなきゃならんし」

達夫は、課長の浅黒い顔の真ん中で眠たげに見開かれた小さな目がちらちら動いているのを見ながら、何秒も遅れて話の内容を聞き分け、さらに自分の頭のなかでのろのろと反芻した。課長のほうはその間、だんだん居心地の悪そうな表情になり、達夫から目を逸らし始めたが、実際、達夫は肩で息をしながら目をぎらつかせていた一方、顔中の筋肉がばらばらに引きつったり緩んだりしていたのだった。そうして再び口を開いたときには、声までが場違いに甲高い、明るい響きになっていた。

「ところで、慶弔休暇というのは何日ですか」

「三日だが、場合によっては四日でもいい。管理課と相談して決めてくれ」

「はあ、そうします」

達夫はうわのそらの会釈をし、皆の視線を背にすたすたと総務の部屋を出た。エンジンは快調に爆発し続けていて、足は軽く動いていた。安全靴の重さも気にならず、達夫は総務を出たその足で、二階の工程管理課の部屋に上がった。

達夫が顔を出すと、また驚いたような顔がいくつか振り向いた。達夫自身は興奮のせいで何も気づかず、数分前の電話が呼び覚ましたはずの感情もいまだかたちにならず、しかも二階へ上がってくる一分ほどの間に、自分が何のためにここへ来たのかさえ、あやふやになっていた。

最初に見えたのは出目金の顔で、とたんに達夫はまったく別の用事を思い出していたものだった。「あのな」と一言いって、達夫は勝手に奥の係長の机に歩み寄った。「今朝から、うちの工程に来ている新入りのことなんだが」

出目金は、頭上に覆い被さってきた達夫の顔を下から見上げて、まずは何も言わなかった。

「うちに回ってきた新入りだけどよ」と達夫は繰り返した。

「それがどうした」

「名前、何ていうんだ」

「出勤表に出ているだろう――」

「表には知らない名前が二つあった。吉岡と、小木だ。俺は朝一番にいなかったから、どっちがどっちだか知らないが、俺が知りたいのは顔が三角で、背が俺より少し低くて、生意気な面をした若造のほうだ」

「顔なんかいちいち知るか。人が足りねえから誰かよこせと言ったの、お宅だろうが。こっちは各工程の頭数を見て、必死にやりくりをつけて、二人そっちへ振り向けたんだぞ」

口だけぼそぼそ動かしながら、出目金は達夫の顔を見つめ、さっきの総務の課長と同じように、ちらりとほかの事務員と目を合わせ、それからふいに思い出したように、片手を軽くぱたぱたと振った。達夫はようやく自分の作業着が臭うのだと気づき、机に屈み込んでいた身を起こした。

「俺はそいつの名前を知りたいだけだ」

「自分で聞けばいいじゃないか」

「聞いても答えやがらん」

「ガキじゃあるまいし。吉岡と小木？　吉岡というのは、たしか定年延長でいるやつだったと思うが」

「吉岡はじじいか。じゃあ、小木のほうだ。——そうか、小木か」

達夫はひとり呟き、肩で息をついた。掌で顔を拭う。汗はいつのまにか乾き、弾力のないカサカサの皮膚がまた、そろりと掌に張りついた。小木か。小木。口の中で名前一つを繰り返してみたが、それ以上何も出てこなかった。何のために名前を確かめに来たのかも、また分からなくなっていた。

「自分の顔、鏡で見てきたらどうだ。ひどいや——」そういう出目金の声が聞こえて、達夫は返しかけていた踵《きびす》を戻した。

「そうだ、慶弔休暇を取りたいんだ。実家の親父が今朝死んだらしい。そういうわけだから、明日と明後日ぐらいは休ませてくれ」

「そりゃまた――。それならそうと先に言ってくれたらいいのに」

そんなことをぶつぶつ言いながら、出目金はそそくさと職場ごとの作業日程表や配置簿をめくり始めた。

「あんたが休むとなると、熱処理全体を見られるやつを探してやりくりしなきゃならんなあ。何とかしておくから、とにかくあんたは心配せずに休めばいい。こういうことは仕方がないんだからな」

出目金の見えすいた気づかいは、これが人の不幸の話だからか、それともヘタな口をきけないような顔をこの自分がしていたのか。どちらにしろ大差はなかった。達夫は頭の空気穴に吹き込んでくる風が、またぞろ少しずつ弱まっていくのを感じ、しばし忘れていた鈍痛が戻ってきた。

「で、いまから早退か?」と出目金が言った。

「明日でいい」

「そうか、明日か。八月三日から――五日? 六日?」

「五日まで」

出目金は表に書き込み、「どうせ盆も近いし、墓参りの時期だしな」などと付け加えた。その声を最後まで聞かずに、「じゃあ」と達夫は踵を返した。

階段を下りていく間に、この十分ほどの興奮はすっかり冷めてしまい、残った空洞にそれまでどこかに押しやられていた思いが一つ、やっと入り込んできた。父、野田泰三が死んだのだ。

あの人殺しが、遂に死んだか。


達夫は事務所棟を出ると、その隣に並んでいる従業員食堂のバラックへ足を向けた。夜勤を終えて朝食をとっている者が、まだちらほら残っていた。テレビで民放の女性アナウンサーが甲高い声を挙げていた。達夫はずんずん奥へ進んで、配膳口のカウンターから首を突き出し、「お初さん、氷水一杯!」と言った。

厨房の洗い場から出てきたお初さんが、氷水の入ったコップを配膳口に置いた。白手拭いを姉さん被りにしたお初さんは、十七年前にすでに腰が曲がっていた。お初さんは、水一杯を呑み干す達夫を下の方からじろじろ眺め、「どしたのさ」と一言呟いた。

「何が。もう一杯くれ」

一杯の水は砂に沁み込むようにどこかへ消えてしまったが、鈍痛が走る頭には少し効いたようだった。再びコップを運んできたお初さんは、また「どしたのさ」と繰り返した。

「何が」

「それよ、それ。その輪っか」

そう言われてやっと、達夫は左手のカップ一個に気づいた。まるで掌に張りついたように、ずっと握っていたのだったが、そうか、総務の奴らもあの出目金も、おおかたこの鉄の輪っかでぶん殴られるとでも思ったか。腹の底に暗い笑いの痙攣《けいれん》が走った。

「これか――。なに、割レが出てパアになったやつだ。お初さん、肩たたきに使うか。効くぞ」

達夫は輪っかで配膳台をどかんと殴りつけ、それをそのままそこに残して、コップ一つ手に空いた椅子に座った。「要らないんなら、捨てっちまうよ」と奥のほうからお初さんの声がしたが、達夫はもう振り向かなかった。

安全帽を脱ぐと、二杯目の氷水を含んだ頭の芯で、鈍痛の塊がぴちゃぴちゃ浮いていた。頭はぬるみ、ふやけてぼってり重くなっていた。瞼も重かった。要するに、ひと晩寝なかったというだけのことなのだ。それ以外に何がある。

ほんのしばらく、達夫は当てのない物思いに耽った。そもそも、ものを考える人間は、懐に蓄えた札束を数えるように、あらかじめ分かっていることを考えるに違いない、などと思ってみた。とすれば、下らないことだ。泰三の死について、不眠について、仕事について、考えても新しい発見は何ひとつ出てこないのなら、考えるのは下らない。この頭のために必要なのは、静かな時間だ。

達夫は溜め息を吐く。実際、ものを考えずにすむ時間の、なんと安定していて静かなことか。木を彫るのは、その間見事に頭が空っぽになるからだが、そうした静かな時にはうっとりするものがあった。その時間はどこか、穏やかな微笑みを浮かべている女にも似ていた。現実にはお目にかかったこともない女に。

達夫はふいと、美術展に出した『恋人』について、それを彫っていたときに感じたものの正体を思い出した。朝はいくら考えても出てこなかったのに。『恋人』とともにあった静かな時間から漂ってきたのは、ある柔らかさだった。現世のものでない柔らかさ。それが波形を描いて流れ出してきたとき、達夫は《これは女だ》と感じたのだった。女から滲み出してくるオーラ、もしくは、投げかけられるだけで心身がゆるりと和むような女の眼差しの波形だ、と。

達夫の頭に何かが去来するとき、頭そのものが夢の温床状態になっていることが多いのだったが、実際、達夫は物思いが始まると同時にうたた寝をしているのが常だった。いままたほんの一分か二分、達夫は木片から漂ってくる柔らかな光を想いながら居眠りをし、その短い時間に柔らかな光や笑みはどんどん薄れて、代わりに青白い石のような肌が一つ、浮かんできた。朝、駅前で出くわした美保子だと思った。長年の夢想の女とはかけ離れた、硬く暗く底深い目とほとんど緩むことのない口許。そこから出る言葉といえばいつも短く、投げつけるような響きを持っていた。また、その生命はいつも冷たく粘りつくような力や深い虚無を感じさせたが、夢とは裏腹に、達夫が現実に出逢ったのはそういう女だった。

達夫は、浅いうたた寝のなかで美保子の顔の細部をさらに思い浮かべてみたが、それは結局、ひと塊のガスにしかならず、穏やかな静寂とはほど遠い熱と振動と轟音を伴った重油の炎と化して、達夫は目を覚ました。身にしみついた反復動作で腕時計を覗くと、午前十一時半だった。定時の進度チェックの時間までまだ半時間あると安堵したものの、この十七年、仕事中に私用で作業場を出たのは初めてだという余計な感慨が、どこからか湧いてきた。取るに足らない小さな異例に動揺し、余計な焦りを感じた。

達夫は二杯目の氷水を呑み残して、安全帽を頭に載せた。汗で湿って固くなった顎紐が指先で絡まり、新たな汗が滲み出した。その汗と一緒に、またあの新入りの若い男の三角形の顔が瞼に浮かんできた。何度考えても、鮮明な形容詞が思い浮かばない顔だった。いったい、何の因果でよりにもよって自分の持ち場にと思うと、これもまた不眠に始まる何かの前触れかと不穏な気分になった。

そして、達夫は結局入ってきたときよりも一層苛々しながら食堂をあとにし、三分後には作業場に立っていたのだった。それ以降は、昨夜来のもやもやした異変と義弟からの電話や頭痛の塊に半ば気を取られ、半ば不思議に冷めている自分の脳味噌に快感を覚えながら、表向きは普段通りに歩き回った。正午には、所定の書式の進度表を手に、午前八時からの四時間にこなした仕事量を製品別、工程別に正確に書き込んだ。そうして仕事を目で追いながら、達夫はときどき例の新顔を目で探し、その姿を見つけると、なぜ自分がそうするのか分からないまま、しばらく執拗にそこに目を据えた。小木という名のその男は、実際には太陽精工の別の工場で同じ熱処理工程を経験しているようで、作業手順にとくに問題もなかったが、それでも見るのをやめられなかったのは、まさに見るために見るという達夫のいつもの性癖だった。いいかげん呑み過ぎているのに、嘔吐寸前の不快感に誘われてさらに呑むように、達夫は見続け、見続けながら苛立ち、陶酔した。

それは、かつて高周波処理装置の前で焼けた鋼の色を見続けていたときに始まって今日まで、くる日もくる日も続いてきた習慣であり、無数の色や熱やかたちを一つ一つ自分の身体にしみ込ませることで、自分を埋めてゆくのであり、快不快も、是非も、目的もない達夫の達夫たる証だった。そして自分でも、こういうときはいつもあまりよい心身の状態でないことを十分知っていたが、それがまたさらに見ることへと達夫を誘うのだ。

かくして達夫はその後、するべき仕事をいくつも怠ることになった。一つ目は、製品に割レの出た原因を突きとめるべく、No.4の浸炭炉の温度を一定時間毎に確かめるつもりだったのに、それを忘れたのだった。二つ目は、午後二時に進度チェックをしたのはいいが、仕掛品のカゴを一つ数え忘れた。三つ目は、その数え忘れたロット分があるのに気づかないまま、引き取りカンバンを巡って後工程の職長の山岡と怒鳴り合い、そのために午後四時の交替時間に遅れたのだが、いずれのミスも達夫自身はまったく気づかなかった。

「礼！」「ご苦労さん！」という声が事務所のほうから聞こえてきたために達夫が急ぎ駆

けつけたとき、引き継ぎは朝と同じく源太がすませてしまっており、またしても小木はすでに引き揚げたあとだった。

「いまどきの若いやつは、初めての職場で挨拶もせずに帰るのか」と達夫が言うと、源太は「挨拶をしなきゃならん人が、定時にその場にいなかっただけでさ」とのんびり笑った。「まだ四時十分だぞ。十分が待てないというのか」

「いまどきの若いもんに、挨拶一つのために十分余計に残れというんですか。クーデターが起こりますさあ」源太はへへと笑い、汚れた手で発疹を掻きむしった。

「ところで交替した班、一人遅れるそうです。たったいま拝島から電話があって、人身事故で電車が遅れたとかで」

いまごろ拝島にいるのなら、どのみち遅刻じゃないかと思いながら、達夫は源太に文句を言っても始まらないとあきらめた。

「人身事故だって？」

「若い女が線路に飛び込んだんでさ」

それだけ言って、源太は「お先に」と行ってしまった。交替した第二班はすでに作業に入っていた。その日の朝八時に始まったのと同じ作業、同じ時間が、これからまた八時間続き、深夜零時にはまた第三班が交替する。この十七年がそうだったように、何も変わらず、何も起こらず、この先も変わらないだろう永遠の世界に、人だけが入れ替わり立ち替わり出入りするのだ。そんなことを達夫は一瞬考え、この時間が止まったら俺はどうするんだろうと自問してみたが、忙しく動き回るのをやめて立ち止まったとたん、居場所がないように感じるのはいつものことだった。多忙のなかの所在なさというやつは、もうずいぶん昔からあったのであり、だからといってそこから物を考え始めるような人間ではないからこそ、自分は立ち止まることもなく生きてこられたのだと思い直すと、たったいま自分が何かを考えたということももう頭にはなかった。

作業場の左右を見渡すと、年中開け放ったままの二つの入口に西日が照りつけており、その燃え出すような臙脂色が変成炉のフレームカーテンの火炎に映っていた。達夫はそれらの色にまた数秒見惚れ、見惚れたことも意識せずに、いつの間にか自分の安全帽の紐を締め直すと、一人欠けているために滞っている高周波処理の工程へ向かった。

達夫はそこで自ら処理装置の前に立ち、立ったと同時に自動的に作業に取りかかった。耐熱ガラスの扉を開け、シャフトを装置に入れ、端子をはめ、扉を締め、スイッチを入れる。ぼおと淡赤色に鋼が燃え、冷却剤を浴びて一瞬のうちに赤は霧散する。黙々とそれを繰り返しながら、焼き入れの赤と作業場の入口の外の西日の臙脂色が重なり合い、それもまた無意識のうちに見るために見続けるうちに、達夫は自分が興奮しているのを感じた。若い女の飛び込み自殺。そう聞いたとき、ふいに子どものころ郷里の大阪で若い女が電車に飛び込むのを見たことを思い出し、心臓がひと跳ねしたのだったが、すでにはっきりしたかたちはないまま、飛び込んだ女をじっと眺めていた時間の、じりじり焼けるような身体の熱が甦り、目の前で燃える鋼の熱としばし溶け合い続けた。

達夫はまた、噴き出す玉の汗を肘で拭いながら、朝会ったばかりの美保子の顔も思い浮かべた。拝島駅で電車に飛び込んだ女が美保子ではないかと、根も葉もない突飛な連想が横切ったためだった。しかし、美保子はもう三十五だ。若い女とは言えない。ばかばかしいと一蹴して一つ唾を吐くと、高熱の高周波処理装置のなかで一瞬にして気化した唾が火花になった。

＊

八王子警察署のトイレで、合田雄一郎は洗面台に溜めた水に顔を浸し、出しっ放しの水の下に頭をさらした。森義孝とともに二時間ほど拝島の聞き込み先を回り、暑さのあまり頭の神経まで切れそうになって、八王子に戻ってきたところだった。

「合田、いるか」と廊下で呼ぶ声がした。「ここです！」と雄一郎は応えた。

林省三という名の本庁の老兵がドアから顔を覗かせ、中に入ってきた。洗面台から水浸しの頭を上げた部下を相手に、林は「そっちの当たりはあったたか」と物憂げな声を上げた。

「ありません」雄一郎は頭からしずくを垂らしたまま返事をした。

「小岩署が挙げた堀田とかいう奴だが、明日こっちへ移監される」林は言った。

「堀田を調べるんですか」

「そういうことだ。うちのほうの線は取り下げるしかない」

雄一郎が黙っていると、林は目線を下げてさらに続けた。

「ホシは堀田だ。上が、明日中にその線で決着をつけろと言ってきた」

梅雨明けから十日目。雄一郎が本庁から第三強行犯捜査七係の同僚八人とともに八王子署の強盗殺人事件の特捜本部に出向して、二ヵ月目のことだった。

本部といっても、捜査が長期化したために専従者は一人減り、二人減りし、すでに本庁八名、所轄十二名の小ぢんまりした所帯になって久しかった。林は七係の係長。雄一郎は警部補で主任。もう一人いる吾妻という主任とともに、現場の実権を握っているのは主任クラスで、林は係の長として、本庁幹部の意向と衝突しがちな現場の舵取りに追われているのだったが、警察の威信など屁でもない部下を前に、今日もまたいつもの上意下達の根回しだった。

事件は、去る六月二日に八王子市内のマンションで一人暮らしのホステスが殺され、現金などが奪われたというものだった。

発見されたとき、被害者太田裕子は居間のソファに仰向けに横たわっていた。現場は四階で、周囲に足場になるような隣接した建物はなく、ホシは午前二時か三時という時刻に、樋やベランダの支柱を伝わって器用に四階のベランダまでよじのぼり、掃き出し窓を割って部屋に侵入した。そこへふだんより早く被害者が帰ってきたのか、もしくは早く帰宅してソファで寝ていたのか、ホシは正面から女の頸《くび》を手で絞めて殺し、玄関から逃走したものと見られている。

行きずりの居直りと見られる強盗事案の捜査は強行犯のなかでももっとも困難なものだが、事件の性質そのものはありふれていた。特異な点といえば、被害者の死が扼頸《やくけい》による通常の急性窒息ではない蔓延性窒息によるもので、扼頸後しばらく生きていたらしいことぐらいだ。被害者の首には扼痕のほかに、絞頸を示す不鮮明な索条痕も残っていたが、剖検医は、絞頸はあったともなかったとも断定しかねるという検案書を出した。

ホシは時間がなかったらしく、居間だけが物色されており、当日の午前中に、被害者がマンションの改装工事代金の手付け金として銀行から引き出したことが分かっている現金八十万円が消えていた。その日の午後に受け取りに来るはずだった工事業者が都合で来られず、一日延びたために現金が部屋に置かれていたのだが、ホシが現金の存在を知っていたのか、たまたま物色しているときに見つけたのかどうかは不明。しかし、被害者が銀行で現金を引き出すのをホシが見ていた可能性もゼロではないので、その時刻に銀行内や周辺にいた人間を中心に千人以上に聞き込みをしたが、当たりはなかった。

また、居間以外の寝室やキッチンは手つかずで、寝室の化粧台の引出しには、百万円相当の貴金属がそのまま残されていた。

現場には、軍手のものらしいわずかな手袋痕はあったが指紋はなく、有効な毛髪、皮膚片、体液なども採れなかった。ベランダ伝いによじのぼった経路は、ズックの痕跡と手袋痕で明らかになっているが、ホシはガラスを割って侵入するときに、どうやらズックを脱いで靴下で入ったらしい。部屋はへたりの少ない純毛の絨毯敷きで、土足ならば泥の付着、裸足ならば汗などの付着でホシの足跡も採れるのに、有効なものは何一つなかったのだ。

侵入盗でも殺しでも、ホシの足痕跡と手袋痕によってホシの動線を予想すべきところ、それがないというのは、捜査の現場からすればかなり悪い状況だった。その上、ソファの上での扼頸であるから、ホシは当然片膝か片足をソファにのせて、上からのしかかったはずだが、ソファが革張りであったために、普通なら起毛の倒れ具合や凹みから採れるはずの足の痕跡もなかった。あんまり何もないので、そんなはずがあるかと言いつつ鑑識課長も現場へ陣頭指揮に出てきて、ＣＲＣ３―３６（痕跡採取用溶剤）の噴霧をやり直し、足痕採取用のオブラートを使用し、最新の静電気採取器も使ったが、結局だめだった。

被害者の着衣にも、破れやほつれ、著しい乱れ、唾液や血液などの汚れはなかった。ブラウスの襟に、ちょっと引き絞ったような皺があったことから、犯人が襟を使って頸を絞めた可能性もあるが、索条痕自体が不鮮明で何とも言えない。その襟には、被害者本人のものだと分かっているわずかな垢や皮膚片の付着はあったが、肝心の索条物の繊維片などは見つからなかった。

一方、扼痕のほうからは、被害者と異なるB型の人間の、微量の皮膚片が検出されていた。被害者の頸を絞めたホシはB型、ということだ。また、扼痕の並び方から、ホシは左利きの可能性があるということも分かっていた。しかし、それだけだ。

目撃者はいない。物音を聞いた者もいない。現金以外にもう一つ、その夜被害者がブラウスの胸につけていたことが分かっているダイヤのブローチも紛失していたが、ホシは質入れ等の処分をしていないのか、贓品《ぞうひん》捜査は空振り。手口資料にも該当するものがない。被害者周辺の敷鑑《しきかん》も外れ。むやみに地どりをやっても何も出てこない。ズック痕で分かった履物の銘柄は、日本全国の量販店で一年前に二十万足販売されていることが分かり、手のつけようがない。手袋痕の繊維の並び方は、関東の量販店で十年間に五百万足販売されている三組百五十円の軍手。この二ヵ月、ホシにつながる物証は何ひとつ挙がっていない。おおむねそんな状況だった。

しかしそれでも、捜査本部には唯一の手がかりとして、被害者の両手の指二本の爪垢から検出された微量のアポクリン腺の成分があった。アポクリン腺は主に腋窩《えきか》にあって手にはなく、その成分から割り出された血液型はやはりB型で被害者のものと異なっていた。

従って、被害者自身の汗腺から分泌されたものではなく、しかも汗の固形成分のうちの塩化ナトリウムの濃度が不自然に濃いところから、ほとんど塩の結晶に近い形でいったん被害者の爪に入り、そこで再び溶けたものだという仮説が立った。では、塩に近いような汗はいかにして被害者の爪二本に入ったのか。

汗がホシのものだと仮定すると、被害者は部屋でホシと遭遇した際に、いったんホシと摑み合い、そのときにホシの身体のどこかを摑んだと推定された。ただし、検出された汗には皮脂その他の分泌物は含まれていなかったので、被害者が摑んだのはホシの皮膚ではなく、ホシが着ていた衣服だった可能性がある。そして、もしも汗がホシの衣服についていたのだとしたら、そこから絞り込める犯人像というのはないわけではない。その点に最初に着目したのが、森義孝だった。

すなわち梅雨入り前の真夏日だった事件当時、汗が結晶になって付着しているような衣服を着ていたホシは、どのような人種か。トレーニング・ウェアで激しいスポーツをする人間。製鉄所や熱処理工場などの高温の作業場で働く人間。建設現場や道路工事の炎天下で働く人間などが考えられ、特捜本部はその線で当初から八王子を中心に広い地域を洗ってきた結果、事件発生から一週間目、八王子市内を流れる浅川河川敷の補修工事を請け負っていた市内の建設会社から、事件の二日後に姿を消した作業員が一人浮かんだのだった。ただし、その男は左利きではなかった。

男は、名前を土井幸吉といった。犯歴は無し。山谷や寿町の寄せ場で手配師を介して数ヵ月の契約仕事につき、関東一円の建設現場を転々として二十年という典型的な建設労働者だが、ここ二年ばかり八王子の建設会社の準社員になって落ち着いていた。ずっと飯場や会社の寮に寝泊まりしていたために家はなく、家族もない。無口で、同僚との付き合いもない。その上、勤務態度は真面目で酒は呑まず、女遊びの形跡もなく、車にも乗らない。そしてそうなれば金が余ってしかたがないはずだが事実は逆で、会社から再々給料の前借りをしているのが臭った。銀行の口座からは五万、十万といった単位で不定期に金が引き出され、毎月給料日前は残金数千円になっていたのだ。

出金は生活費のためとは考えられず、多くは土曜日に出金していることから最初に競馬・競輪の影が浮かんだ。周囲の人間は誰も知らなかったが、面割りで数人のノミ屋と常連客が土井の顔写真を確認し、そこからさらに賭博へと話は広がった。近年、都下ではほとんど開帳はないが、埼玉、千葉、神奈川などの近県に、土井が月に数回出かけていた事実のウラが取れてくると同時に、その行き先は一つ割れ、二つ割れ、分かっただけで二十ヵ所にも上った。いずれも複数の暴力団関係者が仕切って開いた賭場で、そこでは昔ながらの花札《フダ》が行われ、現金が動いているのも分かってきた。土井は、そうした賭場に通う素人筋の常連の一人だった。

捜査本部がそこまで辿り着くのに、一ヵ月かかった。開帳の日取りや場所は外に漏れることはなく、客筋も偽名を使う。いまの時代、ゲーム賭博や競馬・競輪のノミ行為と違って組織の資金源にするようなものではない上に、胴元は組の名を背負ってはやらない。仲間うちの遊興の色合いが濃いだけに、かえって接触が難しい。その一方で、地下でつながった水脈はいたるところで結果的には各暴力団に行き着くために、ヘタに動くと四課と組の双方を刺激することになる。その辺の街でチンピラを捕まえても聞ける話ではなく、素人筋の口はなおさら固く、ネタが出たときには開帳の証拠はすでに跡形もない。そんな状態で、土井の足跡を追うというのは、流れた痰唾を探して下水に足をつっ込むようなものだった。

それでも執拗に追ったのは、一つは事件当夜の土井の足取りが不明だったからだ。終業後、土井は午後十時半まで社員寮で寝ており、それからタバコを買いに行くと同僚に告げて寮を出た後、午後十一時四十五分ごろに、東京環状と甲州街道の大横町交差点そばのセブン-イレブンの店員が土井の姿を見かけていた。そして、次の目撃者は翌朝午前六時半の駅の改札係。土井はどこからか早朝の電車で戻ってきたのだが、前夜はそのどこかへ電車で行ったのかどうか。少なくとも土井を乗せたタクシーは見つかっていない。

深夜スーパーの店員と駅の改札係が見た土井の服装は、いずれも日中現場作業をしたときのままの作業服の上下。その現場の作業員の約半数が日射病を防ぐために長袖を着用していて、さらにその半数の着衣に、大量の発汗による塩の付着が見られた。

土井を追うもう一つの理由は、金の帳尻だった。この三ヵ月間の銀行の入出金と、会社からの前借り状況。馬券を買った日付と回数。各々の賭場に出た日付。それらはほぼ合っている。ところが、ノミ屋から聞き取れた毎回の購入馬券と配当、各賭場での各々の賭け金と、賭け率から計算した配当とそこからテラ銭を引いた額を細かく計算してゆくと、事件前後に著しく帳尻が合わなくなっていることが判明した。ざっと五十万の支出超過だ。土井は事件前に負けがこんでいた。ある賭場を仕切っていた組で、土井が給料をカタにして書いた借用証書の写しも確認した。しかし、土井は事件翌日の三日に浦和のほうの賭場に出ていたという情報もあって、それが事実なら、その日の時点で土井はどこからか帳尻を合わす金を得ていた可能性もある。質入れの品触《しなぶれ》もサラ金もシロなので、要するに組に借りたか、盗んだか。

単純な強盗でも、金銭の動きは、犯行やその動機を裏付ける最大の状況証拠になるが、金に困って強盗をやるといっても、金の帳尻を綿密に追って犯人を絞ってゆくことが出来るケースは多くない。土井は博打以外の出費がほとんどない特殊なケースだったおかげで、ここまで追ってこられたのだったが、逆に金以外に追うネタがないということでもあった。そういうわけで、賭場に関わっている複数の組関係者、その客筋などへの接触はいまも続いているのだった。

その一方で、姿を消した当の土井本人の行方はなかなか分からなかった。重要参考人として絞り込んできたとはいえ、殺人の容疑を裏付ける物証もない男一人に逮捕状は取れず、四課の方の尻を叩いて、証拠の取れた競馬のノミ行為で指名通報にし、実家のある福島と建設工事の多い信州と関西に手配して五週間だった。

ところが昨日、八月一日夜になって、捜査に思いがけない展開があった。江戸川区の小岩署が引っ張った連続窃盗犯の元暴力団員が、八王子周辺の五件の侵入盗を吐いたついでに、ホステス殺しを自供してしまったというのだ。堀田卓美というその被疑者は血液型はB型。覚醒剤中毒で、シャブを買う金ほしさに窃盗を重ね、傷害や詐欺など前科四犯で強制入院歴まであり、その上、なんと被害者太田裕子の高校時代の同級生だった。

そういう事情で、至急に対応を迫られた雄一郎たち八王子の特捜本部は、今朝から堀田の写真を持って現場周辺の聞き込みに走っているようなわけだった。八王子の本部でも被害者の鑑（敷鑑・土地鑑）は最初に徹底的に洗ったが、十五、六年も昔の高校時代の友人関係までは手が回らず、結果的に堀田卓美という名前を取りこぼした衝撃は、小さいとは言えなかった。もっとも、雄一郎が同僚の森とともに拝島へ足を運んだのは、小岩で挙がった堀田某のためではなかった。この二ヵ月細々と追ってきた自分たちの線のためであり、土井幸吉の立ち回り先を訪ね歩き続け、土井の人物像を固めるために、どんな男だったか、どんなことを話していたか、最近変わった様子はなかったかなどと聞き込んでゆく、今日もそういう一日だった。係長の林が「当たりはあったか」と最初に尋ねたのは、そのことだ。

昨夜、小岩署からファックスで送られてきた供述調書の一部を見、堀田某の犯歴や被疑者票や手口資料を見たとき、雄一郎たちは即座に《こいつは違う》と思った。堀田はシャブを買う金欲しさに手当たり次第に侵入盗を繰り返しているが、いずれも家屋や店舗の一階の裏口からの侵入で、ベランダをよじのぼるような高所侵入の技は見せたことがない。しかも小岩署が取った供述では、堀田はホステス太田裕子に誘われてマンションの部屋を訪ねた末の犯行だったということで、これでは強盗罪そのものが成立しない。雄一郎はすぐに小岩署の刑事課へ電話を入れ、「女に誘われたというのは間違いないか。《入り》と《出》の再確認を頼む。現金八十万円について、確認を頼む」と繰り返したが、「それはそっちでやってくれ」と一蹴された。小岩署は小岩署で、堀田が数年にわたって百件以上の窃盗を重ねていた容疑の裏付けと品触で、手一杯のようだった。

そして事はそれだけではすまず、一夜明けて、また一つ予想もしなかったことが起こった。今朝早く、五週間前から関係各府県に手配していた土井幸吉が、大阪市内で無銭飲食と盗みで捕まったという通報が、大阪府警曾根崎署から本庁四課のほうへ入ってきたのだ。

小岩で犯行を自供したホシが挙がっても、八王子の特捜本部としては、堀田の移監を待って取調べをやるまでは、土井の線も捨てることが出来ないのは当然だった。しかし、本来なら至急に賭博容疑で逮捕状を取って、取調べのために土井を大阪から東京へ移すところ、今度は四課のほうがうんと言わない。ノミ行為をやっている暴力団については、四課の担当係のほうでいろいろ事情があり、当分は摘発する気はないとのことだった。

そんなバカなとこちらが言ったところで、ノミ屋は所詮マル暴の畑だ。かといって、こちらも土井から話の一つも聞かずにすますわけにはゆかず、府警にはとりあえず、保護期限の延長手続きを取って署に留め置くように頼み、明日にでもこちらから誰かが出向いて土井に会うというところまでは、嘘八百を並べて、何とか一課長の了解を取りつけたところだった。それが今朝のことだ。

そしてたったいま、出先から帰ってきたとたん、《ホシは堀田》で決着をつけろと上に言われて、「はいそうですか」とまともに聞けるわけがなかった。堀田が自分で殺ったというのなら、話ぐらいは聞いてやってもいいが、取調べもやらないうちから《ホシは堀田》はない。正気かと言いたいところだった。

また、そんなことぐらい林はもちろん承知しているから、下を向いて歯切れの悪い物言いをしているのだったが、雄一郎にしても、刑事部の判断に逆らうわけにはいかない以上、結局は罵声の一つも呑み込まざるを得なかった。捜査本部を立てなければならない犯罪が年中山積みになっている昨今、強盗殺人一件に専従出来る日数は限られている。自分が殺ったという人間が現れたのなら、さっさとケリをつけなければ、四方八方遅滞だらけになる。《ホシは堀田》で決着をつけ、そこそこ裏付けが取れるのなら、書面を整えて逮捕すればよい。証拠が揃わなければ、小岩署へお返しするだけのことだ。いまの時点で、首を縦に振っても横に振っても、胃痛は同じだった。

「私は別に構いません」と雄一郎はそっけない返事をした。

「堀田がホシなら、現金や品触の当たりもそのうち出てくるだろう。取調べと裏付けは明日と明後日の二日でやる。逮捕は明後日の夕方をめどに考えてくれ」

「取調べは、吾妻に任せます。私は大阪へ行きますから」

「大阪へは——」

「行きます」

「土井から、何か引き出せる自信はあるのか」

上司としては、そう念を押さざるを得ないのは分かるが、自信があってもなくても、本人に会わずにすませられる話か。そう思いながら、「あります」と雄一郎は短く応えた。

「大阪では必ず何か取ってこい。でないと恥の上塗りだ」林は言った。

たかが強殺一件。ホシと名のつく者さえ挙がれば中身は知ったことではない警察幹部の叱咤。本部を立てて二ヵ月奔走して、よその署にホシを取られた不名誉。生半可な筋を通して譲らない部下。それらを全部引き受けるのは俺だ、という林の顔だった。

ひとしきり用件を話してしまった後、林は一通の封書を黙って洗面台の上に置き、罵声を吐く代わりに憂鬱げに首を横に振って出ていった。ただの私信のはずはない事務用の定形封筒は、表に桜田門の住所と警視庁捜査一課という無機的な名前が記され、《合田雄一郎殿》とあった。かなり達筆な水性ペンの手書きだった。差出人の住所は無し。いびつに膨らんだ封筒を濡れた指で軽く押してみると、二重になった封筒の中身の正体はすぐに分かった。

サイコロ二個。

開封せず、パンツのポケットに突っ込んだ。

雄一郎は鏡を見た。鏡のなかの男は、ほんとうはホシが堀田でも土井でもどちらでもいいのだという虚ろな顔をしていた。堀田であれ土井であれ、自白は取れても、物証を固めることが出来るかどうか分からない現状は同じだった。扼殺だから凶器がない。足痕跡がないから、殺害に及んだ具体的な状況も自白にたよるしかない。二ヵ月前の事件当夜の着衣や手袋や履物を、ホシが始末してしまっていたら、もうお手上げだ。強盗の容疑なら何とかなるが、殺人の物証をどうやって固めるか――。

鏡のなかで、かろうじて理性が《しっかりしろ》と喘いでいた。人前ではさらせない素顔のひ弱さ、凡庸さに加えて、ここ数週間のうちにこけた自分の頬に雄一郎は驚き、見入った。

地どりから出るものがほぼ出尽くした現在、雄一郎たち本庁の鑑担当の数名は、昼間は土井の周辺を訪ねて歩き回り、夜にはまたそれぞれの個人的な裁量で、ほとんど雲を摑むような思いでツテをたどり、餌を撒き、顔を売りながら地下に潜っていた。過去にどこかで行われ、行われたと知ったときにはすでに流れ去って跡形もない賭場のネタと、そこにいたかも知れない土井幸吉の姿と、合力がつけている配当の帳面を追うためだ。ゲーム賭博、マージャン賭博、バカラやルーレットのカジノに付き合い、ときには賭場にも出る。サイコロを振り、札を並べ始めたら朝までだ。週に三日は徹夜のここ数週間、どこまでが捜査のためなのか、自問するともう分からなかった。

水浸しの頭をハンカチでごしごし拭うと、短めに刈ってある髪がハリネズミになった。見苦しくない程度にそれに櫛を入れ、さらに歯を磨き、うがいをして雄一郎は洗面を終えた。トイレを出、本部が置かれている会議室で空いている椅子に座り込み、自販機で買ってきた缶ジュースの栓を開けた。

「そっちはどうでした」と所轄の誰かから声がかかった。

「ああ」とだけ雄一郎は応えた。

「くそ」と別の誰かが言う。

「何が堀田だ、ちくしょう」とまた別の呟きがあり、「まだまだ」とまた誰かがそれを受けて言う。小岩くんだりで、ヤク中のわけの分からない元ヤクザが犯行を自供してしまった昨日今日、これまで自分たちの追ってきた線がいっぺんに空中分解してしまった後遺症は誰にとっても大きいのだった。

「大阪から電話！」という声が飛んだ。「俺が出る」と下ろした腰を即座に上げて、雄一郎は黒板前のテーブルに並んだ警電の一つを取った。

大阪の曾根崎署と名乗って、電話の声は《お宅の要請通り、保護期限の延長はとりあえず二日間で裁判所の許可を取りましたが、そちらはどうするんですか。移監の手続きはするんですか、しないんですか》と問いただしてきた。

「朝にも申し上げた通り、こちらはそんな段階ではありません。土井本人にいくつか聞きたいことがあるだけです」

《しかし、こちらの事情も察していただけませんかね。実は近々府警本部の監査があるんですよ。お宅だって所轄の監査をやるでしょう？　書類の不備や手続きのミスをほじくり返して――》

「私はやりません」

《ともかく、うどん一杯食い逃げしてパン一個盗んだだけの男ですよ。どちらの被害者も被害届けは出さないと言うし、本人は別に錯乱しているわけでもないし、一応素直に謝っているんです。そんな男を保護事件扱いにして、おまけに保護期限延長までやって、これがバレたらうちが困る。そういうわけですから、土井を留め置くについては、せめてもう少し説得力のある説明がいただけないかという、うちの署長の意向なんですが》

「余罪を引き出せませんか」
《ただの保護者相手に、無茶を言わんでください。土井は二ヵ月ほど前に大阪へ来たところらしいから、余罪を探すんならそちらでお願いしますよ》
「こちらでも出来るだけ証拠は固めますから、余罪を取ってください。大阪で二ヵ月、おとなしく寝ていただけというのはあり得ません。常習賭博をやっている男なんですから。事案は何でも構いません。明日いっぱい、お宅の留置場に土井を留め置いていただければ、あとはうちが引き受けますから」
《逮捕状とは言いませんから、せめてそちらの一課長か四課長の一筆を持参していただきたい》
「検討させていただきます」
受話器を置くと、近くにいた所轄の誰かが「まだ土井を追うんですか」と声をかけてきた。雄一郎は「当たり前だ」とだけ応え、元の椅子に座ってやっとジュースをひと口啜った。捜査の上がりは午後七時だが、まだ一時間近くあるのに、ほとんどの者が出先から戻ってきていた。暑くてそんなに長い時間外を出歩いていられない夏の盛りには皆、戻りが早くなる。
椅子の散らかった部屋では、所轄の数人と本庁の仲間がてんでんばらばらに夕刊を開き、雑談をしていた。指令室も兼ねているので、警電や署活系の無線装置はジリジリ、ガーガー鳴り、切り忘れているらしい同時通報のスピーカーがざわざわしているなか、それらを貫いて聞こえてくる声の一つは、七係の同僚の有沢三郎という巡査部長だった。「それで、俺は言ったよ。てめえ、女のくせしやがって大口叩くヒマがあったら、さっさと足開きやがれって。そしたらそいつ、ほんとに脱ぎやがんの。たまらねえよ、俺は——」

「そんな女と座蒲団囲むお前が土台、なめられてたんだよ、それは」と鼻先でせせら笑う声は、これも同僚の、肥後和巳という中年の万年部屋長だった。

「度量だよ、度量。なめたきゃケツなめろって。どうせこっちは金取れねえんだし、突っ込むわけにもいかねえんだし」そんなことを言いつつ、有沢は雄一郎のほうへちらりと鋭利な流し目を送ってきた。

それは、雄一郎と賭場のネタを競っている男の今日の挨拶だった。仲間うちでは本名をもじった《又三郎》というあだ名がついており、その名のとおり手も足も頭の回転も風のように切れがよいばかりか、花札にかけてはほとんどプロの腕前ときていた。しかし、警察人生の幾分かをこれみよがしに極道に注ぎ、それなりに誰にも真似の出来ない人脈や情報網を営々と築くのも処世術だとうそぶくような神経は、こいつ一人でたくさんだったし、いざこういう男がいなくなったら、とたんに検挙率が下がって幹部が慌てることになる現実を見透かしているという意味で、これほど肌が合わない仲間というのも珍しかった。

もっとも、それは相手も同じことであり、たまたまホステス殺しの捜査では雄一郎が又三郎のシマを荒らすかたちになっていたために、投げてよこす目線の一つ一つが、憐憫と侮蔑と殺意をありったけぶち込んだ複雑なものなのだった。その目は、いまは《昨夜は相当スッたのか》とせせら笑い、雄一郎が無視してすませると、一寸引きつったような高笑いが返ってきた。いくら捜査のためとはいえ、違法な賭場に通って、そのつど、なけなしの万札に羽が生えて飛んでゆくのを拝むうちに、顔も自然に歪んでくるのはお互いさまだった。

「新宿の防犯の連中が、いっぺんお前を呼んで浣腸してやるって」年の功と面の皮で、これまた何があってもどこ吹く風の中年肥後がへらへら笑っていた。

「ヘッヘッ。あいつら、俺を呼ぶ度胸がないもんだから、こそこそ尾けてやがる」というのが又三郎の返事だったが、ふだんは上から下までいなせな着こなしを崩さない二枚目も、暑さに負けてここ数日は本部に帰れば首にタオルという恰好だった。

「なに、防犯の連中が踏み込んできたら、札一枚食っちまうさ。札数が揃わなきゃアウトよ」と又三郎は続け、「金はどうするんだ」と肥後が言えば、また別の声が「女の股につっ込みやがれ」と応じたが、それは広田義則という柔道七段の巨漢だった。ふだんは物言わぬ忍耐の塊も、暑さのせいか、広げた夕刊の向こうからぼそりと呟いた声は荒かった。

そして、その傍らではもう一人の主任の吾妻哲郎が突然夕刊を置いて「おい、冷房効いてるのか！」などと所轄の方へ怒鳴っていた。「六時で切れる」という返事があると、吾妻はどこかの商店街の名前入り扇子を取り出し、ぱたぱたやりながら再び夕刊を繰り始めた。また、普段から仲間と交わることのない森義孝はひとり、まだ汗のひかない額を別の夕刊に埋めており、二十代の松岡譲という新米刑事はデート前の爪切りだった。

以上、七係の同僚たちは、どこの馬の骨がホシの名乗りを挙げようと事態を静観するだけの腹が据わり、期待も失望もしないという顔ではあった。森と松岡を除き、みな雄一郎より二つか三つ上。肥後は十歳上。堀田だろうが土井だろうが、落とすときは落とすという自負がどの鼻先にもぶら下がっていたと同時に、どちらにしてもこの事件は殺しでの証拠固めが危ういことを知っている諦めと惰性も、そこには覗いていた。

とまれ、もし土井幸吉の線が外れなら、第一に失態を問われるのは土井に固執してきた雄一郎と森だった。個人の減点はともかく、主任の一人として部下を引っ張ってきた責任は軽くなかったし、雄一郎としては、同僚たちが被ることになる汚名を最小限に留めるためにも、時期を逸することなく捨てるべき線は捨てなければならず、その判断は遅くとも明日中につける必要があった。

爪を切りながら、若い松岡が首だけ回して退屈そうにこちらを見た。午前中は元気にピーチクパーチク飛び回り、日が傾くと決まって眠たげに動作が鈍くなるので、こいつのあだ名は《十姉妹《じゅうしまつ》》。「主任、夕方拝島駅で飛び込み自殺があったのは知ってますか」などと声をかけてきた。

「ああ、ちょうどその電車に乗っていたから」

雄一郎は答えたが、初めから話し込む気もなかったらしい松岡は、「へえ、そうだったんですか」と言っただけで、また背を向けてしまった。ひと口ふた口冷えたジュースを飲むと、絞ればしずくが垂れそうだったポロシャツも冷え始めた。雄一郎はジュースを置き、一日履いていたスニーカーの紐を緩めた。その片方を脱ぎ、中に入っていた砂粒をはたき落とす間、相変わらず又三郎の賑やかな声が飛んでいた。

「おう、聞いた、聞いた！　女が飛び込んだ話だろ——」

仲間たちの雑談は飛び込み自殺の話題へ移り、拝島の所轄の昭島署に所用があって行ってきたという八王子署の数人が加わって、ひとしきり散漫に続いた。それを聞くともなく聞いたところでは、ホームで女と摑み合った男はすでに身柄を確保され、署に引っ張られたようだった。身元は、羽村にある大手薬品メーカーの工場に勤める生産管理部の係長。死んだ女は、同じ工場に研修で入っていた中国人。二人は半年前から男女の関係になり、事故直前には拝島の旅館にいたが、何かの事情で揉めたあげくに女が逃げ、男が追いかけ、駅のホームで摑み合う顚末になった。中国大使館と外務省が出てきたために男の聴取はまだ続いており、参考人程度ではすみそうにないということだった。現場にいた男の女房の話は、その場では出なかった。

一方、そういう話を小耳にはさんでいた間、雄一郎の心身は宵の訪れとともに冷え始め、そこにはかたちもない何かの感情の切れ端と、跨線橋で見た女の目の大きな黒い穴だけが残り、ふつふつと緩やかに沸き続けていただけだった。

「そういえば」と、新聞をたたんだ吾妻哲郎が思い出したように顔を振り向け、「林に何か言われたか」と声をかけてきた。同じ主任でも年長の三十七歳で、名実ともに七係を仕切っている男だった。明晰という言葉に怪奇という言葉を足してじっくり練り上げると、吾妻哲郎という食えない金太郎飴が出来る。怜悧というのも少し違うこの屈折した怪物に進呈する名前は、ドストエフスキーの描いた予審判事ポルフィーリィ・ペトローヴィッチ。

しかし、その陰険かつ滑らかな舌の一方で、係を仕切っている立場から他人の顔色に気を配るこまやかさもあって、いまの顔はちょうど、財布を軽くするためにたまり過ぎた小銭をくれてやるといった感じだった。そして、この男もまた、申し訳程度に締めているネクタイがゆるんで、伸びたうどんのようにだらりと垂れていた。

「ホシは堀田だそうだ」と雄一郎は応えた。

「ヘッ」と一つ鼻を鳴らして、「土井の野郎をどうする」と吾妻は続けた。

「明日、大阪で会ってくる。堀田の調べはあんたがやってくれ」

「大阪行き、俺なら見合わせるぞ。堀田を調べてから出向いたほうが、あとの傷が少なくてすむ」

「府警のほうの忍耐も限界だ。土井と対面してみれば、何か引き出せるだろ」

「何を」椅子の背にふんぞり返って、和製ポルフィーリィは投げやりな声を出した。鉄壁の回路を持つ優秀な脳味噌も、ここ数日暑さで短絡しがちになっているが、それでもこのコンピューター男にいい加減な物言いは通用しなかった。ヘタな返事を控えて雄一郎が黙り込むと、吾妻はよほど退屈なのか、自分から次の言葉を続けたものだった。

「ホシは堀田だと言っても、もし被害者の女に誘われたというのが事実なら、現状では窃盗の容疑が精一杯だ。大阪へ行くんなら、せめて土井の線だけでも消してくることった。そうしたらこちらの仕事も一つ減るからな。ところでお前、拝島駅にいたのか」

扇子を上下させるスピードを上げて、吾妻はしつこく話しかけてきた。

「ああ、いたよ」雄一郎はほとんど最後の忍耐をくり出して応えた。

「昭島署から名指しで、お前が現場を荒らしたと言ってきたぞ。飛び込みの現場なんかでいったい何をしてたんだ、このくそ暑いときに——」

「事故のあった電車に乗り合わせただけだ。線路に女が落ちるのを見たし、連れの男が逃げるのも見た。跨線橋には血痕もあった。ただの事故には見えなかった」

「だから？　ともかく昭島署には、うちにはよその現場を手伝うような優しいやつはいねえと言っておいたからな」

それだけ言って吾妻は背を向けてしまった。商店街の名前入り扇子がぱたぱた動き続け、捜査員の大半が揃ってしまった部屋に長い西日が差していた。空の臙脂色は、いまはどす黒い斑模様《まだら》だった。まるで血腫が破裂した臓器のように見えた。

それから間もなく、黒板前の幹部席に林と八王子署の刑事課長が姿を見せ、定時の会議になった。本庁幹部はホシの挙がった小岩署のほうに行ってしまったおかげで姿はなく、本来なら雨あられと降ってくるはずの怒号を聞かずにすむということだった。所轄の刑事課長が「それでは――」と言い出したが、すぐには雑談も途切れず、林が机を叩いて「静かに」と一喝した。

「それでは、まず地どり一区！」

地どり班の所轄の捜査員の報告になった。事件現場から五百メートル西にある喫茶店の店主が、堀田卓美の顔写真を見て、事件前日に《見たような気がする》と証言した云々。事件発生以来、割り当てられた区域を連日歩き続けてきて、今日の成果は《ような気がする》話が一つだった。

「はい、次は二区」

現場から二百メートル東にあるアパートの住人が堀田の写真を確認、等々。報告者の声に私語や軽い野次と欠伸が混じるなか、大した起伏もなく続いてゆくのを聞くのは一種の集中と放心の時間だった。もはや忍耐も要しない、習慣となった条件反射で耳を傾けながら、雄一郎はひとり、慰みにスニーカーの紐を締め直したりし、結び方が気に入らずに何度か繰り返す間に、地どり五区分の報告は成果もなく終わってしまった。そこで、森義孝が「土井幸吉については何もないんですか」と言い出し、「あんたがやったらどうだ」と報告者は言い返した。会議で森は必ず何か言い、言われた方は必ず《うるさい》という顔をする。毎日一回は起こる茶番だった。

森は地どり担当ではないが、この二ヵ月、地どりから挙がってくるべき情報に執着してきた。事件当日の六月二日未明の土井幸吉の足取りがどうしても摑めない現状では当然のことだったが、小岩で挙がった堀田卓美のせいで誰もが土井どころではなかった日に、土井について何もなかったのかと念を押された報告者がむっとしたのも無理はなかった。雄一郎は目で《黙っていろ》と森を制止し、森は発疹の出かかっている赤い顔を歪めてそっぽを向いた。

とはいえ、地どりで目撃証言が挙がってこないおかげで、土井幸吉の線に逆に固執せざるをえないのも事実だった。その足取りについては、六月一日午後十一時四十五分にセブンーイレブンで目撃された時刻から、翌朝午前六時半に駅で目撃された時刻までの六時間四十五分の空白が埋まっていない。事件のあった時刻を含むその空白が埋まらない限り、土井の線を捨てることは出来ないのだ。

実際雄一郎も、スニーカーの紐をいじりながらやはり土井幸吉のことを考え、頭のなかでは懲りずに土井の博打の帳尻を繰り返し反芻し続けていたのだった。〈――――五月二十日。横浜。秦野組系竹内組。親、竹内巌。オイチョカブ。三万プラス〉〈二十二日。競馬。中山。③―⑧、千二百円で四十二万プラス〉〈二十五日。藤沢。青楼会系尾上組。親、吉川護。バッタマキ。五十二万か三万マイナス〉〈二十八日。給料十七万引出し〉〈同二十八日。船橋。尾上組。バッタマキ。六十万マイナス〉〈六月三日。浦和。竹内組。親、竹内巌――――〉

事件翌日の六月三日の賭場の情報は、先日摑んだところだった。土井がホシなら、人殺しをやった翌日に賭場に出るというのも驚きだが、その日が関東での土井の最後の博打となった以上、その日の勝負内容はどうしても知る必要があった。知りたかったのはたんに動いた金の額だけでなく、土井がどのぐらいの現金を持っていたのか、だ。

土井のこれまでの賭け方からみて、六月三日の賭場に出るための条件は二つ。一つはそれまでの借金を清算していること。一つは最低二十万ぐらいの現金は手元にあること。この二つの条件を満たすためには七十万ほどの現金が要る。その現金をどこから手に入れたのか、だった。

金の流れでは、ひっかかる点もあった。土井は五月二十八日の賭場で、尾上組に五十万円の借用証書を書いているが、その借金が未だ返済されていないのだった。仮に土井がホステス太田裕子のマンションで八十万を盗んだのなら、返済する金はあったはずだ。近々返すつもりだったのかも知れないが、結局返さなかったのはなぜか。

いずれにしろ、六月三日に浦和で開かれた賭場で、土井がいくらの現金を持っていたのか、その解明が最優先だった。当夜の胴は竹内巖。土井は何度も竹内の賭場には顔を出しており、竹内組の若頭で合力をやっている檜山慎一は記憶力がいい。竹内巖がだめでも檜山からは、六月三日の記憶は引き出せるに違いないと雄一郎は確信した。しかしそのためには、近いうちにまた竹内巖の賭場に出なければならない。

地どり各区の報告が十分ほどで終わると、次は鑑の四組がそれぞれの聞き込みと裏付けの報告をしたが、それもすぐに終わった。堀田卓美については、いまのところ八王子で重ねた窃盗事件とホステス殺しが時期的にはつながるのだったが、事件当日に堀田が荒川区の自分のアパートからたしかに八王子へ行ったという裏付けはまだ取れていなかった。堀田には覚醒剤取引での動きが多々あるはずだが、それについては本人が口をつぐんでいて、その線から割り出せる鑑もまだ手つかずだった。

「本人に吐かせりゃいいんだ」という呟きが挙がり、「そうだ、そうだ」という相槌もいくつか聞こえたが、どれも声は小さかった。明日には被疑者をこちらに引っ張って吐かせるのだとしても、万全の証拠がないまま聴取に臨む面倒は、誰も被りたがらない。黒板前の幹部席から、林が《やるのはお前らだ》という目で吾妻と雄一郎の二人を見た。

しかし、吾妻のポルフィーリィも、もともと上司や所轄署幹部の心証など屁でもない男だ。林の目線をさっさと無視して「はい、以上」と声を張り上げたものだった。警察の未来を憂うなら、吾妻こそ末は一課長の席に座るべき男だったが、世事に長《た》けて万事そつのない本庁六階のイエスマンどもが揃ってあの世に行かない限り、そんなことは絶対にあり得ない。近年の吾妻は遅ればせながらそう悟ったフシがあり、それゆえにせっせと厚顔無恥に磨きをかけているのだった。

「明日も引続き、各自ウラ取りに全力を挙げること。本日はご苦労さん。解散！」

皆が三々五々席を立ったとき、林は幹部席の机で鳴り出した電話を取っており、受話器片手に、もう片方の手で雄一郎と吾妻に《来い》と手招きした。

受話器を置いた林は、起伏のない平板な眉間に新たな皺を一本寄せて二人の主任を黒板のすみに呼び、「土井が自殺未遂だそうだ」と呟いた。大阪の曾根崎署の留置場に留め置かれている土井幸吉が、髭剃り用の剃刀《かみそり》を喉に詰めて救急車で病院に運ばれたというが、容体は「死にはせんだろう」ということだった。

「まあ、明日合田が大阪へ行く理由ができたということですな」

吾妻は言ったが、人ひとり剃刀を呑み込んで、それで事態が動くならけっこうなことだと言いたげに、気だるそうな目元が緩んでいた。

「さあ、どうだかな」林はなおも鈍い表情でいい、吾妻は平然と続けた。

「だって、私らが無銭飲食の浮浪者一人を無理に留置させたから、こんなことになったんでしょうが。詫びのひとつも入れないわけにはゆきますまい」

「曾根崎に組関係の脅しが入ったということも考えられます。でなければ、わざわざ大阪まで逃げた男がいきなり自殺を図るわけがない。ともかく土井の様子を見てきます」雄一郎はそう補足し、「土井は脈があるかも」と吾妻がもう一言付け足した。

「いずれにしろ期限は明後日だ。それまでに土井にヒットがなければ、ホシは堀田で何としても証拠を固めろ。いいな?」

「分かっています」

双方、口先ばかりの確認を交わして、雄一郎たちはさっさと会議室を辞した。廊下に出るなり、吾妻は不謹慎にワッハッハと笑い出し、雄一郎もにやにやした。一人の浮浪者が自殺を図り、捜査の現場は《脈あり》とほくそ笑む。しかし、土井の容体によっては供述の一つも取れないかも知れず、そうなったら一転して面倒な責任問題だけが残ることにもなる。それも分かった上での、ヒステリックな笑いの発作だった。証拠を固めるといっても凶器なし、足痕跡・指紋なしでは、あと何がある。

「ない袖は振れねえよ」吾妻は最後には屑入れに唾を吐いた。「お前は明日は里帰りか。せいぜい遊んできやがれ。俺は帰る」

首からひっぺがしたネクタイをポケットに突っ込んで、吾妻は立ち去った。本部を一歩出ると、鉄面皮のポルフィーリィも教育熱心な可愛い父親の顔になり、公衆電話から家に電話を入れて《いまから帰るからね》と家族に囁くのだ。

雄一郎のほうは、署の玄関で三々五々帰宅する刑事課の連中や七係の数人と一緒になった。「行きましょかぁ」と肥後部屋長のおっさんに声をかけられ、ほかの同僚ともどもちょっと近くで一杯ということになった。誰しも、明日の連続窃盗犯の移監を控えてのやけ酒というところだった。雄一郎も、ほんとうは個人の用事がいろいろあったにもかかわらず、ビール一杯の誘惑に負けた。渇きというより、多くの不実にもう一つ不実を重ねる自虐的な快感に身を任せたかたちだった。

そして呑み屋では、何を待つわけでもなく、期待するわけでもなく、列車の時刻を気にしながらビールを呷るうちに少し腰が重くなり、雄一郎は乗るつもりだった東京行きの快速電車を一本、また一本と遅らせた。

席を立たなかったのは、又三郎がちょっと話しかけてきたのと、某新聞社の八王子支部にいるサツ回りの記者が、たまたま途中から座に加わったからだった。捜査本部に報道関係は出入り禁止だが、事件によりけり、捜査陣容によりけり、気分によりけりで、外では懇親会と称して適当に呑むこともある。その夜、顔を出したその古強者の記者は、拝島の飛び込み自殺の現場を取材し、本社に記事を送ったその足で呑み屋に立ち寄って、「署かった」と言いながらビールを呑み始めたわけだった。

そうしてひと汗拭った後、「昭島署は、男を重過失致死容疑で調べてますよ」と記者は言った。「遺書が出てこないし、いまのところ女が自殺を周囲に仄めかした形跡もないし。男は女に工場を休ませて、自分も仕事を抜け出して旅館にしけ込んでいたらしい。そこへ男の女房が乗り込んで来て――」

ひやひやと刑事たちが笑い、「死んだ女、美人だぞぉ」記者は身を乗り出して言い出した。「ほら、中国の女は身体のつくりから違うという感じですからなあ。昭島の担当から聞いた話では、男は女房から逃げていたとかで、女房の名前を聞いただけで錯乱状態ですと。大の男が錯乱ですよ、錯乱。その女房というのも署に来ていたのを見ましたが、これが三十過ぎで、わりにいい女なんですよ。色白でむっちりして。亭主が何を怖がっているんだか、担当の刑事も首をかしげていましたよ」

色白でむっちりして。それしか形容詞はないのか。

座の端で又三郎と別の話をしながら、雄一郎はしばし耳をそばだて、そんなことをちらりと思った。跨線橋で見たあの目の、吸い込まれるような暗い穴を記者は見なかったのか。それとも、女のほうが警察ではもうそんな目をしていなかったのか。それにしても、無粋な森義孝がまた「なんで重過失致死なんですか」と真顔で言い出しており、それはこう続いた。「男と女がホームで摑み合ったのは私が見ましたが、男が女を突き落としたというような状況ではなかった。あれは、男が女を止めようとしたんです」

「お前なあ、男と女の話は刑事にだって分からねえというのが真理だと思っておけ。そのぐらいでちょうどいいんだ、男と女の話はよ」肥後がダミ声を上げて笑い、所轄の刑事が「昭島署には何か狙いがあるんでしょう」と無難なことを言ったが、ではどんな狙いがあるというのだ？

案の定、「ありえません。いきなり過失致死で調べておいて、この上まだ何の狙いがあるというんですか」森は言い、「まあまあ、お偉い警察が事件だというのなら、事件だってことなんでしょうや」記者が言えば、「どのみち、お偉い全国紙が書く話じゃねえだろ」と笑ったのは肥後だった。

そうした話が続いていた間、雄一郎は座に背を向けて、又三郎とちょっと込み入った話をしていたのだが、又三郎はビールを呑み始めてすぐ、雄一郎のそばに席を移して一組の札をポケットから取り出したのだった。

「見てなさいよ」と囁くやいなや、又三郎は四十八枚の札を手早く切り、上になった一枚を表向きに雄一郎に渡した。来たのは《さくら》のカス。又三郎は続けて四枚を表向きにソファの上に取りのけた後、一枚を自分の手元に裏向けに取る。そしてさらに一枚を裏向けに雄一郎の手元へ滑らせ、自分の手元にもう一枚を取った。

雄一郎は、裏を向いた自分の札をちらりと覗いた。《かきつばた》の八つ橋。三十五でオイチョだ。

「もう一枚、要りますか」又三郎は言い、雄一郎は首を横に振った。すると又三郎は、自分の手元の札二枚を見ることもなく、それをいきなり開いてみせた。《まつ》と《きく》が揃っていた。九と一の『くっぴん』で又三郎の勝ちだ。

「もう一回。今度はさしで八八をやってみましょうか」

又三郎は札をかき集めると、そこから《ふじ》《かきつばた》《はぎ》の各四枚と《きり》のカス二枚を取り除いて合計三十四枚にした。それを切り直すと、雄一郎に四枚配り、場に三枚、自分に四枚。さらに雄一郎に三枚、場に三枚、自分に三枚、手七場六で配った後、残った札を場に積んだ。

雄一郎の手は、《ぼたん》の蝶の十点一枚、ほか六枚がカスの〈十一〉で手役だった。場の六枚は《さくら》の赤短、《すすき》の満月、《まつ》《もみじ》《あめ》のカス各一枚、《もみじ》の青短。裏を向いためくり札は十四枚。その十四枚の札をざっと読む。雄一郎の手札では、出来役を作るためには場に出ている《すすき》の二十点札を取るか、赤・青の短冊を取るか、めくり札を一枚取るかだ。

親の又三郎は先手で、手札から《あめ》のカス一枚を捨て、場から《もみじ》の青短を取っていった。相手が青短三枚狙う気なら、雄一郎は邪魔するような手札もないから、仕方なしにカス一枚捨てて一枚めくったら、《まつ》の赤短。

そして互いに三回ずつ手札を捨てて一枚ずつ取り合ったところで、又三郎は早くも「終わり」と言い、手札を開けてみせた。《もみじ》《きく》《ぼたん》の青短三枚の出来役が揃っていた。

「種明かしの基本はこれです」

そう言いつつ、又三郎はかき集めた札を雄一郎に渡して「主任が切ってみなさい」と言った。雄一郎は四十八枚の札を切り、ソファの上に積む。又三郎は右手の人指し指一本で、その札の山を崩してドミノ倒しの形に一列に並べた。その先端の一枚をめくる。《きり》の鳳凰。

又三郎は札を集め、それを切って再度撒く。一枚めくる。また《きり》の鳳凰。

もう一度やってみせた。また同じ札が出る。三度目の札をかき集めながら、「竹内巌がやっているのはこれです」と又三郎は言った。「分かるでしょう?」

「掌か」

「そうです。ポケットに札を何枚か忍ばせておけば、いくらでも応用が効く。抜き取るのも差し込むのも、自由自在」

そう言って、又三郎は再び右の掌を開けてみせた。掌の真んなかに表を向いた《きり》の一枚が張りついていた。その手を下向けると、札は裏を向いてソファに落ちる。その上に右の掌を置き、再び持ち上げると札は元通りに表を向いてそこに張りついている。掌の微妙な皺と湿気と、札の和紙の表面の三つが揃って出来る技だった。

その札一枚を掌に張りつけたまま、又三郎の右手から、四度目の札が放たれ、ソファに並んだ。そして、今度は右手をゆっくりと札の上に運び、下を向いた掌からそこに張りついていた札一枚が、始めから並んでいたかのように落ちるのを見せてくれた後、又三郎は札をかき集めた。玄人のイカサマの鮮やかな手つきだった。ヒラ札を使うから証拠も残らない。素人客相手なら、まず見破られることはない。現に雄一郎も分からなかったのだ。

「しかし、やつらは皆やってるだろう」

「素人相手ならいい。玄人相手にやっちまったんですよ、竹内は」

「どこで」

「昨日、四谷会系の賭場に竹内ほか数人が出ていて、そこには玄人筋も混じっていた。そこで、竹内のサマがばれてひと騒ぎあったという話です。いまどき物騒なことにはなりませんが、代わりに騒ぎ出すのは素人筋のほうですから。とくに借金を抱えているやつが、これ幸いにと警察に被害届けを出すのは時間の問題です」

「手入れか――」

「一人、土建屋の親爺で駆け込みそうなやつがいるという情報です。一千万ほど負けがこんでいるらしい。分かるでしょう？　そいつが駆け込んだら、竹内は終わりです」

「所轄はどこだ」

「昨日の分は千葉。とにかく、土井を追うのに竹内に近づくのが一番近道だといっても、もう終わりです。主任がパクられたら私も割りを食う。竹内からは手を引いてください」

「マル暴も、今日明日の手入れは無理だろう」

「そんなことは分かりませんよ。竹内の線は諦めることです。どうせこのヤマ、誰がゲロしても証拠なしでお宮でしょうが。やりきれねえや、まったく――」

雄一郎はそれには応えなかった。仄暗い店のすみで、又三郎は薄くなった水割りを啜りながら寝不足の赤い目をこすり、大欠伸を一つ漏らした。その男の脇に、雄一郎は自分のパンツの尻ポケットから取り出したサイコロ入りの封筒を差し出して見せた。又三郎は目を落として表書きを見、裏返し、指で素早く封書の中のサイコロを確かめ、雄一郎の手につき返した。

「脅しに理屈は要らねえってことですよ」

「俺だけの話ならいいがな」

「その出所、新宿署の防犯あたりでしょう？　やつらの管内で、主任は組の受けはいいわ、身持ちはいいわ、金はばらまくわ。私が連中なら、とっくの昔にヤキを入れてますよ。ともかく、指されたくなければ手を退くことです。これが今夜の私の忠告」

「親切やな」雄一郎は大阪言葉でそう呟き、そのアクセントに耳がひくついたように又三郎はちらりと身震いした。一方、後ろのほうでは人身事故の話がいつの間にか下ネタに変わり、わずかのビールで顔を赤くした同僚たちがゲラゲラ笑い続けていた。

雄一郎は、グラス三杯のビールをゆっくり空け、午後九時前に「明日は里帰りだから」とひと足先に腰を上げた。店を出、同僚たちの声と臭いが消え去るまで、早足に歩いた。その数分の間に、職業柄いつ始まりいつ終わるか分からない長い一日と、そこにさらしていた一つの顔を振り捨てるのが毎夜の習慣だった。実質的に個人の生活などゼロに等しい生活でも、そうしてきたのは誰でもない、自分自身だという思いが、ほとんど強迫観念のようにわずかな公私の顔を峻別させずにおかない。

そうして八王子駅に辿り着くと、雄一郎は公衆電話からまず私用の電話を一本かけた。相手は別れた貴代子の双子の兄であると同時に、雄一郎にとって大学時代からのほとんど唯一の知己でもある男で、先週久しぶりにハガキをよこし、法事がある八月二日を避けて一度水戸の実家のほうへ寄るように言ってきたのだった。しかし、かくいう本人も警察以上に多忙をきわめる東京地検におり、春先から続いているゼネコン数社と地方自治体首長の大がかりな贈収賄事件のさなかに帰省などしているのは、捜査が国会閉会中の永田町に及んでいることの証でもあったから、昔の友とのんびり旧交を温めているようなときではない。ひょっとしたらアメリカにいる貴代子が戻っているのかといった想像も巡らせてみたが、それなら雄一郎としてはなおさら連絡を取りづらく、一日また一日と先伸ばしにしてきたあげくの電話だった。

すでに半日前に法事は終わっていたが、大きな旧家のこと、誰が残っているか分からないと思ったが、電話口に出たのは本人で、《ちょうどひとりで呑み直していたところだ》というのが第一声だった。
「俺のほうは明日は大阪へ出張だ。あんたは、そこにはいつまでいる」
《五日の朝、東京へ戻る》
「四日の夜、顔を出していいか。この季節を外したら、またいつ会えるか分からないから」
《では四日に。泊まっていけよ》
元義兄は、貴代子が来たとも来なかったとも言わず、雄一郎も尋ねなかったが、毎夏、双方がいくらか平静を欠き、愚かな困惑と遠慮を繰り返して懲りることがないのだった。いくら大学時代からの付き合いでも、妹との結婚を破綻させた男に向かって、昔と同じように自分の実家に来いという男は、未だに妹と自身の友人の関係について、何かの幻を見続けており、貴代子もまた、いまは別の男と外国で暮らしながら、なにがしかの目に見えない執着と悔恨の秋波を兄に送り続けている。そして雄一郎自身もまた、戸籍の手続きのようにはその兄妹との関係を切ることが出来ずに、いまなお元義兄とハガキや電話のやり取りをしているのだ。かくして三者三様の未練は消えかけては蘇生し、じりじりと熱をもち続けて、毎年夏がやってくるのだった。

短い電話一本のなかに、互いに口に出さなかった思いが凝縮され、宵の熱とも相手の熱ともつかない息苦しい靄になって、電話線を伝わり合ったかのようだった。常磐線の急行に乗れば今夜にでも行けないことはなかった自分と、それを敏感に察している元義兄との当たり障りないやり取りは不実に満ち、崩壊のかすかな予感もあった。それらを振り切って、雄一郎は続いて赤羽の自宅の留守番電話を確認した。録音が一件あった。
《今夜、竹内が行きます。場所は大宮。よろしく》
竹内巌。いましがた、《危ない》という又三郎の情報が入ったばかりだというのに、実は骨身に沁みるほどの危機感はなかった。仮に今日、インチキに乗じた素人客が警察に駆け込んでも、警察が情報の確認をし、現行犯逮捕で踏み込む準備を整えるのには数日はかかる。
あと一回。一回ぐらいなら、と雄一郎は自分に言い聞かせた。ホシは堀田でも土井でも大差ないが、又三郎のようにどうせお宮だと投げ捨てるのは早すぎるし、係の主任として投げ捨ててすむ話でもなかった。雄一郎は受話器を置き、自分の財布を覗いた。昨日、八王子の銀行で下ろした二十万は、ある筋の若い衆と賭けマージャンをして五万減った。今日一日、昼間はタクシーも使わなかったし、さっき呑み屋に置いてきたのは二千円だったし、などと考えながら、十五枚たしかに残っているのを確かめた。いまはいい時期だった。夏のボーナスが出たし、貯金もまだしばらくはもつ。

用事を終えてホームに立つと、いつもは何も考えず自動的に開く文庫本に手が出なかった。代わりに私用の手帳を取り出し、手のなかで開いたそれに目を落とした。女は、しっかりと角張った字を書いていた。《福生市加美平五―一―十二―三〇三　佐野美保子》

地番は団地を示していたが、思い浮かぶのは羽村との境に近い国道沿いの、古い灰色のアパートの群れだった。雄一郎は一つ向こうの拝島行き八高《はちこう》線のホームに目をやり、線路の先に消えていく北の闇を見た。昼間の炎天の熱を含む闇は、あらたな薪をくべればぼうと燃え上がる熾火《おきび》のようだった。いまは自分の心身がそれに包まれているような感じがし、骨が熱いと、また思った。女を自分の下に横たえ、足を開かせ、その間に自分の身を下ろしてゆくときのあの感じ。欲情する身体をそうと知っているのは自分だけだと骨が言う、あの感じ。そういう骨にとっては貴代子も貴代子でなく、佐野美保子も佐野美保子ではない。手も脚も肌も声も、ただ暗闇で触れる熱溜めでしかないのだったが、そのことを女たちは知っていて逃げてゆくか。根も葉もない想像を巡らせてひとり笑いした後、雄一郎は東京行きの電車に乗り込み、慢性的な睡眠不足に負けてたちまちうたた寝に陥った。

夢ばかり見る浅い眠りだった。複線に分かれてゆく線路に赤い服を着た女が落ちる。突然、貴代子かと思う。ちりぢりの赤い衣服片を眺め、貴代子でないのは当たり前だと独りごちながら、冷や汗を垂らして喘ぐ自分がいる。次いで、またどこかの線路が現れる。一人の女が路面電車に飛び込んでゆく。西日が差す事故現場の線路脇に、制服の背筋を伸ばして立っている警官の姿は、いまは亡い自分の父で、その足元に散っている轢死体の衣服片はやはり赤。しかし、それはいったい子どものころ飛田新地で見かけた芸奴の襦袢の赤なのか、それとも電車に飛び込んだ女が着ていた服の赤なのか。眺めるうちに線路も父の姿も赤みを帯び、やがてまた青梅線の濃い臙脂色の車両が現れると、どこかで見た色だと繰り返し呟いている自分がいるのだった。あれは何という名前の色だったか——。それから、もう二十年以上も昔、郷里の大阪でその色のことを自分に話した男の顔が一つ、ぼんやりと浮かんでは消え、残ったのはまたも臙脂色一色だった。

やがて列車の座席で目が覚めたとき、雄一郎は身体のすみずみに浮き上がるような熱がこもっているのを感じ、女の夢を見ていたのだと思った。車窓の外の闇が、拝島で見た女の目の吸い込まれるような黒い穴に見え、冷や汗ともつかぬ欲情が噴き出すのを感じた。偶然見かけただけの女の、汗まみれの白いブラウスをいますぐ引き剝がしたい、ひきしまったふくらはぎをこの手で摑みたい、なめつくしたい、食いちぎりたいといった具体的なかたちもあった。雄一郎は自分が自分でないような、いつになく生々しい情動を笑いのめし、恐れ、身を固くしながら、それにしてもなんという無様さだと思った。女ひとり抱けない無能と怠惰と自信の欠如を、職業上の自制だの多忙だのと言い換え続けてきたあげくに、自分への失望はまた一つ自他への容赦なさへとつながってゆくだけなのだ。そして、そう自省する端から、またすぐにかたちもない欲情の残響を感じると、雄一郎は自分に起きている昨日今日の変調はただごとでないと、ぼんやり考えてみた。
佐野美保子。佐野美保子——。

＊

その夜、達夫はいつもより一時間早い午後七時前に作業を切り上げた。大阪の訃報以外に差し迫った理由はなかったが、電車の事故で遅れてきた従業員のばらまいた飛び込み自殺の噂話が達夫の耳にも入り、あれこれ雑念に捕らわれた結果、現場を与る忍耐が今夜はもう尽きたと感じたのが一番の理由だった。

従業員の話では、飛び込んだのはこの羽村の医薬品工場で働いていた女だということだった。また、拝島駅のホームでその女と摑み合った男がおり、それが同じ工場の上司。その女房は、駅前の信用金庫の窓口に座っている女。それだけ聞けば、事故の当事者の一人が佐野美保子であるのは、もはや間違いなかった。

朝駅前で出会った美保子の様子からみて、まったく突拍子もない出来事だとは思わなかったが、所詮はよその夫婦の大立ち回りだと白ける気持ちもあった。その一方で、かつてたしかに自分と肌を重ねた女だと思うと、その身にふりかかった禍《わざわい》にはいくらかの身内意識が働き、《いったい何があったのだ》とくどくど思い巡らすのを止められなかった。そもそも、美保子と亭主があまりうまくいってないというのは何となく知っていたが、そんな夫婦は世間に五万といるし、美保子も亭主もしごく平凡な人間なら、不倫も平凡なものだったはずだ。そんな平凡な夫婦の平凡な行き違いがこんな顚末を迎えたという事実は、ものを考える習慣のない達夫の頭をただ重くし、昨夜来の心身の変調に奇妙に呼応し続けた。

もう十年以上も昔の美保子との情交の断片を思い出したりしながら、達夫は熱処理棟の事務所で、自分が慶弔休暇で不在になる三日間の作業日程表を作成した。そんなことが出来たのは、午後に食堂で矢内という工場医と出くわしたとき、向こうから「薬、呑め」と声をかけられたからだった。そのときもらった鎮痛剤のおかげで頭痛はほとんど消え、昼間見た小木某の顔はもちろん、割レの出た輪っかも、父泰三の訃報も、そして美保子の災難も、実際には思い浮かべようとする端からふやけて溶け出していった。そうして、自分の頭はこんなものなのだというところに落ち着いて、達夫は午後七時に夜勤組の班長と引継ぎをし、工場を出た。

自転車も工場のバスもなかったので、達夫は今度は路線バスに乗った。羽村駅では降りずにそのまま乗り続けると、バスは踏切を越えて多摩川沿いの奥多摩街道へ向かう。古い住宅密集地の坂道を下ってゆくと、多摩川河川敷にかかる堰堤《えんてい》が見えてくるが、達夫が降りたのはその羽村堰上というバス停だった。

そこで達夫は、いつもの習慣でまずは街道沿いの電話ボックスの明かりに引き寄せられ、自分の財布から薄いメモ帳を取り出した。それは達夫が二十年以上使っているもので、そこには鉛筆書きの電話番号が百数十乱雑に収まっていた。すべて番号のみで、名前はない。その大半は七桁の大阪の電話番号。東京の番号には《03》の市街局番を付けて区別してあったが数は少なかった。達夫はテレホンカードを電話機に押し込み、適当に開いたページの適当な電話番号を選び、電話をかけ始めた。《03》付きの八桁だった。つながった電話からは、音楽と人のざわめきが聞こえ、《はい、アマンド》と女の声が応えた。

「野田達夫です」

《あら、香山先生のところの達夫さん？　ご無沙汰ねえ》

「店、賑やかですね」

《今夜だけよ。それより、たまには顔見せなさいよ》

「はあ、そのうち」

電話を切り、カードを入れ直してまた別の番号にかける。《03》無しの七桁。

今度は、つながった電話は静かだった。年端のいかない子どもの声が大阪訛りで《川口です》と応えた。川口という名前は記憶になかったが、女の子どもだろうと見当をつけて、「お母さんはいるかい」と達夫は言った。

しばらくして、《川口ですけど》という取りすました声が聞こえた。

「結婚したんか、あんた」

返事はなく、達夫は「俺や、野田達夫。声、忘れたか」と続けた。

《こんなところへ電話をかけてこんといて。亭主がおるんよ、あたし！》

「いまおるんか」

《当たり前やないの！　あんた、いまごろどういうつもり——》

「声、聞きたかっただけや」

《死ね》と呻く声とともに電話は切れた。達夫は女の顔も名前も思い出せなかったが、たったいま聞いた《死ね》のひと言はちょっと記憶にあった。まだ高校生だったころ、あるときは達夫の腹の下で、あるときは達夫の髪をひっ掴んで《死ね》と囁き、笑い、怒鳴った声。

そういえば、美保子にはそういう乱暴な仕種はなかった。達夫は受話器を置きながら、またちょっと考えた。所詮はそれほど深刻な関係にならなかったからだといえばそれまでだが、美保子が男を相手に怒鳴ったり、暴れたりする姿はまるっきり想像がつかない。そんな女が今朝、よその女と旅館にいる亭主を追いかけていったのは、美保子も歳とともに変わったということなのか。そんなことを慰みに考えながらカードを入れ直し、別の電話番号のボタンを押し始めたときには、こめかみの辺りに熱の塊がひとつ入っていた。誰のものか分からない女の尻が、眉間に張りついてくる感じだった。

　こうして、夜半に思いつくまま手当たり次第に電話をかけるのは達夫の悪癖だったが、かけた相手の顔や名前を思い出すことは稀だった。名前などは思い出す必要がないために、手帳に書いていないのだ。二十年来、達夫はなにがしかの関係のあった人間の電話番号だけを、克明に手帳に残してきた。一夜の関係であった女、しばらく付き合った女、関係をもつに至らなかった女、工場の寮に住んでいたころの賄い婦、一膳めし屋の女将にいたるまで、ありとあらゆる時代と場所と出来事が、七桁ないし八桁の数字に化けて残っているようなものだった。しかも、あえて順番に空白を埋めることをしなかったので、古い番号と新しい番号がいりまじっているのだったが、気が向いたときに、それらの声だけを無作為に選んで聞きながら、達夫が思い出すのは特定の誰でもない、すべての顔を重ねた何者かの顔だった。この世に存在したことのない幻の女の顔を思い浮かべ、気が向けば、その顔の放つ柔らかな輪郭を木のなかから彫り出そうとする。そして失敗し、また電話をかけ、どこかの女の声を聞き、また木に向かう。しかしそうして電話をかけているとき、達夫に分かっているのは、自分が何かを引き出そうとしていることだけであり、見るために見るのと同じく、自分がいま何をしているかという認識はほとんどなかった。

　三つ目の番号はかからなかった。四つ目の番号を捜すのをやめて手帳を財布にしまい、代わりにポケットのなかのハガキの一枚を取り出した。縁もないどこかの画廊からのハガキに記された電話番号を眺め、あまり考えることもなく番号ボタンを押した。電話はすぐにつながり、《はい、ササヰ画廊》鼻唄でも唄うような甲高い男の声が聞こえた。
《笹井ですが、どなたさま?》
「野田といいます」
《ああ、住田銀行さん?》一段と声の調子が上がった。《昼間留守にしていたもんで、電話をかけられなかったんだがね。この間ロンドンへ送金を頼んだ件、もう一点買い足すかも知れないので遅らせてほしいんだ。シャガールのラフスケッチなんだが。今夜先方からファックスが入ったら決めるから。明日の朝にこちらから電話するよ。来客中なんで、これで失敬》
「はあ、どうも」
達夫は受話器を置いた。ハガキをポケットに収め直し、ガラス戸を足で蹴飛ばしてボックスの外に出た。
バス停から駅方向にバス道を数十メートル戻ったところに、木造のアパートが一軒あった。多摩荘という表札のあるそこは、一昨日まで自転車で通っていた達夫の《仕事場》だった。工場の帰りにはそこに立ち寄り、木を彫っても彫らなくても一時間はそこで過ごし、それから団地の自宅に帰るというのが十数年来の達夫の習慣であり、まさに習慣だというだけの理由で達夫はその夜も足を運んだのだった。

借りているのは二階二〇四号室の六畳間で、家賃は月二万。月六万の自分の小遣いを考えれば、道楽の許容範囲を越えていたが、結婚した相手がたまたま中学教師という結構な給料取りであったこともあり、これぐらいはいいかという思いで、女房には内緒で十数年払い続けてきた。そのほかに、美術教室の月謝が一万。木彫の材料費が一万。美術展の出展料や、研究会や美術鑑賞会と称する集まりの会費。工場の同僚たちの冠婚葬祭費。従業員食堂の食券代。一日一箱のタバコ代。小遣いは毎月赤字だったが、細かい現実を考えるようには出来ていない頭のせいで、金のことは女房の顔を見てときどき思い出すに過ぎなかった。小遣いが足りなければ、適当な理由をつけて給料から抜けばすむ。

その部屋に足を踏み入れるとき、工場の一日も同時に消え去るのだったが、自分という《異質》が収まるという意味で、まさに異質そのものの場所と時間だった。それにしても、その夜は、ドアの郵便受けに入っていた速達のハガキ一枚に、まずどきりとさせられた。

《市民美術展ご入賞おめでとうございます　香山静山美術教室一同》

結婚式の披露宴招待状のような薄桃色に金箔を散らしたハガキを手に、達夫はあらためて自分の入賞自体が悪い冗談だという気がし、どうせまぐれ当たりなら、宝くじのほうがまだ後味はよいと思った。

教室を主催する香山静山という芸大教授は、ヘンリー・ムーア展の審査員も務める現代彫刻の権威で、本人は百畳敷きの工房がいっぱいになるような巨大な作品しか手がけない。そういう有名彫刻家が初めは素人相手の地域奉仕のつもりで始めたらしい小さな美術教室も、本人の心境の変化なのか、周りの空気のせいなのか、近年は競って展覧会への出品を生徒に推奨するようになり、なかなかせちがらい雰囲気ではあるのだった。そんななかで達夫一人が入賞したとなると、素直に喜ぶ以上にあとが恐いというところであり、とくに香山の取り巻きと化しているおばさんたちには、休み明けの九月に顔を合わせたが最後、何を言われるか知れたものではなかった。

薄桃色の悪趣味なハガキを郵便受けに返して、達夫は「失せろ」と独りごちた。実父の訃報や工場のごたごた。拝島の飛び込み自殺。何だか様子のおかしい美保子。銀座のサザ画廊とかの、とんでもない粗忽者の電話の声。不眠。こんなにひどい一日も珍しいとあらためて考えた。

部屋は、盗られるようなものは何も置いていないために夏の間はずっと窓を開けてあり、昼間の熱の残るじっとりとした夜気がこもっていた。電灯をつけると、待ちかねたように虫が飛び込んできて白熱球の周りで躍り始めた。作業机一つ。椅子一脚。棚一つ。スタンド一つ。電気ポットとカップ。ラジオ一台。毛布一枚。家財はそれだけで、あとは大小の木片が数十と各種のノミが約五十本。槌三本。砥石数種類。ナイフ。サンドペーパー。ヤスリ。鋸。デッサン用の画用紙と木炭。気まぐれで買った美術全集三十冊。テーブルと畳の上にそれらが転がっていて、削り屑に埋もれていた。窓の向かいにある家のテレビの音と、ときどき奥多摩街道を走り抜けるトラックと電車の音が、多摩川の風と一緒に流れてくる。

達夫は、椅子に座った。昨日まで彫りかけていた高さ三十センチほどの楠の丸太が目の前にあった。何を彫ろうとしていたのか思い出せないまま、ほんの少し何かのかたちが現れかけている木地を手で撫でると、木のなかに埋もれているそれが《彫り出して》と指の下で囁き、撫でられて《気持ちいい》とうごめく。その手を止め、いつものようにラジオをつけると、シベリウスをやっていた。生来縁のなかった音楽を覚えたのも、この部屋のラジオ一つのおかげだったが、達夫にとってはそれも公衆電話で聞く女の声と同じく、ただ聞くために聞くだけの音、自分のなかに沁み込ませるためだけにある音に過ぎなかった。

達夫はそれを聞きながら、手元にあった丸刀一本を取り、カップに残っていた水をかけた砥石に当てた。毎日研ぐために薄くなっている刃を数回前後させ、それもすぐに止めると、また少し木片を撫でた。そうだ、《彫り出して》と囁いているのは、ふっくらした顔の少女だと達夫は思い出す。触ればぷっくり跳ね返ってくるような頬をした少女が一人、木のなかにいるのだ、と。すでに大人の狡知を少し知っているが、それでもまだ自分の世界を謳歌することで充足している少女が一人、日差しの下に胡座《あぐら》をかいて座っているのだったが、どうしたらそれをかたちに出来るのか、達夫には目算も計算もなかったし、特段の制作意欲があるわけでもなかった。そうして、十中八九は途中で投げ出されることになるだろう木片を達夫はわきにのけ、今度はタバコを一本吸った。

それから、一日ポケットに入れていたハガキの一枚を取り出し、しばらく裏表を眺めた。昨夜読まなかった数行の印刷された文字は、九月に入賞作品を市立美術館から市庁舎に移して展示し、そこで表彰式がある旨を知らせていた。賞状と記念品と副賞十万円という但し書きを見ながら、こいつは五ヵ月分のアパート代だな、などと思った。

もう一本、タバコに火をつけた。ラジオのシベリウスは止み、ニュースの時間になっていた。衆院選挙後の政界再編の動き。大手ゼネコンの贈収賄事件。日米経済協議の審議経過などなど。

達夫は、朝から度々考えていた大阪の訃報のことをまたちょっと反芻してみたが、泰三の死についてはなにしろ分からないことが多過ぎた。十九年近く疎遠にしていた自分のせいでもあるが、何といっても悪いのは、家業を放り出して趣味に走り、ほとんど家に寄りつかなかった泰三本人だ。最近はどこで何をしていたのか。いったい家で死んだのか、病院で死んだのか。それも分からないというのがいかにも泰三らしい話だと思ったが、それ以上に、そもそも泰三が今朝まで生きていたということ自体、不思議に感じられた。

とはいえ、泰三の死に付随してやって来るさまざまな事柄については、どれもが適当にうっちゃってすむことではあった。たとえば葬式の段取り。これは実家の不動産会社の経営を継いだ叔父の野田卓郎がやればよい。またたとえば、六年前にボケて、いまはどこかの老人ホームにいるらしい母親の世話。これも遺産の欲しい連中が引き受ければよい話だ。してみれば達夫自身は、明日はただ式服を用意して身一つを大阪へ運べば一応の義理が果たせるのであり、これが最後の奉公だと思えば、むしろこころが軽くなってもいいほどだった。

ラジオは全国ニュースに続いて地方のニュースに変わり、『本日、午後四時二分、昭島市拝島のＪＲ拝島駅構内で線路に若い女性が転落し――』とアナウンサーの声が原稿を読み始めた。『昭島署は、死亡した中国人研修生李華丹さんとホームで争っていた男性から事情を聞いています。この事故で青梅線下り電車は約二十分運転を見合わせ――』

達夫は、何度か見かけたことのある美保子の亭主の顔を思い浮かべてみた。線の細い神経質そうな優男の半面、羽村工場の清々しいアメンボなどと違って、妙に熱っぽい目をしているのが印象に残り、同性としては好感はもてなかった。駅などで見かける姿は、ほとんどどこかの銀行員か保険会社の勧誘員といった目立たない風体であり、あいつが不倫？というところだった。

一方、美保子のほうも、かなりの美人なのにいつ見ても目立たないのは同じだった。この十七年、青い制服を着て信用金庫の暗い窓口に影のように座ってきたのがあながち不思議でない地味さであり、その面差しも身体も、まるで誰にも見えないかのようであるのが、まさに美保子という女の特異さだと達夫は考えてみる。

　達夫は、美保子が工場へ積立て預金の集金に来ていたころのことをよく覚えていたが、それは奇妙な光景だった。見かけはちょっとハッとするようなうつくしい女が、信用金庫の制服姿で工場の正門をくぐってやって来る。事務所棟の一階ロビーにしつらえた受付代わりの机を前に、何時間かぽつねんと座っており、三々五々工員たちの差し出す現金と通帳を受け取り、預かり証を引換えに渡すときだけ、ちらりと無表情な目を上げる。そして、「ありがとうございました。明日、通帳をお返しいたします」と低い声で言い、男どももまた、それが機械ででもあるかのように「どうも」と応えるだけだ。美保子を取り巻く世界は、達夫の知る限りおおむねそんなふうだった。

　一方、達夫はただ生来の見るという習慣のせいでときどき美保子を眺め、そのうち目が合うようになった。美保子の目がちらりとうるんだような気がしたのは男の思い込みに違いなかったが、達夫はともかくそうして最初のひと声をかけ、あまり障害もなく付き合いは始まったのだった。達夫自身、女一人と付き合うこと自体に悩むような歳ではなく、将来の展望もくそもない身一つだった時代の話だ。

　達夫も美保子も、弱冠二十一だった。達夫が声をかけてみると、美保子の反応は拍子抜けするぐらい普通で、大してうれしそうな笑顔もなかったが、それはただ表に現れる感情が多くないだけだといいように解釈し、喫茶店でコーヒー一杯を奢っても、「いいの？」

と念を押すつつましさが好ましかった。美保子との付き合いは、達夫がほかの女と結婚するまで二年続いたが、それは週に一度立川まで出て食事をし、美保子のアパートに泊まるという人並みな日々だった。どちらも身の上話や将来の話はせず、ほとんど会話というものはなかったが、それなりに心地好いと感じたのは若かったせいか。それとも七面倒な話は達夫の性に合わず、美保子も無口だったというだけのことか。いずれにしろ、二人でいた時間のほとんどを潰した情交に、言葉が要らなかったのは確かだった。

美保子の実家は蒲田《かまた》の町工場で、何年か前に倒産し、美保子は都立高校を出てからすぐに親戚の口ききで信用金庫に勤めるようになったらしかった。達夫が初めて関係を持ったとき、美保子は処女ではなかったから、過去に男がいたのは間違いないが、若いもの同士の情交には互いの過去も無用だった。そもそもろくに話をしなかったので、最終的に互いに所帯をもつ相手として考えられなかったことにも大した理由はなかったはずだ。そうして達夫は、ある種の潮時というやつで先に別の女と結婚し、美保子は二年後に佐野敏明というサラリーマンと見合い結婚をした。いまさら嫉妬でもなかったが、いざ結婚すると聞いてにわかに戻ってきた口惜しいような感情もしばらくすると消えてしまい、それからはときどき同じ団地で顔を合わせてももう挨拶も忘れているときがある、そういう関係になって、はや十年だった。

美保子から聞いた話では、亭主の佐野敏明は早稲田出身で、学生時代から外国人留学生や研修生相手のボランティア活動に参加しており、メーカーに勤めるようになってからも活動は続いていたということだった。美保子ははっきり言わなかったが、新興宗教団体が絡んでいる話のようで、佐野はときどき集会などに美保子を同伴し、美保子がしぶると怒りだすのだと聞いた。

佐野には杉並に母親がおり、それがときどき共稼ぎ夫婦のアパートに乗り込んできては掃除や洗濯をし、買物をして息子の好物などを食卓に並べてゆく。そういう話をして、美保子は「嫌だわ」と言葉少なに呟いた。達夫が夜勤明けに団地に戻ってくるとき、その母親の姿を見かけることがあるが、ベランダに干す洗濯物を手でパンパンと叩きながら、きつい表情で羽村の薄汚れた景色を眺めており、息子夫婦がこんな土地に住んでいるのが気に入らないといったふうだった。もし佐野が杉並の実家に住むと言い出したら、別れるわ。美保子がそう言っていたのはもう五、六年前のことだ。かと思えば、そのうち金を貯めて立川か八王子あたりのマンションを買いたいと言っていたのが二、三年前。

達夫は、自分と同じ団地に住むサラリーマン家庭の暮らしなど大同小異だという思いから、佐野と美保子の間に子どもが出来なかった理由も、楽しげな顔の美保子を見たことがない理由も、あらためて詮索するまでもなく今日まで来たが、そこにはたぶんに自分には理解出来そうのない宗教団体の匂いや、他人の底知れなさを敬遠する気持ちがあったことを思わないでもなかった。現に数年前、佐野が夜中に自殺を図る騒ぎがあったときも、宗教のせいだと思うに留まり、あと少し考えてみたなら、夫婦の間の抜き差しならない関係に思い至ることもできただろうに、結局どうかしていると唾棄してすませたのだった。

　そして、そんな事件があったこともいま久しぶりに思い出したのだが、どこかの若い女と衆人環視の駅のホームで大立ち回りを演じたという男も、それを追いかけていったという女房も、ふつうの神経であるはずがなかった。一度は女房の目の前で自殺未遂までやった男と、それを目の当たりにさせられた女房の間にあったものが、味噌汁が辛い、辛くないといった類の話だったはずはない。自分のように女房に内緒で給料から金を抜いているといった次元の話でもない。これは何か、異様な神経と情念の話なのだと、達夫はいま初めて、ちょっと考えてみたものだった。

　そういえば、佐野が自殺未遂を起こしたのも夏の夜だったが、あのときは寝静まった団地の空いっぱいに男の派手な絶叫が響きわたって、近所じゅうが飛び起きたのだったと達夫は思い出す。自殺を図った男が自分で叫ぶというのも間の抜けた話だったが、やがて救急車やパトカーがやってきて、団地の住人が見守るなか、担架に載せられた佐野敏明が運び出されていった。その担架を、白のブラウスを着た美保子がうつむいて小走りに追いかけていったのだが、それにしても不思議なのは美保子だ、と。

　美保子はいったい何を考えて、今日まで過ごしてきたのだろうか。理由が何であれ、自殺を図るような亭主となぜ別れなかったのだろうか。その亭主がまたなぜ若い女と不倫をし、それをまたなぜ美保子は旅館まで追いかけてゆくようなまねをしたのだろうか。ああいや、どれもこれも平凡な生活観の範疇を超えた話であって、自分には理解以前に興味すら湧かないというのが本音なのだ。達夫は思い、それにしてはやけに細かくあれこれ思い巡らせている今夜の自分こそ、結局変調をきたしているということなのだというところに引き戻されると、思案もそこまでだった。

おそらくいま、自分の五感に触れているのは朝の駅前で見た白いブラウスと青いスカートの、ちょっと汗ばんだ女の匂いであり、それだけのことに違いなかった。あのふくらはぎ。あの背中。あの青白い額。わきにどけていた木片を引き寄せ、彫りかけの木肌を指でなぞると、指の腹に伝わる凹凸の感触から目に見えない糸が紡ぎ出され、美保子の身体へとつながってゆくのが分かった。ふくらはぎ。背中の脹らみ。腰のくびれ。盛り上がった尻。木肌を撫でる指先にも性欲があるのかと、苦笑いが出た。

達夫は半時間あまりアパートにいた後、そこを出て駅まで歩き、電車で四駅の昭島へ向かった。自分の身をそうして運んでゆく先や、その理由について、達夫は相変わらず無意識だったが、実際その間に頭に浮かんだのは父泰三のことだったり、大阪の実家のことだったりし、それにも理由は見い出せないまま、いまは動くために動いていたのだった。工場でも、いったん動きを止めたが最後、所在がなくなるのと同じように、湿った夜気をかきわけて一歩一歩踏み出す足は、弾みのついた独楽のように動き続けた。そのうち、ふいに朝の駅前で逢った美保子はうつくしかったという確信がひとつ、ぽっかり浮かんだが、自分の行動にあとから理由をくっつけたという意識もなかった。

達夫は肩で息をしながら緑街道まで歩き、幹線道路沿いに建つ昭島署の明かりを見上げた。ラジオが伝えるほどの事件があったというのに、警察署というところはいつ見ても外の目を欺くような閑散とした風情で、それが外からくる者を冷たくあしらうのだと達夫は感じた。立ち番の警官さえいない玄関を入ると、とたんに受付カウンターのなかから制服の男が「何の用だ」と怒鳴った。

達夫は二十歳を過ぎたころから、お上に対する漫然とした嫌悪をいっさい爆発させることがなくなった。嫌悪はそれ自体存在意味があり、むやみに爆発させて解消させるより、じんわりと抱き続けているほうがよほどいい。それは達夫が社会人になるにつれて身につけた一つの自己防衛であり、処世術だった。

「何か用か」と、頬にニキビ痕のある若い警官は横柄に繰り返し、「佐野美保子の知り合いです。佐野は来ていますか」と達夫はおとなしく応えた。

「用件は」

「帰りが一人では心細いだろうと思って」

「ここに名前、住所、勤め先を書いて」

警官は、カウンターに紙とボールペンを置いた。達夫は迷わず《野田達夫》と書き、自分のアパートの住所と太陽精工羽村工場の名を書いた。警官はそれを持って机のほうへ引き下がり、どこかへ電話をかけ始めた。しばらく待たされ、受話器を置いた警官は顎をしゃくって「そこで待て」と言った。

達夫はビニール張りのソファに座った。ここまで来る途中、そうではないかと思った自分の勘は当たっていたのだなと思った。事件の当事者である佐野敏明の周辺には大勢の人間がいるだろうが、その女房の美保子の周りはエアポケットのように抜け落ちているに違いない。結婚前と結婚後の美保子の状況からみて、美保子には訪ねてくる実家の親兄弟も、親戚も職場の上司もいそうにない。こんな事件の最中でも、まるであの信用金庫の窓口のように美保子は独り放っておかれているだろう。達夫はそう予想したのであり、とにかく足を運んできたのは正解だったと思った。

半時間以上待たされた間、一階の受付には外からの人の出入りもなく、受付横の階段を降りてきた刑事二人を見かけただけだった。二人は達夫のほうには目もくれず、防御創がどうこうという話をしながら通り過ぎ、玄関を出ていった。どこの誰だか知らない被害者だか被疑者だかの腹に、長さ三十センチの古い創傷があり、何の傷だか分からないといった話だった。達夫は、なんだか自分の職場の割レの出たカップのような話だと慰みに聞き耳を立て、しかしすぐにそれも忘れてしまった。

それからしばらく後、やっと佐野美保子が階段をひとりで降りてきた。朝と同じ白いブラウスとスカートで、朝はまとめてあった髪はすっかり肩に落ちてしまっていた。サンダルがパタンパタンと音をたて、裸の足がそれをすくうようについてゆくのを見ながら、達夫はソファから腰を上げた。美保子は達夫のほうを見たが、そのまま玄関に向かい、達夫はそれを追った。

「あの人、逮捕されるらしいわ」と美保子は低く呟いた。

飛び込み自殺と聞いていたので、どういう理由で逮捕などという事態になるのか理解出来ないまま、「そうか」と達夫は応え、ガラス戸を開けて美保子を外へ押し出した。

「亭主には会うたんか」

「会うかと聞かれたけど」そう言って、美保子は首を横に振った。

「姑さんは」

「署では会わなかった」

達夫は、道路に目を配りながらちょっと女の足を急がせた。いまごろ職場の人間に出会うはずもなかったが、他人の女房と並んで歩いていることを柄にもなく意識したのは、やはり事件のせいかも知れなかった。

「いったい、どうしたの」

「ラジオのニュースで聞いたから」

「わざわざ来てくれたの」

「朝、会うたところやないか。ニュースを聞いてびっくりするなと言うほうが無理やろ」

十四年前、美保子に相対するときだけ使っていた大阪言葉が自然に出た。美保子は返事をせず、熱気をはらんだ夜気がもたつくのか、ブラウスの肩にかかった髪を手で払った。薄い布地の下の乳房がもたりと動いた。

「今夜は家には帰られへんやろ。団地じゅうの人間が見とるぞ」

「そうね」としばらくして返事があった。「でも、行くところないわ。財布にお金入れてこなかったのよ」

「俺のアパートを使え。寝るぐらいなら寝られる」

また少し間を置いて、「あの木彫をしている部屋?」と美保子は言った。

「まだ借りていたの」

「ああ」

達夫は手慰みに毛が生えた程度の自分の木彫や、そのためにアパートを借りていることをいつ美保子に話したのだろうかと思い、むず痒い気分になった。

「疲れたやろ」

「ええ」

「俺のアパートへ来るか?」

美保子が初めてちょっと顔を上げた。達夫のほうへ顔を向け、虚ろなほど大きな目を据えて「そうね」と小さく呟き、またその目を逸らせた。

達夫は街道沿いでタクシーを拾った。乏しい小遣いのことはとりあえず念頭にもなく、ほんの十五分ほどで多摩川に近いアパートに着き、美保子を二階に連れて上がった。

「汚いぞ」

「いい部屋だわ」

「うそつけ」

「ほんとうよ」

美保子がそんなことを言うのは珍しいと思う一方、そうかとも思った。以前美保子に聞いた話では、佐野も姑もきれい好きで、美保子が精一杯掃除をしても何かしら文句を言われるのだということだった。そして、それも「嫌だわ」と美保子は言ったのだが、それがほんとうなら、汚し放題の場所に逆にほっとするというのもあながち嘘だとは思えなかった。

三和土《たたき》に美保子を立たせたまま、達夫は箒で畳の削り屑をざっと掃き寄せた。畳一枚分ぐらいのスペースをきれいにして押入れから毛布を出し、途中で買ってきた缶ビールとコンビニエンスストアの弁当を作業机に置いた。その間、美保子は部屋のそこかしこに鎮座している小さな木の人物たちを、丹念に一体一体眺めていた。

「この間の日曜日、青梅の市立美術館に行ったのよ。達夫さんの作品、見たわ」

「へえ」

「用事があって歩いていたら暑くて。クーラーの効いたところへ入りたかったのよ。たまたま美術館の前を通ったら、無料って書いてあったから」

美保子らしい飾り気のない言い方だった。

「人間を彫ってるの、知らなかったわ」

「人間に見えるか」

「ええ」

「人のかたちはしているけどな。自分でもよう分からん」

「台所の流しにタオルがある」

「顔、洗えるかしら」

美保子が蛇口の水で顔を洗い、濡らしたタオルで首筋や腕を拭うのを見ながら、達夫はタバコを一本吸った。朝見たスカートの青は夜には少し濃い色に見え、皺がいくつか出来ていた。ふくらはぎの白は青みがかり、朝の艶は失せていた。肩に落ちた髪はゆるりとした黒い束だった。美保子は使ったタオルを水道で洗い始めた。

「亭主、逮捕されるって？」達夫は美保子の背中に声をかけた。

「ホームで相手の女と摑み合ったのよ。その拍子に女が線路に落ちたから」美保子は背中で応えた。

「しばらく帰ってこられへんということか」

「代わりにお義母《かあ》さんが来るわ」

「あの姑さんか」

「達夫さん、家のほうは」

「息子は夏休み。女房は補習授業があるから、毎日学校へ行っとる」

美保子はタオルを絞り、流し台の縁に広げて干した。背を向けたまま肩に落ちた髪をちょっと束ね直し、それから台所を出てきた。

「達夫さん、家に帰らないと」

「別に急がへん。明日から三日ほど会社を休むから」

「お盆?」

「美保子。ちょっと顔を見せてくれ」

達夫は女の手首を摑んだ。引き寄せるまでもなく、美保子は自分で近づき、目を足元に落とした。冷水で洗ったために白さが増したように見える額が、達夫の眼下にあった。そこに落ちた後れ毛をかき上げ、その指をちょっと髪に差し入れると、美保子はたしかに身震いした。ひとつ、ぶるんと。

「私——」美保子の低い声が下のほうで噴き出した。「もう我慢ならないのよ」

「ああ」

「私の人生――」その呟きは振動しながら霧散し、身震いがそれにとって代わった。達夫は髪を撫で続け、柔らかい湿り気を掌に味わい、鼻孔を近づけた。うつむいた女の眉根に皺が寄っているのが見えた。《こんな人生》と美保子は言うが、それが具体的にどんな人生なのか、達夫は知るよしもなかったし、なにがしかの呟きはただ、そのまま男の情動を刺激する振動になって伝わってくるだけだった。

髪を撫でるとくすぐったかったのか、美保子は「いや」と小さく囁き、頭をはね上げた。仰向けた顔の眉根から皺が消え、ひたすら暗い穴のような目が二つ見開かれていた。昔はよく齧《かじ》りたいと思った、齧ると汁の垂れる暗紫色の葡萄のような目。見ようとするとすっと焦点が逸れてゆき、追いかけるとさらに逃げてゆく目。そうだ、十四年前からそうだったと達夫は思い出した。まるで犬の目だと昔思ったのは、この焦点の逸れ方によるものだ、と。

そして、焦点が逸れて虚空に向かってゆくその目に出会ったが最後、いつもどうしようもなくなったように、達夫はいまもまた美保子の唇めがけて顔を近づけ、自分の舌を伸ばした。すると、とらえた唇はゆるい扉のように開き、その上の鼻孔からかすかなため息が漏れた。その吐息が達夫のこめかみに溜まり、血瘤となってしばし血の巡りを止め、達夫の思考を止めた。いくらか重く感じられたものの、昔と同じ感触だと思った。達夫は空いた手でゆるりと美保子のブラウスの背を摑み、スカートの尻を摑んだ。

「タバコ臭かったか」

「少し」

達夫は美保子の頭を自分の胸倉に押しつけ、抱えた尻を撫で、摑み続けた。頭の上から見下ろすと、美保子の眉間にはまた少し皺が寄っていた。その皺が深くなり、初めて聞く嗚咽《おえつ》らしい声が漏れたかと思うと、美保子は自分の身を引き離した。それを引き寄せて、達夫はもう一度その髪を撫でた。

「ビール呑んで、弁当少し食うたほうがええぞ」

「ええ」

「明日の朝、ここへ寄るから。家のほうは俺が覗いておく」

「助かったわ」

「知らない仲やなし」

「そうね」

スニーカーを履く達夫の背を、美保子は見ていた。達夫が抱いたために乱れたブラウスをそのままにして、半ば惚けたような、半ば食い入るような目。見つめるとすっと逃げてゆくくせに、達夫が見ていないときには、探ったり測ったり窺ったりしながら遠慮がちに寄り添ってくる美保子の目だった。達夫はいまになって女との縒りが戻ったとまでは思わなかったが、今日明日は世間的な互いの家庭の事情はとりあえず無視できるような気がし、美保子の気持ち次第ではひょっとしたら――という思いを走らせた。それから、自分でも気づかないうちに骨が少し熱くなるのを感じ、身震いが出た。

「じゃあ明日――」と美保子は囁いた。

加美平団地は、市の境界線を越えた隣の福生市にあり、幹線道路の周辺に空き地が広がってくる辺りに、十棟ばかりのコンクリートの団地が建ち並んでいた。昭和四十年代に工場勤務者の需要に合わせて建てられた団地も、いまでは建物とともに入居世帯もまた古ぼけ、昼も夜も子どもの声一つない。そこにある自宅まで、達夫は徒歩で帰った。帰宅が遅くなるのは気になったが、昔の女と唇の一つも重ねたあとでは、さすがに少し時間を置かずにはいられなかったためだった。

達夫は二十三歳で年上の中学教師と結婚したが、団地に入居出来たのは、公務員の女房に稼ぎがあったからだった。翌年息子が一人出来て、それが少し大きくなってくると2DKでは手狭になり、五、六年前にはもう少し広いマンションに移りたいと考えたこともあったが、地価高騰の波がやってきて新居の可能性は遠のき、いつの間にか夫婦の会話にも上らなくなった。

自宅のある十一号棟へ向かう前に達夫は隣の十二号棟へ立ち寄り、美保子の住む三〇三号室に明かりがないことだけを確認してから、引き返して十一号棟の四階まで階段を上がった。午後十一時前だった。普段より一時間遅かったが、このぐらいの時刻なら聞こえるだろうと思った息子の声やテレビの音はもうなかった。身内の訃報があったからだろうと思い至るのに、少し時間がかかった。

　女房の律子は台所にいた。夏休みの間、中学校の補習授業は昼過ぎには終わるが、その後も夕方まで雑多な教務があり、それから息子を塾へ迎えに行って、午後六時過ぎに自宅へ連れ帰る。息子に勉強をさせながら食事の支度をし、午後八時に夕食。食べ終わると、また二時間ほど息子の勉強を見、洗い物や洗濯はそのあとになる。それが律子の生活時間だった。

　結婚した当初はそうでもなかったが、律子は息子が小学校に上がったころから、息子を何がなんでも私学の進学校に入れなければ親としての義務も責任も果たせないと言うようになった。達夫としては、律子自身が公立中学の教師を長年勤めてきたあげくの結論ならば、それもいいだろうと思う半面、工場勤めの自分はただ生活費を運ぶだけの牛馬かと思うこともあり、「勉強しろ」と息子に言うたびに自分の腰が退けているのが分かるのだった。かくして達夫は、家では夜遅く帰宅して機械油の臭いを気にしながら風呂に入り、息子の勉強の邪魔にならないよう、そっと寝間に消えるだけの何者かになって久しかったが、昨今はどこの家の親父もこんなものだろうという以上のことは、あえて考えたこともなかった。

律子は、台所に入ってきた達夫の顔を斜めに窺うように見た。ふだんはほとんど互いに顔も見ないのに、何事だと心臓が一跳ねした。

「遅かったのね」と律子はまず言った。

「仕事だ。誠一は」

「部屋よ。それよりあなた、大阪の――」

「ああ。明日顔だけ出してくる」

達夫は台所から「誠一！」と呼んだ。襖から息子が顔だけ覗かせ、「おかえり」と言った。プラスマイナス・ゼロの表情だった。誠一が父親に自分から話しかけてきたのは小学校に上がるころまでで、いまでは小遣いの日と正月と誕生日にだけ愛想笑いをする。息子が大きくなったらベアリングの仕組みを説明してやろうと思っていた日々はすでに遠くなり、自分の息子ながら機械にはまったく興味がないらしいガリ勉の異生物は、いまやほとうに自分の子だという確信からも遠くなりつつある、そういう相手に「勉強してるか」と一声かけると、「うん」という鼻先の返事が返ってきた。

「ファミコン雑誌なんか見てたら、小遣いやらんぞ」

「分かってるよ」

そう答えながら、十歳の息子が一瞬自分の顔を見ているのに達夫は気づいたが、窺うような目つきまで律子と同じだった。子供なりに、親父の顔から何かを読み取ろうとしたのか、それとも親父の顔が見ずにおれないほど変だったのか、誠一は父親に判断する時間も与えず、すぐに頭を引っ込めてしまった。そうして達夫は、またぞろ息子に自分の脳味噌の程度を見抜かれているといった被害妄想に駆られ、自分のほうが先に白旗を上げるのだ。

律子は洗い物の手を止めたまま、なおも達夫のほうを見ていた。その目つき、鼻、口、頬、すべて見飽きた部分なのに、見るたびに知らない造形が見えてくる。それが昔は新鮮に感じられたが、いまではそのつど新しい異物を自分の目に押し込まれるかのようで、ひたすら神経が休まらないだけだった。

「風呂へ入る」と達夫は逃げた。

「あなた、それより大阪の――」

「ああ、通夜と葬式だけの話だ。良浩から電話はあったか」

「お通夜は明日の午後六時で、お葬式は明後日だそうよ。両方とも、浪華《なにわ》会館とかいう場所。向こうは良浩さんと尚子さんが行くって」

「ああ」

浪華会館というのは聞いたこともなかったが、達夫はいい加減な返事をした。風呂場へ足を向けようとすると、「ちょっと」とまた律子が呼び、わざわざ洗い物の手を拭ってそばまでやってきた。達夫は、夫婦で大阪の実家の話をするのを息子に聞かせたくなかった。結婚以来十二年、一度も大阪へ家族を連れ帰らず、家の話もしなかったのは達夫自身だったものの、いまごろ襖の向こうで面白半分に聞き耳を立てている息子は、おおかたころのなかで親父の実家なんかどうでもいいじゃんと笑っているに違いなく、それはそれで我慢ならない気がしたからだった。

達夫は脱衣場に逃げ、追ってきた律子は入口に立った。それに背を向けて、達夫は脱衣を始めた。

「大阪のことだけど、良浩さんのところは夫婦で行って、長男のあなたは妻の私が行かなくてもいいの？」

「君は学校の補習があるだろうが。尚子は実の娘だから行くのが当たり前だとして、良浩が行くというんなら、盆前で会社がヒマなのさ」

「行かなくていいのなら行かないけど。あとで実家からとやかく言われるのは、私いやよ」

「大阪にいるのは七十のボケた婆さんと、相続財産目当ての連中だけだ。うちが夫婦で乗り込んでいったら、それこそ何を言われるか分からん」

「実家のことを、あなたがどうしてそんなふうに言うのか知らないけど、誠一だってそのうち変に思う歳になるわ」

シャツを脱いだ背中のほうから、聞き捨てならない言葉が聞こえたと思った。発作的に達夫は振り向き、その夜初めて律子の顔をまともに見る恰好になったが、そのとたん、堪忍袋の緒が切れるはめになったのはお互いさまだった。

「俺が実家のことを何と言ったって？　話すことがないから話さなかっただけだ。別に変わった家じゃない。地元の地主で、借家持ちで、昔から不動産会社を経営している。もう二十年近くご無沙汰だからよく知らないが、会社はいまでもあるはずだ。ビルでもおっ建てているかも知れんな」

「そんな話は聞いてないわ。お義父さんが亡くなって、その連絡がなんで妹さん夫婦のところへ行って、あなたのところへは来ないの。順序が逆でしょう！」

「俺は家を出たからだ」

「不幸の話よ！　うちの住所だって分かっているはずよ！」律子は怒鳴り、達夫は再び背を向けるほかなかった。靴下を脱ぎ、コットンパンツを下ろす間、律子に見られていると思うと腹立たしかったが、まともに向き合って話をすることから逃げるためには、仕方がなかった。

律子は後ろでひとり喋り続けていた。「ねえ――。私たち、籍を入れただけで結婚式も挙げなかったのよ。あなたが家を出た人だというから、それも仕方がないとあきらめてきたけれど、尚子さんたちの結婚式には私たちも出たのよ。あのとき、お義母さんしかおられなかったけど、私たち、一応は認められたんじゃなかったの。それが、お葬式に出なくてもいいというのは、いったいどういうことなの」

「俺は、そんな話をするために結婚したんじゃない」

「共同生活に伴う必然的な話でしょ！」

達夫はまた振り向かざるをえなかった。

「大きな声を出すな」と言ってみたが、律子の声は決して大きくはなかった。団地暮らしが身に染みついているのは律子も同じで、怒鳴っても押し殺した声にしかならないのがまた苛立ちに拍車をかけるのだ。

「誠一には話したわよ。大阪のお祖父さんが亡くなったって」

「それで」

「じゃあお葬式だね、母さんも行くの、って」

「誠一は君がいなくなるのがいやだから、そう言ったんだ」

「あなた、分からない人ね！　子どもって敏感なのよ。あなた知らないでしょうけど、今日、隣のアパートの東邦薬品に勤めている人、不倫の相手が拝島駅で電車に飛び込んだとかで、近所じゅう大騒ぎだったのよ。案の定、誠一ったら友だちと電話でその話をしていて、『ジョウシ』だって言ったのよ、あの子。情死よ、情死！」

「そんな言葉、小学校の教科書に出ているのか」

「ばか！」

「こんな話はもうやめだ。風呂に入らせてくれ。俺は疲れてるんだ」

「五分や十分、いいでしょ！」

「風呂ぐらい入らせろ」

「話をしてからよ」

達夫は下着を脱ぐ手間も惜しんで風呂場の入口に足を踏み出したが、たちまち律子が飛び出してきてその前に立ちはだかった。

「話をしてからよ」

「そこをどけ」

そうは言ったが、達夫は何も出来ずにつっ立ったままだった。これまで律子に手を出したことはなかったが、それ以上にいま自分の腹に湧き上がった感情の塊が、それほど爆発的なものでなかったということであり、それが達夫の心身を余計に重くした。しかし十二年の夫婦生活はいつもそうだったのであり、夫婦のどちらもが月日の経ちすぎた古い花火のようなのだった。

律子は風呂場の戸口に立ちはだかったまま、下を向いていた。もっとヒステリーを起こしてくれたほうが達夫は気が楽だったが、何かの坂を転げ落ちるように湿っぽくなった律子は、これも亭主への仕返しだというふうに、達夫が一番苦手な夫婦の呼吸というやつを求めてくる。互いに若かったころはそれも許せたが、四十に近くなった女の感情や肌感覚というやつに、いまはもう神経が苛立つばかりの男がおり、それがまた相手を傷つけるという悪循環だった。

「私ね、不安なのよ――」と律子は呟いた。

「何が」

「私もいくらか悪いんだろうけど。普通なら何ひとつ支障のない生活だと思うのに、どこかおかしいのよ、いまの私たち」

「君のせいじゃない。何も支障なんかない」

「あなた、最近、変よ。身体の具合、どこか悪いの」

「どこも」

「昨日、寝なかったんでしょ。工場で毎日くたくたになるまで働いてるのに、寝られないなんてこと、あるはずないじゃない。身体、どこか悪いのよ」

「悪くないと本人が言ってるんだ。風呂に入らせてくれ、頼むから」

「私、どうしたらいいのよ――」

そう言って、律子は突然目の前で嗚咽を洩らした。達夫は自分の頭の芯に火がつくのを感じた。オイルバーナが点火して火室に瞬時に火が回る、あの轟然とした感じだった。それでも手も足も動かなかったのはただ、工場を出る前にもう一錠飲んだはずの鎮痛剤が切れて、鈍痛がどかんと落ちてきたからだった。

　どうしたらいいのよ、とは何事だ。バリバリの現職教師でたっぷり稼ぎがあって、出来のいい子どももいて、顔だちも美人のうちに入るのに、亭主ひとりが少々出来損ないだからって、どうしたらいいのよとは何事だ。それとも、どうしたらいいのよと嘆かなければならないほど、亭主が悪いか。その亭主だって、元はといえば、お前が惚れて駆け落ちでもいいからと泣いた相手だぞ。

　言いたいことは全部、喉まで出かけて詰まり、自分の腹へ逆流した。なんでこうなるんだと、今度は自分の腹に唾するはめになった。忍耐の限界はあと指折り数えるほどの秒数しか残っていないと思うと、達夫は自分と律子の両方が情けなくなってきた。なんでこうなるんだ。どうしたらいいのよ、か。どうしたらいいんだ。

「悪かった。一日汗まみれで、ひと風呂浴びたかっただけで――」

　それは、まったく真実ではなかった。歩いて帰ってくる間に、夜風で汗は乾いてしまっていたし、風呂はただの口実に過ぎなかった。

「分かってるわよ――」と律子は言い、気を取り直すようにパーマを当てたばかりの短い髪をいじった。達夫はその髪を極力見ないようにした。蜂の巣。

「良浩さんの電話、ちょっと口ぶりが気に入らなかったのよ。だから、私――」

「あんなうらなりの出来損ないは放っておけ。大阪の葬式なんか、ほんとうに気にしなくていい。君が学校の補習授業を休んでまで行くほどのことじゃない。行ってほしかったら俺が言う」

「それならそれでいいわ。私の夏用の喪服、ちょっと古くなって着づらいと思っていたところだから」

律子は下を向いたまま、手を達夫のほうへ伸ばしてきた。両手を達夫の裸の胸に当て、撫でるでもなく上下に動かした。どちらも若かった時代、何をするにも時間がたっぷりあったころ、律子は男の胸を愛撫するのが好きで、上手かった。日ごろ、あるのも忘れているほどの小さな乳首をいじくり回されるうちに、自分のそれが密かに立つのだということも教えられた。もっとも、それは快感ではあったが、時間がかかりすぎて達夫にはかったるく感じられたし、月に一度身体を重ねるかどうかという程度になってしまったいま、律子はもはや男の乳首を立たせるような熱意は見せず、達夫もまたそんな愛撫を待ち望むような忍耐は残っていなかった。

達夫は、自分の乳首に律子の指先が当たっているのは分かっていた。律子は爪を立ててきた。達夫は自分の手をどこへやろうかと迷い、結局、律子の髪を撫でた。パーマを当てて、チリチリに縮れてしまった髪はどうしても好きになれなかったが、思えば十二年間、何度か変わったはずの律子の髪型をいちいち覚えていただろうか。初めて会ったころ、肩の辺りで切り揃えた髪が若々しくてよかったのは覚えているが、近ごろは気に入らないことばかり目に入る。そして、そんな自分の神経もまた心地好さにはほど遠いのだった。

「もうすぐ月のものが来るのよ」と、律子は情けなさそうに呟いた。

「ああ」

「だから、多分――」

「ああ、分かってる」

律子は、生理が近づくときまってそういう気分になってくるのだった。達夫には生理的な周期はないが、その気になれば生理的な処理はいつでも出来るという意味では、どちらも呆れるほど生理の生き物だった。

「誠一が寝てからだ」

「ええ」

律子は少し腹立たしげに呟くと、背を向けて出ていった。達夫のほうは、脱いだシャツのポケットを探って錠剤をもう一錠飲み下した。頭痛より気の重さのほうが難題だったが、役にも立たない薬に思わず手が伸びたのだった。一発押し込みたいという気持ちはたしかにあったが、求めている場所は律子の身体ではなかった。美保子なのだ、美保子。少なくとも今夜は。

しかし、いったいなぜなのだろう。風呂に浸かっている間にまた薬が効いてきて、達夫は朝と同じように次々にとめどない物思いに耽った。朝、偶然出くわして思い出したにすぎない美保子の何がどう、律子と違うのか。性格や顔貌の差は、どちらも自分が望んで付き合った相手なのだから、あまり意味を持たなかった。強いていえば、結婚した女と結婚しなかった女の違いだろうか。

達夫は、律子を嫌いだと思ったことは一度もなかった。律子には、大阪の実家の財産を目当てにどうこうといった、生活の垢じみた魂胆もない。思い出せば、達夫は美保子と付き合っていたころ、一方ではさらりとした髪をなびかせて、ミニスカートをひるがえして羽村の駅前広場を歩いていた律子の姿にわけもなく一目惚れしたのだった。達夫は即座にナンパする算段を考えたが、これみよがしに後ろからついていっても、律子は振り向かない。根負けした達夫が「お茶でも呑みませんか」と声をかけると、やっと振り向いた律子は怖い顔をして見知らぬ若造を睨みつけ、「人違いでしょう」と言った。初めはそうして一蹴されたが、女の目のちょっとした表情を読む術には長けていた達夫は、《脈があるぞ》と読んだ。

そんな始まりだったが、付き合い始めてから相手が教師だと知って少々腰が退けたものの、いつまでも態度がはっきりしない美保子への当てつけもいくらかはあって、結婚しようかという軽い一言で所帯をもつに至った。その律子は、年下の工場労働者との結婚を後悔するような言葉を一度も吐いたことはなく、外では教師として真面目に働き、家では家事もやり、下らない世間話をして亭主を困らせることもない。催促をせずとも夕食前には風呂は沸いているし、風呂上がりにはちゃんとビールも枝豆も出てくる。そして、そういう出来過ぎの女房に対して、達夫はときどき後ろめたさと無力感を思い出しはするが、大半は平穏に甘え、とくに小さくなることもなく、なんとなく日々過ぎてきたのだった。しかしそうして律子の尻に敷かれることで、自分は結果的に何かから逃げたような気もしないではない。それが達夫の正直な実感だった。

律子が幸せだという自信はないが、不幸かというと、それは違うだろうと達夫は風呂の中で独りごちた。生活とは、自分が幸せだとか不幸せだとか意識しないで過ぎてゆく時間のことなのだ。美保子にしてもそうだ。十年の結婚生活の間、亭主相手にあの食らいつくような、それでいてすっと逸れてゆく不思議な目で向き合っていたのだとしても、十年続いたこと自体、自分たち夫婦と大差ない生活だったことの証ではないか。だとすれば、たまたま車にぶつかるようにして亭主の不倫は起こったのだろうし、美保子もまた自分ではよく分からない理由で拝島駅まで亭主を追いかけてゆき、さらには自分自身もまた、大した理由もなく警察署まで美保子を迎えにいったに過ぎないのだった。そして、なんだか急に美保子の唇が欲しくなったのも然り。

いや、どうだろうか——。一時間ほど前に別れたばかりの美保子の姿を思い浮かべて、達夫は放心した。潜んでいたアミーバが激しくうごめき、妄想の糸を吐き出してゆくのが分かった。もう永い間澱んでいた池のなかで、飽和点に達した自分という液体が次々に情動という名の結晶を作り始める。結晶は妄想の糸に連なり、少しずつ脹らみ、次第に池の底いっぱいに生い茂ってゆらりゆらりとうねる化けものになる。そこからまた糸が成長し、その糸はたえまなく食指を伸ばして、食らいつくもの、骨をしゃぶり血を吸い尽くすことの出来るものを求めて喘ぐのだ。その夢想のなかでは、自分も美保子もともに、池の底で増殖する化けものだった。

風呂場の外から「大丈夫?」という律子の声に呼ばれて、やっと達夫は我に返った。

「寝てるの? のぼせるわよ」

「もう上がる」

「着替え、置いておくわよ。ビール呑む?」

「ああ」

律子の足音はまた台所のほうへ消えた。どうせ聞こえていないと分かっていたので、達夫は「ちくしょう」と一言腹の底から唸ってみた。夫婦の営みなど、共同生活の寿命がそれで何日か伸びるのなら、大した労力ではなかった。なにしろ誠一もいるし、ぶち壊してすむ話ではなかった。なに、ひと晩寝れば、この頭痛も悪心も何もかも消えてしまうのだ。律子の蜂の巣頭も、すぐに慣れるに決まっている。

それから達夫は、そういえばと慰みに考えてみた。浪華会館とか言ったな。浪華会館というのはいったいどこだ。なぜ通夜なんか実家でやらないのだ?

＊

合田雄一郎の一日は、まだ終わっていなかった。

午後十時半、雄一郎は薄い色のついたドライバー用サングラスをかけ、新宿駅東口のロータリーへ歩き出した。歌舞伎町の街の流れに溶け込ませた足取りと下げ加減にした目で、道ゆく人びとの歩調、手の動き、ジャケットのポケットやバッグ、目の動き、車のウィンドー、店の出入口などをくまなく視界に入れてゆく。雄一郎は、警察学校を修了して最初に入った赤坂署で盗犯係のスリ専門を一年やったが、一日五万歩歩いていたそのころに身についた目の動かし方だった。もっとも当時とは頭の中身も士気も違ってしまったいま、自分の背中や立ち姿も傍目には別人のようだろうと雄一郎は思い、実際知らぬ間に行きずりの女の顔を見ている自分に気づいては、身震いが出るありさまだった。

雄一郎は雑居ビルの階段を上がったり下りたりし、人ひとりが通れる程度の路地に開いた入口をくぐってカジノ・バー三軒、風俗店三軒、組事務所三軒を次々に覗いた。目配せ一つ、顎のひと振り、「どう」「はあ、おかげさまで」という形ばかりの挨拶をかわしながら、変わった出入りがないか、しかるべきところにしかるべき顔が揃っているかを確認してゆく。又三郎の忠告がなくとも、地下社会に出入りする以上はそれをしておかなければば、いつどこで自分自身の足をすくわれるか分からない恐怖で尿道が縮まり、小水も出なくなることがある。

最後に立ち寄ったのは、地下一階地上五階の建物にスナック十軒、カジノ・バー二軒、サウナ一軒、ソープ一軒が入っている雑居ビルだった。そこは、竹内巌の竹内組を傘下に入れている広域暴力団秦野組の企業が所有する多くのレジャービルの一棟で、三階の一角にある事務室は組事務所も兼ねているのだった。雄一郎は鏡張りのエレベーターを避けて階段を上がっていった。保健所の監査が厳しいのでどこも清潔だったが、三階分の階段を上がっただけで、各階から漏れてくるさまざまな音楽や嬌声と極彩色のネオンを全身に浴びた。

雄一郎が階段ホールに立つと、防犯カメラで見ていたらしい支配人が隣の事務所から飛び出してきて「あ、どうも」と会釈した。

「先日はうちの者がお世話になって――」

数日前、雄一郎がたまたま新宿署に所用があって来ていたとき、同ビルの従業員がカジノの酔客を小突いてケガをさせ、傷害の現行犯で引っ張られてきたのだった。そのとき雄一郎は、担当刑事と一寸したネタの交換をした一方で、逮捕された従業員に有利な証言もしてやり、調べ室でタバコ二本を吸わせてやった。それだけのことであり、恩を売ったと言えるほどの話でもなかった。支配人の挨拶に、雄一郎は首を横に振っただけで応えた。

「何か変わったことは」

「今夜は、うちは営業会議で」

「幹部、来るの」

「もちろん。ご機嫌斜めですよ。八月は盆があるし、どこも売上が厳しくて。前年比だけは何としてもクリアしないと、固定資産税も払えないって」

元博徒で、竹内巌とも親交のある支配人は、常習賭博で前科四犯。五十で足を洗ったいまはいっぱしに経営の話をしつつ、抜け目ない愛想笑いを浮かべた。階段ホールのエレベーターが開き、地方から出張してきたらしい風体のサラリーマンが二人、真紅に塗られた風俗パブの防音扉を足早にくぐっていった。ちらりと開いた扉の間から、音楽と酔客の声とミラーボールの反射光がどっと溢れ、消え去った。

「ところで竹内組、最近はどう」

「ああ、あそこね――。ここだけの話ですが、秦野の腹としては、もう竹内の面倒は見ていられねえというところでしょう。つい昨日も、千葉のほうの賭場で組長がサマやって、素人筋に警察に駆け込まれて」

「今夜も、竹内は大宮でやっているらしいけど」

「この世界、切り捨てるときは早いですから」

ほんの一分足らずのひそひそ話をする間に、雄一郎は店のほうの気配や支配人の顔色から、ふだんと変わった様子がないことを素早く確認した。手入れなどの情報が入っていると一目でそれと分かるし、もしもそういうことがあれば今夜は大宮の賭場には足を運べないからだった。もっとも、上部組織の秦野組が竹内組を切り捨てるつもりなら、警察が竹内をパクるのはたしかに時間の問題ではあった。明日か明後日か。

支配人と別れて、雄一郎はもと来た階段を足早に駆け降りた。

一階分降りたところで、下から上がってくるいくつかの靴音とぶつかり、足を止めた。イタリアン・ブランドのスーツに身を固めてアタッシェケースを手にした組幹部四人、ボディガードの組員六人の一群が階段を上がってくるところで、そのうちの一人が階段の上にいる雄一郎を見上げた。その男は顎の一振りでほかの九人を先に行かせ、階段の途中で雄一郎と向き合うと、とたんに粘りつくような眼光とともに、カッと白い歯をむいて見せた。

「珍しいお顔に会うもんだ。お元気ですか」

「そちらこそ」

「最近、お宅らがうるさいから逃げていたんですよ、この通り」

男は握手を求めて片手を差し出し、雄一郎が片手を出すやいなや、すかさず自分の手をかわして刑事の手首をがっしりと摑んできた。そういう大胆な所業に出てはばかるところもない一種独特の男の爆発的な暴力性は、秦野組六代目組長を襲名する前から備わっており、四十そこそこで六代目を継いだのも、先代の妾腹の息子として、いっぱしに大学の経済学部まで卒業して得た事業手腕を買われたというより、傘下や系列の組長たちがその常軌を逸した残忍さを恐れて、たがをはめたのだとまことしやかに言われていた。雄一郎自身は、六年前にある殺人事件の凶器となった拳銃絡みで本人の関係先に踏み込んだことがあり、それ以来の面識ではあった。

「たまには遊んでいきなさいよ」と男は身についた威圧感を覗かせて凄み、笑った。少しウィスキーは臭うが、酔ってはいなかった。

「ねえ、合田さん。国税当局とケンカをする気はないが、この不況で事業税まで納めて、その上、二千人の舎弟をこの腕で食わせなきゃならないんだ、私は。それに比べたら、あなたは下っぱでもお上はお上だ。何をやっても食いっぱぐれないんだから、うちの女の一人や二人、抱いていったらどうですか。ただで本番やらせて上げますよ」

「下っぱのお上相手に、何をおっしゃる」

「そう言って、あなたはまた逃げる」

「何から」

「この秦野耕三の食指から」

刑事一人の手首を摑んだまま、男は直截な物言いをしてにやにやした。金と組織の力をもってしてもなびいてこないお上に対してはとりあえず無力だと知っている渡世人の鋭利な自嘲が、その眼光に浮かんでいた。同時に、一介の刑事一人をからかう口の下には、隙あらばと狙っている蛇の舌も光っていた。

「ねえ合田さん。あなたは結局、甘い汁を吸う度胸はない人なんだ。だから骨の髄まで下っぱだと言ってるんですよ。この秦野が女をあげると言ったら、がたがた言わずに食いつくもんだ。それが男ってもんでしょう」

そんなことを言いつつ、男は挑発するように雄一郎のポロシャツの襟を指先で弾いてみせた。「ほれ、夜の街をこんな格好で歩いてちゃあ、せっかくのいい男が泣きますぜ。たまには上から下までビシッときめてらっしゃいよ、え？」

「きめてきたら、お宅と見合い写真でも撮りますか」

「うはは、そりゃあいい！」

「じゃあ、またいつか」

雄一郎は男を押し退けて階段を数歩降り、上から男の声が降ってきた。「ところで近ごろ賭場に出ているんですか。一度、私が遊んであげますよ！」

「それはどうも」

秦野組六代目組長と別れた後、雄一郎は大宮へ足を運ぶ前にさらにもう一軒寄り道をした。電車の時間を気にしながら、コンビニエンスストアで買ったスイカ一個をぶら下げて職安通りを北へ渡ってゆくと、道路一つ隔ててネオンも闇も濃くなり、路地に入ると仕舞《しもた》屋と木造アパートと小さな事務所ビルが立て込んでくる。表通りから響いてくる南米系の街娼の嬌声は鋭く甲高く、東南アジア系の集団の立てる話し声はざわざわうごめく虫のようで、そこに誰の者とも分からない笑い声が交じり、ヤクザの短い怒号が重なる。それも遠ざかり、焼きソバか何かの油の異臭だけが残り、逃げるように自転車一台が走り去った路地の一軒の仕舞屋の窓に、消え残りの電灯が灯っていた。

雄一郎は、一階が床屋になっているモルタル三階建ての建物の階段を上がった。二階に鉄のドアがあり、《(有) 竹内産業》という表札がかかっていた。ドアの上の旧式の監視カメラの下で、インターホンに「桜田商事のナニワ男」と告げた。

ドアのなかでぱたぱたとスリッパの音がした。扉が開くと、ニキビ面の若い組員が「あ、どうも」と軽快に頭を下げた。スイカ一個を突き出すと、また「いつもすいません」と機械のように頭を下げ、そそくさとスリッパを出す。

「いいから」とそれを断って、雄一郎は玄関の奥の部屋を窺った。古びた革張りソファと事務机が置いてあり、音声を絞ったテレビがスポーツニュースをやっていた。若者が電話番がてら一人で見ていたのだろう。玄関の奥に階段があり、上の部屋からは大麻の異臭と一緒に「いち、ろぉく」「にぃ、ごぉ」という低い掛け声が洩れてきていた。

「客か」

「いいえ。兄貴たちだけっす」

「電話、ありがとう」

「いえ。お世話になってますから」

スイカ一個抱えた在日の若者は、下を向いたまま一言毎にペコリと頭を下げた。そういうふうに兄貴分たちに躾けられているのだが、元はといえば高校中退で街をうろついていたころに窃盗や傷害の前科がつき、鑑別所を出て新宿へ直行という転落の典型的なパターンだった。もろもろの感情など百年も昔に忘れたような白けた顔をして、頭が足りないというわけでもないのに、ただ機械のように頭を下げる。しかし、雄一郎には若者ひとりの未来を親身に思いやる時間も能力もなく、三千円のスイカ一個でお茶を濁して、利用するだけは利用しているのが実情だった。

「大宮には、親爺さんのほか、誰が行ってる」

「若頭と岡野の兄貴です」

「残りは上か」

「はい」

「腕、見せてみ」

雄一郎は若者の両手首を片方ずつ摑み、肘を伸ばさせた。

「シャブだけはやったらあかんぞ」と若者の目に言うと、幼い目の睫毛がためらいがちにしばたたく。そしてまた、頭をぺこりと下げた。

放っておけば、上の階でサイコロを振っている連中の下で若者は早晩シャブ漬けになるはずだったが、そうなる前に組のほうが潰れるのは間違いなかった。暴対法の施行で稼業の示談屋や債権取立屋では食いづらくなったのは事実だが、経営努力もせずに組長は賭博三昧、子分どももヤク漬けとあっては廃業も秒読みだ。秦野組がこの組を《切る》というのも妥当なところではあった。

「上がらせてくれ。兄貴分にちょっと話がある」

「呼びましょうか」

「いや、俺が上がるから」

若者が毎日拭き掃除をやっている狭い階段を上がって、雄一郎は三階の汚らしい襖を開けた。

六畳間に上半身裸の男が五人、車座になっていた。後ろは布団の山。脱ぎ散らかした衣類、週刊誌、タバコの吸殻が山になった灰皿で足の踏み場もなかった。年代物の窓用エアコンがぶんぶん唸り、そこにチリリンチリリンと陶器の深皿に転がるサイコロの音と、「三、二」「一、六」と目数を告げるけだるい声が重なり、誰も振り向きもしない。大麻タバコを手に、手元の畳に散らかった千円札をいじっているのが二人。小皿に溶かした覚醒剤を注射器で吸っている男の目は、すでに完全に何も見ていない。残り二人はコップ酒片手に皿のサイコロ二つを振り、目数を読み上げ、続いて千円札をあっちへ飛ばし、こっちへ飛ばしだった。

「おい」と雄一郎は二度声をかけ、サイコロを振っている男がやっと顔を振り向けた。血走ったうつろな目で雄一郎を見つめ、何秒も遅れて立て膝を解き、のろのろと膝を揃えて正座した。

「で、何か――」

「あんたら、ここで何しとるんや。親爺さんが出かけているんなら、行って、見張りでもせんかい。それがあんたらの務めやろうが」

「なにせ警察の目が厳しいし、組長はわしらにうろうろするなと――」

気力も覇気もない泥のような目で男は言い、それを見ながらこいつらはもうだめだと雄一郎は匙《さじ》を投げた。

「二度と言わんぞ。いますぐ金とサイコロを片付けて顔を洗って、親爺さんが戻るまでここで正座して待ってろ」

「何かあったんですか――」

雄一郎はそれには応えなかったし、立場上も応えられなかった。襖を閉め、階段を下りた。開けっ放しの台所で、若いのがもらったばかりのスイカを切っていた。出てこようとするのを片手で断って、雄一郎は事務所を出た。

時刻はすでに午後十一時半を回っていた。新大久保の駅へ急ぐ道すがら、雄一郎は慰みに鼻唄を唄った。ふだんカラオケもしないのに、大昔に母親が歌っていた童謡や、貴代子が水戸の実家で口ずさんでいた歌が、いつのころからか忽然と口をついて出てくるようになった。しかし、穏やかに甘いそれらの歌も、どこに沁み入るというのでもなく湧き出しては流れ去る水のようだった。

新宿に来て一時間ほどの間に、雄一郎の心身には金や女や暴力団の臭気がたっぷりしみつき、いまはさらに、これから大宮で片付けなければならない仕事の懸案が覆いかぶさっていた。明日大阪で土井幸吉を締め上げるためには、今夜のうちに大宮で、どうしても竹内巌から聞き出しておかなければならないことがある。この一ヵ月で六桁の金が俺のなけなしの預金通帳から消えたのだから、ここで元を取らずにどうする。鼻唄を唄いながら、雄一郎はそう自分に呟き続けた。

午前零時半過ぎに、雄一郎は大宮駅にほど近い賃貸マンションの一室に入った。自転車置場には子どもの三輪車などが無造作に並び、ベランダには洗濯物がぶら下がっている普通のマンションで、まだ半分ぐらいは明かりも残っている、こんな場所で開帳があるという異様な事実を異様と思わなくなって、すでに久しかった。

部屋の入口の三和土には、男物の靴やサンダルが十足。下足番をかねた雑用係の若中が、上がり框《がまち》に膝をついて軽く頭を下げ、雄一郎も頭を下げた。小遣いを渡してやると、若中はまた頭を下げ、先に立って奥のドアを開けた。

男が十人、八畳ほどの居間の真ん中に広げた白い敷布を囲み、頭を垂れ、背中を丸めていた。昨日の千葉のイカサマ騒ぎなど対岸の火事。互いに見ず知らずの客筋は商店主、中小企業の親爺、不動産屋、パチンコ屋のオーナーといったところだった。どの目も白布に吸い着いて動かず、誰も顔を上げもしない。

東京から姿を消すまで、土井幸吉もこうして座っている男たちの一人だった。聞き込みで分かった限りでは、いつも汗臭い作業着で、靴下だけは新しかったらしい。作業着の背を丸めて声も出さず、お茶いっぱい啜らず、眼球だけを動かして盆の上の札を追っていたに違いない土井の姿は、ここにいる男全員を足して頭数で割ったものだった。

そして、座の真んなかで一人背筋を伸ばして正座し、札をさばいているのが竹内巌。縦一列に重ねて並べた札の先から、左右の指一本で三枚ずつ交互に右と左に滑らせ、各々を素早く重ねて置く。すかさず、張り手のほうから、十万ずつ二つ折りにした金が白布の左右に飛ぶ。

「そこ、張った？　張ったすね」胴の手が二山の札を開き、目を見せる。

「ブタにカブ」

低いどよめきが立つ。傍らの合力が手を伸ばし、白布の上に散った札束をすばやくかき集めて勝った客に投げる。すると、胴の手は開けた札を集め、箱に投げ入れ、また次の三枚を指一本で右左へ滑らせてゆく。

合力の檜山慎一が竹内の傍らからちょっと顔を上げ、雄一郎のほうへ軽く会釈した。雄一郎はそれに目で応え、「失敬」と声をかけて胴の斜め向かいの場所に膝を入れ、座った。合力が両手の掌を開いて《十万ずつかけます?》と尋ねた。雄一郎は《とんでもない》と首を横に振り、指二本で《二万ずつ》と言った。

「はい、どうぞ」と竹内は三枚ずつ二山の札の耳を揃え、客たちは山の右か左に賭けて、黙々と金を投げてゆく。雄一郎は右へ万札二枚。「張ったすね」と声をかけて竹内が札を開く。

右が二、五、一で八。左が三、八、二で三。

「はい、オイチョに三寸」

投げた二万の上に、もう一枚合力の投げた紙幣が飛んできた。それを拾いながら、雄一郎は次の札を並べている竹内巌の顔を窺った。昔近所にいた豆腐屋の親爺そっくりの、貧相で目立たない六十男だった。普段から情動の感じられない平板な顔つきだが、昨日のイカサマ騒ぎを何と思っているのか、今夜もやはり表情はなかった。

土井幸吉もまったく表情のない男だったというが、この竹内巌とどこか通じるものがあると、雄一郎は思った。土井という男は、この竹内がそうであるように、勝っても負けても顔には何一つ出るわけでなし、いつでも黙然と座の片隅に座っているだけだったという。外の世界に向かってまったく反応を示さない精神が、畳一枚分ほどの盆の上だけで躍っていたのか。そうした無感情が博打に合うのか、あるいは博打がそういう無感情を作るのか。いずれにしろ土井幸吉という男が、この白い盆の前に座るために生きてきたのだということは、竹内巌の姿を眺めながら考えたことだった。そして、これを言い換えれば、竹内も土井も社会的な常識や判断力はまず問えそうにないということであり、ほとんど無反応の荒廃した精神状態の人間が仮にホステス殺しを吐いても、いったいどこまで殺意を立証出来るか、大いに怪しいということでもあった。

考え出すと嫌気が差し、今夜はとりあえず、事件翌日の六月三日の賭場で土井がはたいた金の額を聞き出すだけで精一杯だと自分に言い聞かせて、雄一郎は腕時計を覗いた。午前一時十五分。今から二時間ほど座って竹内の様子を見計らおうと決め、雄一郎はまた二万摑んで白布の上に投げた。「張ったすか！」と胴の声が飛ぶ。

*

八月三日朝。野田達夫は午前六時に起き出した。ずいぶん熟睡し、目覚めたときには、昨日とはうってかわった茫洋とした気分だった。ベランダに出てひんやりした多摩川の風に当たりながら、居間のテレビの天気予報官が『大阪は熱帯夜が続き、今日も三十五度を越える猛暑――』というのを聞いた。

工場の熱処理棟は、通年摂氏四十度を越えている。それを思えば三十五度は高温とは言えないが、空気に満ち、空から降り、アスファルトの地から這い上がってくる熱気が三十五度というのは、炉の発する熱とはまた別ものだった。達夫は、今日これから自分はそういう土地へ足を運ぶのだとぼんやり考えたが、それに付随する昨日からの事情は、追々ちりぢりに思い浮かんだだけだった。

ベランダから見える風景は十年一日、くすんだ木々と送電線の鉄塔と、その間に見え隠れする工場の大屋根が連なり、高いビルが一つもないために平坦で漠々とした視界が開けているばかりだった。それらの上に、薄い煤煙の靄がかかって、いまは西の河川敷のほうから東の横田基地のほうへ流れており、朝はいつもそうして青白く霞んでいる。日が高くなるとそれが白っぽく光り出し、昼には熱せられた空気が工場の熱や低い轟音を包んでめらめらと燃え立ってゆく。

ベランダのほぼ正面に鎮座しているH自動車の工場と、広大なテストコースの向こうには、達夫の通う羽村工場の青いトタン屋根が見えた。直線距離にして約四キロ。朝起きると、まずそれを眺めるのが普段の達夫の日課だった。ひと晩寝たところで、前日の仕事の一切は残飯のように頭と身体にこびりついており、それを押し退けるでもなく、自動的にその日の作業日程や工程管理課から回ってくる手数表を思い浮かべ、消化しなければならない数量や改善項目を考え、朝礼のテーマやＱＣの指導内容も考える。ただし、それはいつもきわめて短い時間だった。思い出しては忘れ、忘れては思い出す。工場にいる十二時間も、外にいる十二時間も、概《おおむ》ねそうして細切れのショットのように散漫に過ぎてきたのだ。

だがその朝、達夫は仕事内容を考える余裕がなかった。かといって、大阪の葬式のことをくどくど考えたわけでもなく、工場の青いトタン屋根を眺めたときに突然浮かんだのは、あの小木某の三角形の顔だった。それがしばらく頭を占領し、あの青白い三角形が今日も一日あの青屋根の下にいるのだと、ただそれだけを繰り返し自分に言い聞かせることで何分か潰してしまった。そして、そういえば昨晩は、自分が大阪から戻った日には必ずよそへ放り出してやろうと思いながら作業日程表を書いたのだと思い出したが、はて工員ひとりの何が、どうだったというのか、ついにはっきりしないままだった。

それから、美保子のことを考えた。寝起きから少し時間を置いたのは、昨夜の出来事が自分のなかにどれほどの実感を伴って残っているか、確認するためもあった。その結果は、一夜明けて頭の中身のおおかたがかたちも残していないなか、美保子の顔や匂いや声だけが鮮明のような気がし、達夫は少しばかり気が重いような心地もしながら、昨夜一瞬思いついたものの美保子に言いそびれたことをあらためて反芻した。

大阪へ美保子を連れていこうか。美保子はうんと言うだろうか。いや、その前にどこまで現実性がある話か。実際美保子を連れていってどうするのか。そう考え始めるやいなや、美保子がまだアパートにいるのかどうかをまずは確認しなければと、達夫はとたんに気分が急《せ》き始めた。

居間のほうへ振り向くと、まだ寝ている律子の夏蒲団が見えた。そこからはみ出している女の足から目を逸らせ、その蒲団をまたいで達夫はタンスを開いた。そのとき、昨日まで穿いていたコットンパンツに偶然手が触れて、そのポケットに入っているハガキ二枚を思い出し、まずはそれを略礼服の上着のポケットに移し替えた。美術教室も木彫も、達夫にとってはもっぱら夜の伴侶であり、朝には自分でも白々しく感じられ、気後れがする。

ハガキを上着にしまった後、達夫は長袖のワイシャツと黒ネクタイを眺めた。手にした黒地の布がやがて自分の首を締めつけ、熱がこもり、汗でまみれてじっとりするのを察した肌が、早くもざわついていた。達夫は結局ネクタイは締めず、折り畳んでシャツのポケットに入れることで不快な感触と折り合いをつけ、長袖の上着は手に持つことにした。シャツの袖もどうせ、我慢ならなくなったら捲り上げることになる。

食欲はなく、冷蔵庫を開けたものの何も取り出さずにまたそれを閉め、代わりに息子の寝ている部屋の襖を少しずらせてなかを覗いた。タオルケットに巻きつかれた案山子《かかし》のような姿で、十歳の誠一は身体を放り出していた。片手のひとひねりで折れるようなか細い手足は、塾通いのせいで日焼けもしていない生成りの白さだった。それを眺めながら、達夫は早くも油断のならない夢想に耽る無邪気な精神と、未来が約束されている者の甘美な自信などをぼんやり想像したが、同時に自分との距離がありすぎることへの居心地の悪さに押しやられて、たったいま自分が考えたことを自分ですかさず叩き潰す結果になった。そうだ、顔も知らぬ大阪の祖父が死んだといっても、お前には夜店で買ったひよこが死ぬほどの意味もないはずだ。そうだ、いずれこの世から消えていく血縁の某のことなど、お前は知らなくていいんだ。

襖を閉め、律子に声をかけるために寝間を覗くと、律子は蒲団の上に上体を起こして蜂の巣の髪をいじりながら、まだ半分は惰眠の続きに浸っているような鈍い顔をしていた。それもまた、突然の遠い訃報など寝ている間に忘れてしまったという顔だった。

「行くよ」達夫は律子が聞こえなければそのほうがいいと思いながら、小さな声で襖の外から声をかけた。顔を上げた律子は、欠伸をかみ殺しながら「もう?」と聞き返した。

「お通夜、夜じゃないの」

「準備もあるだろうし」

「帰りは」

「明後日」

背を向けて玄関の上がり框で靴を履く間、律子が寝間のほうから自分の気配を窺っているのを感じた。亭主の実家の葬式に行かないことについて、律子の胸中がすっきりしていないのは分かっていた。わざわざ足を運ぶ必要のない葬式だという亭主の説明。世間体。妹夫婦との関係。どれを取っても不満な上に、ことが不祝儀だからこそ起こるある種の遠慮や逡巡に律子は腹を立てているのだったが、しかしそれも、亭主が出かけて一時間もすれば大部分は忘れてしまうだろう。所詮その程度の話ではないかと達夫は考えてみたが、外へ出たが最後、伴侶のことなど忘れてしまうのは自分も同じではあった。

外へ出ると、近所の主婦が三人、事件の主の住む十二号棟を窺うような素振りで立ち話をしていた。それを横目で見ながら、達夫は羽村駅方向に向かって早足で歩き出した。一昨日も昨日も歩いた道だったが、その朝は服装も行く先も違うからか、自分の足がさらに他人の足のように感じられ、昨日からのいろいろな変調の兆しはそのままひっそり根を下ろしたかのようだった。否、昨日はたんなる変調だったが、変調も二日続くともはや変調ではない。これまでとは周波数の変わってしまった自分の身体に、微熱のように張りついている美保子もまたこれまでの美保子ではない、などと考えてみた。

羽村駅前までやって来ると、ちょうど工場行きのバスが巡回し始めた時刻で、昨日と同じように羽村工場の従業員が群れを作っていた。それを見ながら、ちょっと熱処理工程の段取りを考え、ついでに小木某の三角形の顔をまたぞろ意味もなく思い浮かべ、さらにまた、朝の日差しに照らされた広場を横切っていった昨日の美保子の姿を瞼に甦らせると、自分では変調をきたしていると思うこの心身のどこが、どうおかしいというのか、あらためて分からなくなり、達夫は逃げるように駅前をあとにした。急ぎ足で踏切を越え、奥多摩街道への坂道を下り、多摩荘の階段を駆け上がった。ドアを叩き、声を殺して「美保子」と呼ぶと、「どうぞ」と返事があった。

美保子は少し寝たようだった。昔から、朝の美保子の顔はいつも低血圧のせいでしなびた白瓜《しろうり》のように生気がないが、そのときもスリップ一枚の裸の肩に束ねたまま乱れた髪を垂らして、ぽつねんと畳に座っていた。

「起きて顔を洗ったところよ」美保子は言い、少し微笑んだ。頭も身体もぼんやりしているときは、口許もゆるみがちになる。それから、ぼやけた焦点を合わせるように目を数回しばたたいた後、「なに、その恰好――」と言った。

「昨日、大阪の親父が死んだんや」

「お葬式は大阪？」

「ああ。女房も行かへんし、俺だけちょっと顔を出すだけだ。なあ美保子、俺は三日休みを取ってる。一緒に大阪へ行かへんか」

「いまから？」

「ああ。俺も実家に泊まる気はないし、二人でホテルを取ろう。あんた、大阪は初めてやろ？　俺が案内したる」

「お葬式の日に、とんでもないわ」

「そやけど君も家におるのは辛いやろ。どうせ数日はどこにいても針の筵《むしろ》なら、大阪にいるほうがマシや。なあ、美保子。行こう——」

美保子はあまり驚いた様子もない鈍い表情で、数秒葡萄のような目を見開いていただけだった。そしてその目はやはり、見つめようとするとすっと逸れてゆくのだ。

「もし私がうんと言ったら、私は悪い女ね」美保子はそんなことを呟いて、またちょっとうわのそらの笑みを見せた。

「三日だけ悪い男と女になろうや」

美保子の裸の腕を引き寄せると、身体も一緒についてきた。ブラジャーをつけていない小ぶりの乳房がスリップの中でたわみ、達夫の眼下で薄い布地から溢れ出た。それを自分の胸で押し潰して女の髪に顔を埋めると、美保子は達夫の腕を強く摑み返してきた。

「嫌なのよ、私——」

「何が」

「私、なんで敏明なんかとここまで来たんだろう。敏明が嫌なのよ、嫌だったのよ、それでもまた拝島まで追いかけてゆくのよ、私という人間は——」

夫婦の相性の話であれ、一寸した女の厭世気分の呟きであれ、達夫の耳はそのときすでに聞く気分ではなかった。いまはただ、一緒に大阪へ行きたいという性急な欲求が声になり、自分の口をついて溢れ出た。

「大阪へ行って忘れようや。三日だけ」

「そうね、三日だけ――」美保子は低く呻き、達夫の腕を押し退けてスリップを直した。うつむいた顔にはとくに表情もなかったが、拒否の色もなかった。

「東京駅は何時？　私、家に帰って支度してくるわ」

「近所の目があるぞ」

「こんな恰好で旅行なんか出来やしないわ。私ね、着たことのないワンピースがあるの。一度着てみたいのよ。革のサンダルも帽子もあるわ。お化粧もしたいし。それから、へそくり下ろして――」

「近所に見られたらまずいことになる。服ぐらい、俺が東京駅で買うてやる」

「東京駅で落ち合うのなら、誰にも行き先なんか分かりゃしないわ。ねえ、東京駅は何時？」

一つこうと決めた美保子の子どもじみた性急さにも、小娘のように服だの帽子だのと言い出すのにも、達夫には覚えがあった。昔、週一回の逢引きのとき、美保子は半分は、《着たことのないワンピース》とか《着たことのないブラウス》とかを着るのを楽しみにしていたのだった。普段、何かの衝動で服を買ったりすることはあっても、そのころの美保子の人生にはそれを着る機会がなかったのだが、結婚してからもそうだったというのなら、さもありなん。亭主の敏明に対して達夫は単純に腹立たしく、同時に小さな優越感も覚えた。

「美保子の気が変わる前に発《た》とう。十時半に東京駅へ来られるか」

「行くわ」

「新幹線の中央乗換口に向かって右側に、《銀の鈴》いうコーヒースタンドがある。そこで待ってる」

「一番いいワンピースを着て行くから」

美保子はスカートとブラウスを身につけ、素早い手付きで乱れた髪を束ね直すと、ひょいと自分のサンダルを手に取り、裸足で三和土に降りた。

「おい、サンダル履かへんのか」

「これ、踵がうるさいのよ。音がしたらお隣が起きるから」

そう言い残して、美保子は先に廊下へ出ていった。達夫は何か浮き立つような思いでドアの隙間からそれを見送る間、女の裸足の白さが目の中で躍った。

達夫はそれからひとりで羽村駅まで歩き、午前八時過ぎの立川行き電車に乗った。平日の車内は工場のバスよりひどいすし詰めで、ワイシャツの襟に締めつけられた首がひきつり、窮屈な革靴の足が痛み始めた末に、乗換えのために立川で降りたときには、達夫は慣れない種類の疲労に負けて、ちょっと不機嫌の虫が騒ぎ始めた。この種の苦労をしたくないために、十七年も羽村の鉄錆色の風景に耐えてきたのは間違っていなかったと思ったが、さらに中央線の快速も似たような混みようで、これなら熱処理棟の方がまだ楽だというのはもはや確信に変わった。そうして、工場労働者とはまた違った一種異様な沈黙に包まれたサラリーマンの群れに恐れをなしながら、東京駅まで何とかやり過ごしたのだったが、続いて数年ぶりにホームに降り立った達夫の足は今度は浮いたり沈んだりし、気分は次々に入れ替わった。

美保子はほんとうに来るだろうか。大阪へ行ったら、どこへ連れてゆこうか。何を食おうか。ひょっとしたら来ないのではないか。警察が来ているのではないか。留め置かれて、動けないのではないか。車中、ハイヒールの踵に二度も踏まれた足が痛むまま、達夫は不穏な傾斜のついてゆく気分で、中央通路を歩いた。いつの間にか手が動いて外してしまったシャツの襟のボタンはそのままだったし、片腕に抱えた上着の下ではこもった熱が疼いていた。やがて斜め右前方に、新幹線の中央乗換口が見えてくると、その手前に土産物のキヨスク。さらに手前の右方向に、地下へ下りる階段口と、《銀の鈴》があった。

ガラス越しの狭い店内に、空いたスツールがいくつか見えた。達夫はさっさとそこへ入り、アイスコーヒーを買い求め、カウンターの端のスツールに腰を据えて、まずそれを一気に呑み干した。午前九時半過ぎだった。

午前十時前、カウンターに肘をついた達夫の目の前では、アイスコーヒーの氷が水になってグラスの底に残り、薄い茶色に染まっていた。工場でも家でも、常に背中に張りついている異質感のせいで、どちらかといえば固まったように座り込んできた達夫だったが、この半時間足らずの間にいったんスツールに下ろした腰には根が生え、身体はずるずると弛緩し続けていた。

そうしていつの間にか美保子が来るか来ないかと思い巡らすのにも疲れ、まとまったことを考えるのを投げ出すと、代わりに昨日からの延長の微熱の塊が頭に忍び込んできた。ハガキ二枚。工場の送迎バス。小木某。不良品を出した№4の浸炭炉。焼けた鋼の淡赤色。割レの出たテーパローラ・ベアリングのカップ一個。どれも、これといった脈絡もなく、ただ細々と燃え続ける燠火のように、脳味噌を熱し続けるそれらの熱の奥の、一番深いところになぜか父泰三の顔がひとつ、浮かんでいるのにも気づいた。思えば二十年以上も昔に、達夫が自分のほうから拒絶した男ではあったが、その顔こそは自分の人生に沈澱した泥の底の底に居すわり、腐り続け、発酵し、微熱を出し続けて、今日の変調の下地を作ったに違いないといったことも慰みに考えてみた。そんなときだった。ガラス一枚隔てた構内の雑踏のなかから、書類カバンをぶら下げた痩身の男一人の姿が忽然と浮かび上がり、達夫の目に留まった。

その男は中央通路のどこからか現れ、新幹線の乗換口に通じる短い階段の前で立ち止まったのだった。腕時計を覗き、軽く四方を見回す男の頭は群衆から一つ飛び出ており、身なりは渋い光沢のある花紺色の半袖のポロシャツと、生成りのコットンパンツと、白のスニーカー。達夫の位置からはその顔の細かい造作までは見えなかったから、見知らぬ男の何が自分の目に留まったのかは不明だった。ごくありふれた黒っぽい書類カバンとスニーカーの取り合わせか。いや、何千という人の群れのなかからたった一つ浮き上がった理由が、そんな小道具であるはずはない。そのとき達夫は、言葉を見つける前に知らぬ間に自分に呟いていたものだった。まるで、木のなかから《彫り出してくれ》と囁いているようだと。

そうして無意識に凝らした達夫の目のなかで、乗換口の前で立ち止まっている男はさらにくっきりと浮かび上がっていった。上背があり、涼しげで無駄のない夏の身なりをし、習慣のように真っ直ぐに伸びた背筋から下半身への線は、言うなれば木を彫るときに、上から下へ、ノミを一気に打ち込むことの出来る線だった。そういう線を持つ人間は現実にはめったにいるものではない。

男はまた腕時計を覗き、こちらを向いた。《銀の鈴》が目に入ったのか、達夫のほうへ向かって歩き出してくる男の顔貌は次第にはっきりし、達夫はさらに目を凝らした。すると、店の出入口から数メートルのところで男のほうも達夫に視線を留めた。

それから三秒ほどの間に、男の表情は五、六回次々に入れ代わったものだった。まず《どこかで見た顔だ》という戸惑いの表情。次に《見られている》という緊張の表情。次いで再び《誰だ》。それから《え?》。そして、その顔はさらに変化した。一瞬の空白。放心。数回のまばたき。その顔は《まさか》と言っていた。

一方、達夫はガラスのなかから、いまや素性の判明した男の名を呼んだ。

「雄一郎!」

外の男は、達夫の唇の動きを読み取るやいなやそれまでのいっさいの表情を手品のようにかき消し、唇が左右に開き、白い歯の花が咲いた。男は大股で店のなかに入ってくると、ひと言「達夫か!」と言った。ほぼ同年代にもかかわらず、未だ青年の響きのある声だった。もっとも、とっさにたぐりよせた達夫の記憶には、こんなふうに清々《すがすが》と笑う男の顔は入っていなかった。男の名前とともに浮かんだのはただ赤く燃えた西日とか、滲み出す汗の臭いとか、スイカの味といった影絵のようなものに過ぎず、およそ十八年ぶりに再会した相手のほぼすべてが、見知らぬ男だったというほうが正しかった。

「おう、達夫や」と、達夫も少し愛想笑いを返した。頭のなかでは、早くも美保子がやって来る時間が気になり、来たら来たでそのときは「じゃあ」と別れたらいいことだと、急いで考えたりした。

「出張か」とまず先に話しかけた。

「ああ、大阪まで。あんたは、その恰好——」

達夫の黒い略礼服に素早く目をやりながら、男はいかにも軽い身のこなしで、隣のスツールに腰をひっかけ、書類カバンを膝に置いた。

「昨日、親父が死んだんや。今夜が通夜で明日が葬式」達夫は答えた。

男は「それはまた——」と驚いたように声を落としたが、工場の出目金たちのように居心地悪そうな表情は見せなかった。合田雄一郎という名のその男は、十八年前に父親を亡くして東京へ引っ越してしまう前、家族とともに野田の家からほんの二十メートルのところに住んでいた。従ってもし本人が忘れていなければ、死亡した野田泰三の顔も声も素性も分かるはずだった。

「親父さん、お幾つやった」と雄一郎は尋ねてきた。

「七十四。俺ももうずっと大阪へ帰ってへんからな。顔、忘れた」

「俺も最近、親父の顔が思い出されへんようになってきた」

雄一郎は細かいことは尋ねず、十八年前に他界した自分の父親のほうへ話を逸らせて、気楽そうな笑みを見せた。

「しかし、びっくりしたなあ。こんなところで会うとは思わんかった」と雄一郎は言い、

「それはこっちの台詞や。お前やと分かったときには、一瞬どないしょうかと思うた」達夫も一応調子を合わせた。

「東京に住んでるんか。勤め先、どこだ」雄一郎はさらに尋ねてきた。

「羽村の太陽精工。もう十七年になる」

野田達夫と名のつく男が、いっぱしのサラリーマンの面をして十七年どこかに勤めているのか、達夫自身あり得ない話に聞こえるのだが、雄一郎は当たり前のことだというのか、達夫のかつての極道生活などもう記憶にないのか、さして意外な顔もしなかった。「へえ、大手やな、太陽精工は」と、さらりと言っただけだった。

「お前は」と達夫も尋ねた。

「俺?」

雄一郎はちょっと下を向き、ごくごく小さな声で「まっぽ」と呟いた。

「嘘つけ」

「本物や」

「お前、言うてたやないか。デカだけにはならん、て。大学へ行ったんやろ?」

「行ったけど——。山登りばっかりしとったし。司法試験は二回落ちたし、お袋が死んで、自分で稼がな食うていかれへんかったから」

達夫はしばし返す言葉を探した。その場をとりつくろう適当な言葉が出てこないのは、実感がなかったせいだった。この清々しい男がお上だというのも、あの合田雄一郎がいまここに座っているというのも、この少しくぐもった感じのする控えめな笑みも、何もかも自分の波長とは合っていなかったが、いったい昔はどうだったのか。分かっているのは、自分がどんなふうであったか、この男に対してどんな人間であったか、だけだった。

達夫は男の青白い横顔を見ながら考えてみた。この雄一郎自身が、十八年のうちに変わったのかも知れない、と。あるいは、過去の話などしたくもないと無意識に忘れたふりをしているのかも知れない、と。どちらにしろ、ほんの一、二分経ったところで達夫が感じたのはいつもの一寸した疎外感であり、奇妙な安堵だった。ひょっとしたら噴き出すかも知れなかった激情は、ちらりと動いただけで再び沈黙してしまっており、代わりにまた少し、《異質》という思いが定期便のように脳裏をかすめていった。

それにしても、さっきガラス越しに雄一郎の姿が見えたとき、ひとり浮かび上がってきてこの目に吸い着いたのは何だったのか。次々に表情が入れ替わったとき、ちらりと見せた放心は何だったのか。達夫は苛立ち半分に自分の腹をあれこれ探りながら、適当な相槌を打った。

「お袋さん、死にはったんか。俺、よう覚えとる。アッハッハッいうて子どもみたいに笑う人やった。きれいな人やった」

「そうやったかな——。ところで、あんたは何時の列車や」

「決めてへん。そっちは？」

「相棒が来たら発つよ。あ、俺も何か呑もうかな」

雄一郎は腰を上げた。セルフサービスのカウンターまでゆくのに、わざわざ膝に乗せていた書類カバンを持ってゆこうとするので、「置いてけや」と達夫が言うと、「あかん」と雄一郎は苦笑いした。

「拳銃でも入ってるんか」

「そんなもん、刑事は持ってへん。無くしたら困る書類が入ってるだけや」

「令状とか？」達夫はさらに聞いてみたが、雄一郎はあいまいに首を横に振っただけで、飲物を買いに立っていった。達夫は腕時計を覗いた。午前十時五分だった。美保子との約束の時間まで、まだしばらくあった。

その後、ストローを使わずにガラスコップのグレープフルーツジュースを呑み干す男の顔を眺めながら、達夫はあらためてその血の気のない肌色にちょっと目を留めてみた。寝起きの美保子に似た青白さに自分の目が無意識に引かれたのだとは気づかないまま、落ち込んだ眼窩《がんか》の下の赤い目を見、こいつも寝ていないのかと思った。もっとも、どうせ仕事なのだろうと思い直せばそれ以上尋ねることもなく、代わりに自分が望んだわけでもない思いがけない出会い一つに何らかの意味を見い出そうとして、達夫は退屈しのぎに当てもなく考え続けることになった。昨日からの微熱の最中に突然割り込んできた、この新たな異物一つは吉だろうか凶だろうか、と。

達夫が思うに、そもそも傍らに座っている男とはよちよち歩きのころから一緒に昼寝をし、本を読み、スイカを食ったのだったが、それは世間でいう友だち付き合いではなかった。家業を顧みなかった当主の泰三に代わって、達夫の母良子が会社の経営を一手に引き受けていた野田の家では、子どもの面倒を見る者がおらず、良子はいくらかの金を出して、借家に住む雄一郎の母親に子どもを預けていたのだ。その雄一郎は達夫より一つ年下で、少し大きくなると、互いの家と家の二十メートルの距離をはさんで覗き合い、睨み合い、親の手に引かれて仕方なく一緒にさせられれば、適当に遊び、ときには取っ組み合いのケンカをした。達夫にしてみれば、地元一の裕福な実家に父母もいるのに、自分はなぜよその家の母親に面倒を見てもらわなければならないのか分からず、無理やり一緒に遊ばせられる年下の子にも、複雑な思いがあったが、それが因縁というほどの濃さにはならずに過ぎ去った理由もまた分からないのだった。ともあれ豊かではなかった雄一郎の家は奇妙にあたたかく、本来ならあまり好きになれるはずのない同性の雄一郎に対しても、奇妙なことに悪い感情はない。あるのは自分がいじめた記憶だけという、いまさら思い出したくはない過去の薄暗いシミのようなもの。それがいま、鮮やかといってもいいほどの壮健な男の姿をして自分の目の前にいるというのは、いったい何かの悪い夢でも見ているのかといったところではあった。

達夫は、雄一郎のかたちのいい唇の内側で見え隠れする歯並びを眺め、昔そこに並んでいた小さな乳歯を一本、自分が引っこ抜いたのを思い出したりもした。右の犬歯だったか、左の犬歯だったか。

「お通夜の場所は？」と、雄一郎はジュースで濡らしたその唇を動かした。

「浪華会館」

「ああ、新今宮の駅からなにわ筋方向へちょっと行った左側の、あれか」

「俺はもうずっと大阪へ帰ってへんから、よう知らん。多分、それやろう」

「呑気やなあ。時間は？」

「六時」

「俺もちょっと寄らせてもらうよ。昔、親父さんにはようご馳走になったし」

通夜に寄る、だと？　そいつは困ると、達夫はあわてて考えた。いや、どうせ美保子も葬儀場には連れて行かないし、通夜など一時間で済むことだと思えば、まあいいかと思い直した。

そうして、達夫はあらためて雄一郎の横顔を眺めてみるのだ。昔、羽振りのよかった遊び人の泰三が幼い達夫と雄一郎を近くの寿司屋にちょくちょく連れていったのは事実だった。しかしその後、野田の家には泰三と関係のあった女郎が電車に飛び込むという事件が起こり、一家が顔を上げて外を歩けないような醜聞に晒《さら》された。その飛び込み自殺の現場に来ていたのが、警察官だった雄一郎の父親だった。そうだ、美人のお袋さんと違って、背中に定規が入っているような下士官風情の制服警官が、この雄一郎の親父さんだったのだ。しかし雄一郎は、顔貌はまったく母親似だ。

現場検証の後ろで、女がばらばらに引きちぎられた線路をじっと睨んでいた制服警官は、刑事たちにあれをしろ、これをしろと怒鳴られ、そのつど敬礼をして走っていた。それをまた、少し離れたところから達夫と雄一郎は見ていたのだったが、少年の雄一郎が自分は警官にはならないと呟いた、その顔もまたさびしげで、達夫は醜聞まみれの自分の父親への怒りと、雄一郎の孤独への同情と、人生への漠とした憤懣や鬱屈を全部かき集めて、また一つ不機嫌の種を自分の腹に植えつけたのだった。そんな思い出したくもない時代を共有した男に、いまさら実家の恥をもう一度共有してもらわなくてもいい。そんな思いがあらためて先に立った。

「親父のことはもうええよ。お前も仕事、忙しいんやろが」と達夫は言った。

「大したことはない。東京へ急いで帰っても、どうせ仕事が待ってるだけやし」

雄一郎は言ったが、それを遮って達夫は初めて隣の男のほうへちょっと身を乗り出した。すると、なぜか十八年分の月日の壁がわずかに動いたような気がし、長年埋もれていた達夫という名の自分本来の息づかいが甦り、雄一郎という男の息づかいが甦ったような錯覚も覚えた。

「うちの親父のやったこと、忘れたんか」と達夫は口に出してみた。

「いつの話をしとるんや。仏さまは仏さまやないか」

雄一郎はあっさりと受け流し、「迷惑やったら行かへんけど」と付け足した。

そう言われると逆に自分の真意が分からなくなり、達夫はだんだん面倒になってきて適当な返事をしていたものだった。

「合田のぼんが来て迷惑なら、俺なんかどないなる。実家の連中にしたら、俺こそお払い箱にしたかったんやろうが、お袋もいつまで生きてるか分からんし、行けるときに行っておこうと思うただけや」

「そういえば、お袋さんは俺のことを覚えてはるかな」

「もうボケてるからな。俺ももう八年会うてへん」

「それは長いな」

俺はいったい何の話をしているのだと思いつつ、達夫はまた少し苛々し始めた。しかし、古い知己を先に呼び止めたのはほかならぬ自分自身だ。何に腹が立つのかいよいよ釈然としないまま、達夫は昨日からの鈍痛や不快の塊が、たまたま目の前に現れた男ひとりに乗り移ってゆくのを感じた。

「まあ、時間があったら寄ってくれや。酒も出るし、昔話も出来る」

「昔話なんかしとうないわ」

そう応えて、雄一郎はおだやかに笑った。「ただし、ケンカはなしやぞ。俺はいまは剣道四段、柔道二段やからな。やったら、あんたを殺してしまう」

「その体でか」

「持久戦になったらあかんから、やるときは一発や。それより、久しぶりに会うたからよう分からんが、顔色悪いんと違うか」

「ええも悪いもあるか。俺はな、年中四十度を越える熱処理工場に十七年こもってるんや」

「昔は風通しのええ教室の椅子に十分も座っていられへんかった達夫が、か」

「人が変わったんやろ」

「まあ、俺も変わったけど」

「心配してくれんでも、今夜は席が席やし、荒れることもないやろ」

達夫が片手を出すと、相手はためらう様子もなくそれを握り返して、血走った赤い目でにっこりした。笑うと華がある。いかにも怜悧な感じに整った目鼻立ちが、笑うと突然弾けるような弾力に富むのを眺めながら、そういえば昔からそうだったと達夫は考えてみた。いつも全校一、二の成績で、スポーツもそこそこ出来、絵に描いたような優等生だったが、それらが全部上っ面なのを知っていたから、俺は飽きずにこいつと付き合っていたのだ、と。やさしげで物静かな子どもの目の奥に、底知れない暗い部分がカッと蛇のように口を開けているのを、俺以外の誰が見抜いていただろう！

逆も然り。小中学校を通じて、授業時間の最初から最後まで通して教室に座っていたことが一度もなく、勉強はせず、友だちも持たず、気が向けば誰かれとなく殴り倒し、十四で性体験を持つような子どもだった達夫を、学校でただ一人、何を考えているのか分からない横目でじっと見ていたのが雄一郎だった。そうしてこちらを窺いながら、ときどきちらりと笑ったのだ。その笑みにはおそらく、子どもらしい邪気と無邪気が同居していたと同時に、自分と同じ、自滅や矛盾に向かうさまざまな色が含まれていたのではないだろうか。その笑みに応えて、自分が同じように笑い返すことが出来た理由は、それしか考えられないと達夫はあらためて考えてみるのだった。そして、互いに三十半ばにもなったいま、自分たちが交わす笑みは完全な愛想笑いであるべきところ、雄一郎のそれはなぜか、そんな一言で片づけられない感じでもあるのだが、いったいこれは何だ。この笑顔は何だ。

達夫は、生来のしつこさで久々に再会したばかりの男の顔を覗き込み、それを察した雄一郎は、まるで美保子のように眼球を動かして視点を逸らそうとした。そうした達夫の挑発はちょっと功を奏したか、雄一郎の目に一瞬の怒りが走り、それは不快へ、当惑へと移ろった次の瞬間、また再び白々しいまでの笑みが爆発し、しかしそれもすぐにかき消えた。

「達夫は昔と変わってへんわ」と呟いて、雄一郎は目を逸らした。「とにかく、今夜は行くよ」

一方達夫は、どこまでも腑に落ちない思いのまま、「変なやつ」と昔のセリフを吐くほかはなかった。

「実を言うとな、なんか知らんがむかむかしてきたんや」雄一郎は言い、

「ふーん、何が」達夫は鼻先で応じた。

「分からへん。人生の全部やろ、どうせ」

そう言って、雄一郎は何か個人的な思いに駆られたように肩を揺すって笑い出した。

一方、達夫は「分からへん」と吐き捨てた男の口調に、初めてわずかに崩れた響きを聞き取り、予想外に刺々しく荒れた口調だと思った。そうか、かつての良い子の表皮も、大人になっていい加減汚れてくたびれてきたか。さすがの合田雄一郎も、いまやその人生は俺と同じようにヒビ割れがきているか、と。もっとも、雄一郎はそのとき心底ただ笑っていたのかも知れなかった。後ろから「失礼」という声が聞こえたとき、思い出したようにあわてて振り向いたところを見ると。

いつの間にか後ろに立っていたのは、歳のころ三十前後の、無粋な能面のような面をした若造だった。首筋にはアトピー性皮膚炎らしい発疹の痕があった。「お話し中、失礼します。遅れました」と、その男は機械のように言った。

部下らしいその男は、途中でポイントの故障で電車が止まったために遅れたと、素早く雄一郎に説明し、雄一郎は「じゃあ、大阪で」と達夫にひと言挨拶すると、直前までとは

打って変わったきびきびした身のこなしで、部下とともに店を出ていってしまった。その後ろ姿を見送った達夫は、そこに紛れもない警察官の臭気を嗅いで無意識に身震いし、なるほど、十八年ぶりに出会ったあれは結局、自分の目の中でごろごろしている異物のなかでもとりわけ大きな異物だったのだろうと考えてみたのだった。それが、行き交う人波のなかから忽然と浮かび上がってきた理由だ、と。そしてまた、昔の思い出を差し引いても、現在の合田雄一郎にはかなり強い輪郭があり、それが俺の神経を刺激しているとも思った。棘が一本突き刺さるような、微妙に不快な刺激だった。

達夫は結局、雄一郎の姿が乗換口の方向へ消えるまでそれを見送り、待ちわびていた相手が入ってきたのにも気づかなかった。横からふいに「達夫さん」と声をかけられ、どきっとして振り向いた。美保子はワンピースは着ていなかった。アパートで別れたときと同じブラウスと青いスカートで、帽子もなかった。

美保子はそのとき、いつもの一番美保子らしい顔をしており、焦点を合わさずに逃げてゆく目で、「行けないの」とまずは一言洩らした。

「何かあったんか——」

「お義母さんよ」

「家に来たんか」

「杉並の家だとご近所の目があるからって」

くそババア、死ねと思ったが、失望が邪魔をして声にもならなかった。

「喉渇いたやろ。ジュース買うてくる」

「私、お金を――」と呟いて、そそくさと自分のポシェットから財布を取り出す美保子を置いて、達夫は先にジュースを買いに立った。

「ありがとう」

「ジュースぐらい」

「喉、渇いてたのよ」

美保子はうつむいてストローを吸った。ガラス一つ隔てた雑踏の賑わいをよそに、美保子はひっそりと背を丸めてコップ一杯のオレンジジュースを呑み干し、「美味しかった」と呟いた。

「あのアパートで、敏明が帰ってくるまで姑さんと暮らすんか――」

「まさか」と美保子は呟き、軽く首を横に振った。

アパートを出る。離婚する。現状を変える手はあるが、今日明日にどうこう出来る事柄ではなかった。ましてやこの三日のうちには。そうと分かっていて、身勝手な失望から達夫は「いったいどうする気や」と口走っていた。

「このままずっと過ごすつもりはないわ」

「俺は、美保子とこれからも会いたいんや」

「私も──」

　声高ではない、低く投げ出すような声はこれまでと何も変わらない美保子の声だった。諦めというオブラートにくるんで呑み下してきた憤懣《ふんまん》ももう限界だろうに、美保子の声は変わらない。それが達夫には不可解で歯がゆかった。

　達夫は無力感と失望をないまぜにしたまま美保子の肩を撫でた。美保子の手がそれに応え、握り返してくると、達夫の胸はまた少し胸苦しくなった。

「私、もう何でも出来るのよ。昨日は敏明をほんとうに殺そうと思ったのだから」と美保子は低く呟いた。

「そんな話、人前で言うたらあかんぞ。とくに警察には」

「達夫さんにしか言えないことよ。私、拝島の旅館へ切り出しナイフを持っていったの」

　ナイフ？　ナイフ。いや、刃渡りの小さな切り出しナイフならまだいい。達夫は当てもなく自分に言い聞かせた。

「美保子。警察は事件となったら爪の垢まで拾いよるところやし、ナイフは持ち歩くだけで銃刀法違反になる。一番近いゴミ収集日に、新聞紙に包んで生ゴミに混ぜて捨ててしまえ。絶対に捨てなあかんぞ。ええな？」

「私、銃刀法違反よ。ナイフを持っていたんだから」

　そう言って美保子は席から腰を上げ、「私、逮捕されるかも知れない」ともう一言呟いて身震いした。しかしその言葉とは裏腹に、達夫は目の前の青白い顔に一瞬、陰惨なまでに鮮やかな色を見、幻かと思いながら目を見張ったのだった。まるで蛇が口を開けた一瞬にも似たなまめかしさ、残忍さ、うつくしさ。

「バカ言うな」

即座にそう応えながら、達夫ははるか昔、何人かの女の顔に似たような鮮烈さを見たことをさらに思い出したが、そこにあったのはなにがしかの暴力という共通項だった。まるで惚れた男に殺されたいという究極の欲望のためであるかのように、父泰三に群がっていた女たち。十代の達夫に足を開きながら、叫んだり暴れたりだった女たち。そうだ、この美保子はほんとうに亭主を殺そうとしたのだ。何年も前に自殺を図って絶叫した佐野敏明が見たのはこの顔だ。そんな直感を走らせ、直感を走らせたという自覚もないまま、達夫は目の前の女の顔に見入り、ただうつくしいと思った。そうして、下半身に溜まってくる単純な熱を感じた。

「俺、明日の葬式を済ませたら戻ってくる。家には内緒で、あの多摩荘に帰るから。抜け出して来いや」

目を伏せたまま美保子は囁く。「昔みたいに達夫さんと――」

「ああ。昔と同じや」

「敏明はもう嫌なのよ――」

「ああ」

「敏明とはほんとうは嫌だったのよ、私——」

亭主の話はもういいと思いながら、達夫は「明日、会おう」と畳みかけた。「明日、アパートへ来てくれるな？」

「ええ。行くわ」

「大阪から戻るのは遅くなるかも知れへんけど」

「待ってる」

美保子はおおかた姑を瞞《だま》して抜け出してきたに違いなかった。腕時計を覗いて「帰らないと」と呟き、もう一度達夫が手を伸ばす間もなく、ポシェットを摑んで店を飛び出してゆくと、その青いスカートは中央通路を流れる人波に呑まれ、見え隠れしながら消えてしまった。

そして、達夫がガラス越しに凝らしていた目を動かしたときだった。突然吸いつくように目が留まった先にいたのは、少し前に別れたはずの合田雄一郎だった。新幹線の乗換口に向かう階段のところに立ったまま、向こうも達夫を見ており、十数メートルの距離をはさんで二対の目が合った格好だった。いや、そんなはずはないと達夫は即座に自分の目を疑い、もう一度目を凝らそうとしたときには、雄一郎は身をひるがえして乗換口のほうへ走り去っていた。

達夫は、実際には相手の表情まで見えたわけではなかったにもかかわらず、十八年ぶりに会った男が間違いなく自分を見ていたという確信をもった。いや、いったん何事もなく別れた男が、わざわざ達夫の顔を見るために戻ってくる理由はない。とすれば、あいつの見ていたのは美保子だ、と。入れ違いにやってきた美保子の姿を見かけ、乗換口に向かっていた足を止め、回れ右したあげくに、あいつはずっとコーヒースタンドの逢引きを見ていたのだ、と。

達夫は、ある方向へいったん走り出すと修正がきかなくなる自分の思考回路を重々知っていたが、知っていることと歯止めがかかることは必ずしも同一ではなかった。もし同一なら、物心ついたときには自分は違う人間になっていたと自分でも思うのであり、達夫はいま、そうして自分に言い訳をしながら、自分でも恐ろしいほどの勢いで一つの単純な確信に至っていたものだった。すなわち、大事な書類の入ったカバンを椅子に置くことすらしなかった男が、部下同伴でこれから新幹線に乗るという直前に、行きずりの女に一目惚れして数分も足を止めるということはあり得ない。とすれば、雄一郎は美保子を知っているのだ。遠くからでもその姿を眺めずにはおれないほどの相手なのだ、と。

そこまでひとり思い巡らせたとき、達夫は自分の身体の中で直情の歯止めが外れる音を聞いた。澱みながらゆるゆる流れてきた血が、いっせいに突沸し、噴き出す音だった。それには嫉妬という名前がついていたが、達夫にとっては、それはたいがい耳が聞こえないほどの血のざわめきになって噴出するのが常だった。血管のなかで怒張し、消耗し、干からび、蘇生し、また湧き出す。物心ついたころから幾度となくそうして沸き立ってきた、もっとも手に負えない感情の怪物がついにまたやって来たのを確信し、何かぞくぞくするような卑猥な興奮すら感じながら、達夫はようやく席を立った。

雄一郎は大阪の通夜に来るだろうか。多分、来るだろう。我を忘れて他人の逢瀬を覗き見た衝動の余勢をかって、あのおとなしげな表皮をかなぐり捨てて乗り込んでくるに違いない。その顔こそ見物というものだ。達夫は隠微な思いを巡らせる一方、十八年ぶりに出会ったばかりの男一人に対して自分がなぜそこまでの悪意を持つのか、心底戸惑いもした。たんに女がどうこうという一線を越えた、臓腑がねじれるようなこの悪意は、自分でも一寸見たことのないほどの烈しさだと感じたためだった。しかし、何事であれ忍耐の続かない達夫の頭は、筋道を立てて一つの感情の出どころを突き止めるまでには至らず、たったいま噴き出した憎悪も、少し経つうちに再びぼんやりし始め、最後はひと塊の居心地の悪い混沌に陥ってしまった。

新幹線の座席に収まって何分もしてから、達夫はやっと申し訳程度に通夜のことを思い出し、坊主を前に座っているのは一時間か二時間かと胸算用をした。どうせ、もう美保子も来ない。浪華会館での読経が一通り終わったら、とにかく何か適当な理由をつけて雄一郎を外へ連れ出すことだと、やっとそれだけを考えた。

第二章 帰郷

雄一郎が乗換口へ駆け戻ると、待たせてあった森義孝は連絡通路のトイレの脇で新聞を広げていた。それを見た一瞬、こいつは《銀の鈴》へ戻った自分の姿をどこかで見ていたのではないかという思いが走ったが、当の森はどこへ行っていたのかと尋ねることもなく上司を見やると、さっさと新聞を畳んで先に歩き出し、雄一郎は声もかけそびれたまま、一緒に新幹線のホームへ上がった。

森は、以前は近くにいると消毒液の臭いがしたものだった。ステロイド軟膏のほか、アトピーに効くという特殊な繊維の肌着、入浴剤、薬用石鹸、生活用品の消毒剤など、ありとあらゆる方法を試していたからだが、どれも効果がなかったのか、夏に入ってから一切やめてしまい、同時に薬の臭いも消えた。その代わり、軟膏などを使わなくなった皮膚は、真夏だというのに火で炙《あぶ》ったようにカサカサになり、見ているほうが痒くなってくるのだったが、それよりもこれまで頑に隠してきた自分のアレルギー体質を隠さなくなったのはどんな心境の変化なのか、係の上司としてはそちらのほうが気になり、少し不気味でもあった。

その森は、新幹線の座席に着くなり、命の次に大事だという手帳を開いた。事件のたびに新しくする手帳には、六月二日朝、事件現場に駆けつけたときの子細なメモに始まって、今日まで二ヵ月間の毎日の天気、乗物に乗った時刻、降りた時刻、聞き込み相手の服装・髪形・表情、皆が聞き流してすませるような会議での無駄口までがミミズの這うような字で書き連ねてある。まるで閻魔帳《えんまちょう》だと係の仲間が笑うその手帳の背表紙の色は、なぜかいつも青緑だ。

本庁に配属されて一年半、アトピーに苦しめられながら人一倍隠微な努力を積み重ねてきた男がここへ来て薬をやめたのはなぜか。その理由を一度尋ねようと思いつつ、機会を失ってもう一月だと雄一郎は再び気まぐれに考えてみた。そして、いまもまた機会を失ってしまうと、雄一郎は森が《銀の鈴》での自分の行状を見たのではないかという疑心暗鬼を捨てきれないまま、それにしてもどこかで見た色だと思いながら森の手帳を眺め、そうか、あれは自分の生家にあった繻子《しゆす》の座蒲団の色だ、と思った。非番の父がちゃぶ台で一升瓶を空け、酔って横になる。母がその下に座蒲団三枚を敷いてやると、母子の座蒲団がなくなり、母子はいつも畳に正座してご飯を食べたのだ、と。父が敷いたその青緑の座蒲団は酒臭く、父が不在のときもそれは部屋のすみに積まれて使われることはなかったのだが、瑣末なような、薄暗いような、まるで死体から腐敗した体液などが勝手に溢れ出すような、思いがけない記憶の崩壊だった。突然の野田達夫との遭遇や、佐野美保子の姿を見た狼狽をどこかへ追いやろうとした結果が、なぜか昔の大阪の生家へとつながる。意志に反して、分かちがたく野田達夫と結びついていた時代へとつながる。雄一郎は、自分の脳味噌はいま一時的な腐乱状態なのだと思うことにして自分を納得させ、せめて寝るしかないと目を閉じかけた。

ところが、新幹線が東京駅を滑り出すのを待ちかねていたように森の声が襲ってきて、雄一郎はわずかな逃避にも失敗し、現実に戻るほかはなかった。

「大宮で、竹内巌は吐きましたか」と森は言った。

「大宮の話、誰に聞いた」

「あとを尾けました」

前置きも何もない森のこうした物言いには慣れていたが、そのときはさすがに、いきなり腹をぐさりとやられたような思いで、雄一郎は思わずその横顔を睨みつけた。

「大宮まで尾けたって？」

森は当たり前だというふうにうなずいた。「マンションの下で待っていました。私らのホシですもの。私は博打は打てないから、せめて見張りぐらいは。手入れでもあったら、私も被害を被りますし」

これはいったい忠実なのか、厭味なのか。雄一郎はどちらとも判断できないまま、尾行に気づかなかった自分の散漫さに身震いした。またその一方で、こういう心根の男がさっきの自分の行状を見ていなかったはずはないと再び疑念をつのらせると、動揺の裏をかくようにして野田達夫の顔がまたぞろ瞼をかすめていった。

十八年も昔の顔一つは、さまざまな重苦しさにまとわれた自分の幼年時代とともにあったという意味で、いまさら見たくはない顔の一つであるのは確かだったが、かといって具体的な個々の風景が浮かぶわけでもない。それはただ、薄暗い渾然《こんぜん》とした不快の塊が目の前に垂れ下がってくるような感じだっただけであり、そこに突然折り重なってきたのが佐野美保子という女だった。何度も目を凝らせたが、あれはたしかに佐野美保子だった。あの野田達夫が、たしかに佐野美保子の肩を抱いていたのだ。

「それで、何だって――」

「竹内は吐きましたか」

ただ一刻でも早く話を切り上げたい一心で、「合力の檜山が吐いた」と雄一郎は言った。「六月三日の浦和の賭場で、土井は四百万すったそうだ」

「一晩で四百万、ですか」

「ああ」

「これまで、土井はそんな大博打をやったことはありましたっけ」

「ない」

「一晩で四百万というのは、土井らしくない」と森は即座に断定した。「土井はこれまで、返済出来る範囲でちまちまと賭けてきた男でしょう。それがいきなり、一晩で四百万。人を殺した翌日の土井の頭が、普通じゃなかったということです」

「檜山の話では、土井はふだんとまったく同じ様子、同じ賭け方だったそうだ」

「ふだんと同じ賭け方で、どうして一晩で四百万も負けるんですか」

「大負けの原因は、六月三日の札の動きがたまたまそうなったというだけだ。たんに、竹内が土井をカモにしただけだ。いいか、森。土井の頭は盆の上だけで働くんだ。人ひとり殺したことなんか念頭にもないから、次の日にまた賭場通いが出来るんだし、おそらく自分が殺したという認識もなかったと思う。土井は、借金を作ったから逃げたんだ。人を殺したからではない」

「しかし、ふだんと同じ賭け方で、どうして四百万も負けるんですか」と森はしつこく食い下がってきた。博打をやらない森には、竹内や土井の思考原理は理解出来ない上に、肝心の博打の内容すら分からないのだから、水掛け論だった。ただ一刻も早く話を片付けたいという理由で、雄一郎はふだんは人に見せることのない自分の手帳を開き、森に突き出した。

「そこに、六月三日の目の出方と、各張り手の配当が書いてある。合力がつけていた帳面通りだ。土井はたしかに差引四百万負けているだろう？　そこにある通り、勝った分のテラ銭が合計十万。胴が五歩《ぶ》取って十万だから、土井は二百万勝って六百万負けたってことだ」

六月三日夜はサイ本ビキだったが、ルールを知らなければ分からないだろうメモの数字を、森はなめるように眺めながら、「分かりません」と言った。

「ともかく、三日夜に土井はテラ銭の十万はキャッシュで払った。つまり、ホステス殺しの翌日に、最低十万の現金は持っていたということだ」

「では、借りの四百万の担保は」

「福島の妹夫婦のベンツ」

「しかし、土井はそれ以前の尾上組の借金を返していない。土井がホシなら最低八十万盗んだのだから、返済出来るはずだ。これまで、借金はその都度返していた土井が、尾上組の借金を清算しないまま、よその組の賭場で四百万も負けるというのは納得出来ません」

森がいちゃもんを付け始めたら、大阪へ着くまで延々この調子なのは間違いなかった。

雄一郎は頭の半分で何とか話を切り上げる糸口を探し探し、残りの半分で投げやりな言葉を吐いた。

「君が納得出来なくても、事実は事実だ」

「しかし、これまできちんと借金を返してきた男が、事件前後に限って脱線した理由こそ大事です」

「俺は、土井が脱線したとは思っていない」

「五十万の借金を返すために強盗に入って、金だけ盗って借金を返さずに、さらに別の借金を作ったのが脱線でなければ、何なんですか」

「何かの行き違いがあったんだろ」

「行き違いというのは？」

堪忍袋の緒が切れる寸前で、雄一郎はかろうじて「いい加減にしてくれ」と呻いた。個人的な推理はいろいろあったが、いちいち部下に説明すべき筋合いもないし、部下の思い込みを訂正してやる義務もなかった。いや、ふだんなら説明ぐらいしていたかも知れなかったが、いまはその忍耐が自分自身にないのだった。ないこと、そのことが自分を苛立たせているのも承知の上だった。

何かの行き違い。ともかくそうとしか言いようがなかった。土井幸吉は、たしかに借金を返さずに新たな借金を重ねることはないだろう。しかし、現に土井は古い借金を返済せずに次の賭場に出た。それが意味するのは、脱線でも不整合でもなく、《何かの行き違い》があったということなのだ。雄一郎がそう考えるのは、これまでいくつもの賭場で竹内巌の姿を観察し、博打を打つ土井の姿について客筋から聞き込んできた結果だったが、それはもちろん現時点では推論ですらない、直感だった。ときにはヒットを叩き、ときには空振りもする直感。

「そういえば」と森はさらに言った。「土井は、尾上に五十万円の借用証書を書いたんでしたっけ。もし借金をすでに返しているのなら、土井は借用証書を持ってるはずですね」

《何かの行き違い》という直感によれば、尾上が預かった借用証書の行方は定かでないと雄一郎は思ったが、「さあな」とだけ応えてすませた。

「とにかく、二日未明の土井の足取りが、これだけ調べて分からないのはおかしい。一日深夜から二日早朝までの六時間四十五分の足取りの空白。それを埋めるのが先決だ」

それだけ言って、雄一郎は森の手から手帳を取り返した。眠るために座席の尻を動かすと、またすぐに森の声が聞こえた。

「失礼、血がついていますが――」

雄一郎の眼前に、森は漂白したような自分の白い左掌を差し出してきた。人指し指と中指の指先の腹に、薄茶色のシミがあった。

「主任の、いまの手帳だと思いますが」

雄一郎は不承不承いったんしまった手帳を取り出し、眺めたが、分からなかった。「ここです」森が手帳のツカを指す。雄一郎は手帳を取り返し、もう一度自分の目を凝らしてみた。黒革の表面に車窓の光を当てると、わずかにそれらしい変色が見えた。薄く付着し、乾いた血痕だった。

雄一郎はそのまま手帳をポケットにしまい、森に背を向けた。何もかも自分が悪いのは分かっていたが、何よりまず隣の部下一人が腹立たしかった。大阪へ着いたら、何か用事を作ってひとまず森を放り出そう。ものを考えるのはそれからだ。雄一郎は自分に言い聞かせてみたが、その端から新たな動揺の靄が湧き出してゆき、それは昨日の午後、拝島駅の跨線橋で見た一点の血痕になって、くっきりと額の裏に張りついた。あのとき自分の手から手帳をひったくり、そこに氏名住所を書いた佐野美保子は、右手で鉛筆をもち、左掌と指で開いた手帳を支えていた。だとすれば、女の左手指か掌に血がついていたことになる。

刑事の思考で雄一郎は明快にそう考えたが、思考はそこで停止したまま、だからどうなのだという帰結はうやむやになった。ふだんなら、血だと分かった時点でただちに考えただろうことを考えなかった脳裏では、代わりに拝島の空と青梅線の車両を染めていた臙脂色が燃え始め、そこに野田達夫と佐野美保子の睦まじい姿が張りついた。きっと何かの間違いだと、雄一郎は夢うつつに呟いてみる。

新大阪駅から、混雑した地下鉄御堂筋線の電車で梅田ターミナルに着いたとき、朝と同じく整髪料や化粧品の臭いを浴びた森の顔は、またしても発疹だらけだった。そして不気味なことに、東京ではにこりともしない男が五百キロ離れた土地に来てみれば、赤い顔をのんびり緩めて「午前八時四十分の新宿駅」などと笑ってみせ、こいつはやはりただごとでないと思ううちに、雄一郎はその森と一緒に、開いたドアからどっと外へ押し出されていた。そうしてホームいっぱいに渦巻く乗降客をよけながら歩き出すと、森はすでにマスクとサングラスの、いつもの怪しいスタイルだった。

地下鉄の中央改札からほんの百メートル足らずのところに、目指す曾根崎署の地下玄関はあり、ガラスの自動ドアの前は渋谷のハチ公前なみの混雑ぶりだった。人待ち顔の所在なげな人々を尻目にその玄関を入ると、エレベーター前の受付にいた警官が森の風体に驚いたように腰を浮かした。

「警視庁捜査一課の合田です。こちらは森巡査部長。地域課の佐々木係長をお願いします」

そう告げ、手帳を差し出し、手帳と顔を見比べられてから、やっと内線電話をつないでもらった。ほどなくエレベーターで下りてきた佐々木という府警の係長は、これも森の珍妙な風体に目を奪われたという顔を隠しもせず、雄一郎はイライラしながら、挨拶もそこそこにしてまずは土井の容体を尋ねた。

「全治三週間。声帯がちぎれかけて、気管切開して」という返事だった。「えらいことになってしもうて、うちの課長が血圧上がって身悶えしとりますわ。犯歴はないし、ただの浮浪者にしか見えませんでしたさかい。意識が回復しているかどうか分かりませんけど、すぐそこの中央病院ですから行きましょうか」

「こちらの賭場は当たっていただけましたか」

「西成にいたという情報はあるんですが、常設の盆には顔出してへんようで」

「暴力団に金を借りて逃げている男ですから、組関係の常盆は避けていたのかも知れません」

「借金て、なんぼぐらいしてますんや」

「一晩で四百万」

「素人筋で？　フダですか、サイコロですか」

「サイ本ビキです」

「ほう、関東もまだそんな開帳があるんですか。そうですか――」

そんな話をしながら曾根崎の歓楽街を数分歩き、新御堂筋の高架沿いにある中央病院まで来た。そこで、佐々木係長の仲介で外科の看護婦詰所に現れた若い医師もまた、森の顔を横目で一瞥し、「警視庁がまた何しに来はったんですか」と気のない挨拶をした。

「面会です」雄一郎は一蹴し、容体を尋ねた。

「剃刀の損傷より、X線検査と生検で咽頭癌が見つかりましたよって、そっちのほうが大変ですな。ふつうなら咽頭全摘ですが、家もない、家族もない、おまけに精神疾患で本人の同意も取られへん状況では、手術も出来へん」

「精神疾患、といいますと」

「チック、知覚脱失、視野狭窄などのヒステリー症状。幻覚や意識混濁もあるし、痙攣の発作も起こすし、何を尋ねても反応はないし。そんなわけですから面会は無理です」

やはりそうか。これから相手にしなければならないのは、あらゆる神経が鈍麻して外界の刺激に反応しない人間だと、雄一郎はまず腹を括った。覚醒剤中毒でなくともそういう被疑者はたまにおり、そのたびに刑事は人知の限界を思い知らされる。

「本人の顔を確認したいので、通してください」

「患者は寝ていますし、発声も出来ません」

「本人の顔と持ち物を確認するだけです。通してください」

雄一郎は、こういう場面で石になる自身の威圧感には自信があった。木で鼻をくくるようだった医師は「五分なら」と折れ、「令状はあるんですか」と最後に言った。「府警が取っています」雄一郎は応え、佐々木が首をすくめた。

土井は個室にいた。初めて見た実物の土井は、数少ない写真と見比べてかろうじて同一人物だろうという程度の印象だった。眠っている人間は目の表情が分からない上に、長年の屋外労働が作った顔は、実年齢に二十ほど上乗せしなければならない老け方で、これまで捜査本部が《四十六歳の中肉中背の建設労働者ふうの男》という聞き込みをやってきて成果が上がらなかった理由が、やっと納得出来たような次第だった。

傍らで監視している医師の目の前で、雄一郎は森と一緒に男の掛布をめくり、手の甲、指、手首などを調べた。首を絞められた被害者が、苦しまぎれに首にかかった手を外そうとして負わせたかも知れない防御創の痕跡を探したのだが、それは見つからなかった。代わりに、両手首の内側に自殺未遂と思われる古い切創の痕がいくつかあり、雄一郎の手帳には痕のスケッチと巻尺で採寸した寸法、《要病歴照会》の一語が書き込まれた。もちろん足の寸法も測った。

森のほうは男の額に滲み出ている汗をティッシュで拭い、ついでに開いた口の端から垂れている涎《よだれ》を別のティッシュで拭い取って、それぞれビニール袋に入れた。被害者の爪から採取された汗と比較して、成分比や抗血清を用いた血球凝集反応の出方が合うかどうか、鑑識で確認してもらうためだった。

本人からの収穫といえばそれだけで、続いて、手早く病院に運ばれたときの着衣とボストンバッグの点検にかかった。最初に、着衣のポロシャツのポケットから黒の碁石が一個見つかった。博打で点数の計算に使われたものであり、指紋が採れるかも知れないので森はそれもビニール袋に入れた。

シャツ自体は、何日も着の身着のままだったらしい汚れ方だった。スラックスも同様。ポケットは空。次いでボストンバッグの中身は、シチズンの腕時計。汚れた下着数点。タオル。洗面具。花札一組。サイコロ四個。割り箸二膳。プラスチックの椀が一個。「西成の炊き出しで使うとったんですわ」と府警の佐々木は言った。

財布。中身は小銭で四百二十五円。折り畳んだチラシ一枚は、求職者登録を呼びかける西成労働センター発行のもので日付不詳。阿倍野のポルノ映画館の入場券の半券一枚、日付は六月二十日。裏に、鉛筆で福島市の電話番号が一つ記してあり、番号は福島の実妹夫婦が営むパチンコ店のものだった。土井は、無断で妹夫婦のベンツを借金のカタにしているが、妹夫婦に本気で頭を下げるために電話番号を書き残したのか。それとも自分に万一のことがあったとき、遺骨の引き取り先ぐらい欲しいという気持ちから、肉親の電話番号一つを記しておいたのか。

手帳や私信の類は何もなかった。ほかに、残金千円足らずの預金通帳と判子。ティッシュ一枚に包まれた胃腸薬の錠剤三粒。それだけだった。六月二日の犯行当時に着ていた作業着の上下はなかった。履物は合成皮革のサンダルで、ズックの類もなかった。索条痕を作るような紐様のものもなかった。軍手もなかった。もともと凶器なし、足痕跡なしの事件で、唯一物証になるはずだったものは、結局何一つ見つからなかった。予想した通り、五月二十八日の日付で、土井が尾上組宛てに書いたはずの五十万円の借用証書もなかった。

こうなると、大阪での土井の足取りを逐一洗い、土井がいつまで作業着を着ていたのか、いつから着替えたのか、いつまでズックを履いていたのかなどを追わなければならないが、それも逮捕のめどが立たなければ出来ない話だった。

雄一郎たちは、二度と来るなといった顔の医師に「明日も寄ります」と挨拶して、病院を辞した。土井本人の肉声を聞くまで東京には帰れなかった。

曾根崎署では、地域課の課長が案の定、にがりきった顔をして待っていた。うどん一杯とパン一個の食い逃げで保護した男を、よその警察の要請で留め置いた上に留置場で自殺未遂をやられては立つ瀬がないというのは無理もない話ではあったが、雄一郎のほうにしても、自分たちが目星をつけて追ってきた男がこのざまだというのは立つ瀬がなかった。東京では、明日の夕方にも堀田卓美というヤク中の元ヤクザがホシになり、自分や森には失点が残り、係の成績に泥を塗り、仲間の渋面を拝むことになるが、それ以上に自分たちは冤罪を一つ作るかも知れないという瀬戸際だった。

鬼の首を取ったように、「いったい府警の顔はどうなるんですか」と繰り返す地域課長に向かって、雄一郎は「体裁のためなら、適当な理由をつけて立件したらすむ話でしょう」と切り返し、「いったいどんな理由をつけて逮捕状を取るんですか。警視庁いうのは、そんな無茶をいつもやっとるんですか」と課長は目をむいてみせた。

「どこがどう無茶なんですか」雄一郎も言い返した。「私たちは、根も葉もない理由で土井を手配したつもりはない。容疑については先日説明した通りです。殺人の重要参考人を留め置くのは当たり前です」

「逮捕状が出ていない人間をどんなかたちで留め置いても、違法は違法だし、よほどの場合でない限り、うちでは別件逮捕いうのは認めてません。ましてや、適当な理由で立件しろというのは無茶苦茶ですがな」

「土井が住所不定でなかったら、こんなお願いはしていません！」

「だったら、なんで逮捕状を取れないんですか。仮に土井が東京都内にいたとして、お宅らはいったい逮捕状も用意しないで引っ張るんですか！」

「引っ張るとは言っておりません。土井が大阪にいては、うちとしては尾行も張り込みも出来ないから、せめてそちらで留め置いてほしいとお願いしたのが無茶ですか。それとも、張り込みをそちらでやっていただけますか」

「それが無茶やと言うとるんですわ。正式の事件手配もないのに」

埒《らち》のあかない話をしながら、雄一郎は虚しく頭を巡らせ、苛立ち、気がついたら大声を出していた。

「今日、入院中の土井に会ったところ、手首に自傷の切創痕がいくつもありました。本人を保護したお宅の担当者がそれに気づいていたら、自殺未遂が起こる前にしかるべき処置が取れたはずです。こうなったら、至急《措置入院》の手続きを取ってください。そうすればそちらも、ただの保護事件扱いで自殺未遂者を出したことの言い訳が立つでしょう」

土井幸吉に対する余罪捜査のための移監も取調べも何も出来ず、住所不定の本人を見張ることすら出来ないというのなら、最後の手段で土井を強制入院させるしかない。精神障害を理由にした措置入院になると、後日の起訴の段階でひっかかるかも知れないという危惧はあるが、少なくともホシを逃がさずにすむ。そういう理由で一時間あまりも言い争った末に、とりあえず《措置入院》で課長の了解を取りつけた。

しかし、それだけでは終わらず、雄一郎はこれといった動機がないと思われる状況で土井幸吉がいきなり自殺を図った事情を、その場でしつこく追及した。身内を追及してはならないという警察社会の不文律を知らないわけではなかったし、よその警察相手に自分が不埒なあら捜しをやっているのは分かっていたが、追及せずにはおれなかった。仮に土井が剃刀を呑み込みさえしなかったら、自分たちの事情聴取も可能だったろうという恨みのためではない。自殺の衝動を引き起こした何かがあり、それが外部から働いた力であったのなら、それが何であったのか、具体的に土井が何に反応したのか、知りたかったからだ。

雄一郎は、署の警らのほうで作成された書類を執拗にひっくり返して、土井幸吉を引致した巡査や、話を録取した巡査や留置場の看守を捜し出し、誰と誰がどのように土井に接触したのかを聞き取って回った。端的に、誰かが余計なことを言って土井を刺激したのではないかという思い込みがそんな行動になったのだったが、これまでならあり得ないそんな自分の行動に半ば気づきながら、いったん火がついた思い込みを押しとどめるはずの理性は、いまや完全に息をひそめてしまったかのようだった。

成果はなく、「塩を撒け、塩を」と野次る声に送られて署を出たのは夕方だった。そのとき、「八王子署の吾妻という方から」と言って署員に渡された伝言には、《至急電話乞う。竹内の件》とあった。府警の電話を借りるのも嫌で、雄一郎はそのまま森を従えて地上に出、御堂筋沿いの電話ボックスに入った。電話をかける間、森のほうは深々と繁った街路樹のイチョウの下で、ほっとしたようにハンカチで汗を拭っていた。

警視庁の交換を呼び出して八王子署の本部へつないでもらうと、電話には林係長が出た。吾妻は堀田卓美の調べで手が離せないということだった。

《竹内巌が埼玉県警にパクられた。吾妻の用件はそれだろう》と林は言った。

《逮捕は、今朝未明。大宮のマンションだ。県警と新宿署が、昼ごろ大久保の竹内の事務所のガサ入れに入った》

「竹内は現逮ですか、通常逮捕ですか」

雄一郎が一言尋ねると、《ぶっそうな話はこれだけで足らんのか、貴様は！》いきなり声色を変えて林は怒鳴り、電話を切ってしまった。昨日、部下宛てに届いたサイコロ入りの嫌がらせの手紙を、臍《ほぞ》をかむ思いで見ていた林だから、まだ抑えた反応だと思った反面、雄一郎は自分のほうの反応がひどく鈍いのを感じた。今朝未明、自分が大宮の賭場を出たのは午前三時十四分。出張を控えて赤羽の自宅にも帰らなければならなかったし、話を聞き出してすぐに辞したのだったが、あと数十分遅かったらやられていたかも知れないというのに、すんでのところで網から逃げた冷や汗も湧いてこない。それが自分でも異様に感じられた。

昨日の又三郎の情報が正しかったとすれば、今回の摘発は借金を抱えた土建屋の親爺の駆け込みによるものだろうが、通報を受けた千葉県警が埼玉県警に情報を流してまで、規模からみて小物の竹内巌をわずか一日で潰したのは、盆前でどこもよほどヒマだったということか。上部組織の秦野組が火の粉を避けるために早々に竹内を切って、「どうぞ、お好きに」と県警幹部の誰かに一声かけたのか。どちらにしろ、もしも盆で金を張っている最中に踏み込まれていたら即日懲戒免職だったというのに、そんな恐怖よりも、なぜかある日突然警察を去る日が来るという根も葉もない予感のほうが、いまは自分の皮膚の近いところにあるのを感じた。

そうか。これは、おおかた自分のなかにそうなってもいいという投げやりな気持ちが芽生えていることの証か。一年前ならあり得なかったが、最近は警察という職場にそれほどの未練をもてなくなっているからこそ、こんなふうに何でも出来るのか。雄一郎は自問してみたが、自分の汚れた手を見ると、仮に土井の逮捕にこぎつけたとしても、ホシを挙げたというささやかな自己満足すら、おそらくはねじれにねじれ、払った労苦が報われないという思いが残るだけではないか。そんな予感ももった。

いや、それも甘い観測か。この事件はホシが誰であれ、殺人の物証を取れる見込みは薄いし、最後の自己満足すら望めないかも知れない。凶器なし、足痕跡なし、指紋なし、着衣なし、履物なしでは、自白が取れても物証ゼロで立件困難。いや、何とかなるだろうし、なってくれなければ困るのだ。

不毛なことを考えていると思いながら、切れた受話器を置いてボックスを出ると、森はイチョウの木の下で長閑に街の様子を眺めていた。大阪の街の何がそんなに珍しいのか、その奇妙にゆるんだ間抜け面を見ながら、雄一郎の頭はまたふと余計な方向へ流れていった。あれほど上昇志向をむき出しにして今日まで頑張ってきた森義孝も、何かの心境の変化で、警察にそれほどの未練がなくなっているのだろうか、と。いや、そんなことがあるはずはないとすぐさま思い直して、雄一郎は代わりにもう一つ考えた。そろそろ森を放り出して一人にならねば。

森がこちらを見、「何かありましたか」と近寄ってきた。大宮で竹内が埼玉県警に押さえられたと言うと、森は驚いた様子もなく「ほう」と言った。「午前二時ごろ、マンション前の道路を同じナンバーの車が二度行き来したんで、偵察だなと思ったんですが。私が見渡していた前後百メートルの範囲には、車も人の動きも見られなかったので、突入はないだろうと思っていました」

「君、何時に立ち去ったって？」

「主任のすぐ後です。三時十五分。県警の配備はその後ですね、きっと」森は言い、続けてこれもふだんなら言わないようなことをのたもうた。「運が強いんですよ、主任は。私もこれまでずいぶん、主任の運を分けてもらいました」

「それより、森。大阪にアトピー専門の有名な病院がある。ほら、こういうのが——」

雄一郎は、半月ほど前に手帳にはさんだまま忘れてしまっていた雑誌の切り抜きを取り出してみせた。「ほら、絶食療法、光療法、鍼灸《しんきゅう》、整体に併せて適切なステロイドの使用指導とスキンケア——」

森は、受け取った切り抜きを見もしないでポケットに収め、言った。

「私、時間があれば国立文楽劇場へ行きたかったんです。では、お先に」

そうして森は自分からさっさと上司に別れを告げると、御堂筋を立ち去ってしまった。ほんとうに文楽など鑑賞する気なのか、それも不明だった。

一方、一人残された恰好の雄一郎は、まだ日も高かったので、時間をやり過ごすためだけに近くの商店街へ足を運んで土井が世話になったうどん屋とパン屋を覗き、さらに梅田ターミナルの地下街や中之島周辺にたむろする浮浪者に「この男を知らんか」と土井の写真を見せて尋ね歩いた。

暑かった。臙脂色に燃える空を眺めて土佐堀沿いを歩いていると、頭から垂れてくる汗の粒が顔を伝い、まるで頭が泣いているようだと雄一郎は思った。立ち止まると、拝島の跨線橋にあった佐野美保子の後ろ姿が脳裏を覆い、それを振り払ってさらに歩き続けるとまた、女の足や背中の断片が汗のしずくになって滴り落ちてゆく。そのうち、またふと、森はやはり東京駅で見てやがったのかという疑心暗鬼が走ってゆき、その拍子にネジが逆戻りするようにして、野田達夫の顔が克明に甦ってくると、それはもう瞼に張りついたように動かないのだった。

その後、淀屋橋で地下鉄に飛び乗ってから、雄一郎は自分がしようとしていることに驚いた。十八年ぶりに再会しただけの男と、行きずりの女一人のために、他人の通夜へ顔を出そうという自分が、見知らぬ男のような気がした。もし止めてくれる者がいたら、踏み止まっていたかも知れないと思いつつ電車にゆられ続け、西成に近づくにつれて、困惑とも悔恨ともつかないひと塊の火で臓腑が煮え始めた。

＊

達夫が生まれたのは、東住吉区住道矢田《すんじやた》四丁目という地区だった。大阪市の南の端にあり、百メートルほど先の大和川の向こうはもう松原市になる。

戦前から都市の人口増加とともに開け、虫が食うように路地が這い、住宅が建て込んでいって出来上がったそこは、いまは住宅も古くなり、板塀や下水の蓋や家々の軒先は苔むして、たまにどこかの屋根から突き出している衛星放送のアンテナさえなければ、時代が二、三十年逆戻りしたかのようにも見えるのだった。また、工場地帯が近いために空はどことなく埃っぽく、川には煤煙の臭気がまじり、その上を昼も夜も貨物線の列車の音が渡ってゆく。

達夫の家は、戦前からの土地持ちだった。矢田一帯に借家を百軒以上持ち、近鉄南大阪線やJR阪和線の沿線のほか、内環状線やあびこ筋沿いにもかなり広い土地があって、そうした幹線道路沿いには、いまは会社所有のビルが数棟建っていた。そして、そうしたビルの一つに実家は不動産会社の事務所を置き、看板でも揚げているはずだと達夫は思ったが、実際にはそれを探すこともせず、矢田駅前からそのまま住宅街のほうへ歩き出した。大阪へ着いてから、喫茶店で小一時間潰しているうちにクーラーで冷やされて気分が悪くなり、葬儀会館のある新今宮に直接向かうような気力も失せた末に、地下鉄や私鉄をだらだらと乗り継いで矢田に辿り着いたあげくの行動だった。

すでに午後五時前だった。路地は赤黒い影が長い尾を引き、西日の照りつける路面が燃え立っていた。歩き出すとすぐ汗が玉になり、額を伝って目に沁みた。人けもない道路に放置された自転車が一台、いまにも爆発しそうな白熱色を放って目を刺し、アスファルトの黒はほとんど炉のようだと思いながら、達夫はすでに多くが建て替わって見覚えもない通りを、ただ当てずっぽうで歩き続け、そのうち軒と軒をくっつけるようにして並んだ古い借家の群れの前で、一寸足を止めた。

色あせた板壁の平屋の、その風景には見覚えがあった。家のなかがどんな間取りだったかは思い出せなかったが、まずは玄関の引き戸や、低い板塀の後ろにあるつくばい一つ置けないほどの前庭や掃き出し窓の、小さく狭苦しかった記憶が甦った。達夫はふいにまた激しく噴き出してきた汗を拭い、下水溝に唾を吐いた。すると、昔そこにはドブ板があって植木鉢が並んでいたことも思い出した。そうだった、金盞花《きんせんか》やサルビア、ゼラニウムといったどうでもいいような花が、いつも水をもらって機嫌よく咲き揃っていたドブ板は、借家の裏にも回っており、隣家が迫っているために日当たりの悪い裏庭は、湿った苔が生えていて、独特の臭いがしたのだった。また、そこには便所が面していて、そこから突き出した煙突の先では、臭気抜きがいつもカラカラと回っていた。縁側で、この家の子どもだった合田雄一郎と昼寝をしたり、スイカを食っているとき、二人で聞いていたのはその音だ。

達夫は知らず知らずの間に一寸耳をすませたが、いまは裏庭の臭気抜きの音はなく、代わりにどこかで蟬《せみ》がじんじん鳴き出して、拭ったばかりの首筋に熱の塊が一つ上ってきた。たったいま自分が思い浮かべた情景は正確ではなく、ほんとうはもっとさまざまな雑音、狂騒、罵声、呪い声などが混じっていた修羅場に、ドブ板の植木鉢もくそもないと思い直した。自分の実家が父泰三の遊興でいつもひっくり返っていたことを含めて、子どもにとって路地と生活と人間のすべてが絶望だった時代に、いったい何の思い出だ、と。しかしまた、達夫はこれだと特定出来ず、どれ一つとして除くことも出来ない、空気の臭いから家の様子から板塀の色まで、すべてを憎悪した時代の心身の熱が、いまもわずかに自分のなかに残っているのをひそかに認め、いや、東京駅で雄一郎に会ったせいだと直ちに思い直すと、あまりの暑さで溶け出した不快の塊をまたぞろ腹に据え直していたのだった。

それから、達夫の足は数歩も行かないうちに再び止まった。古い借家の並びが途切れた先に、まったく見覚えのない六階建てのマンションがあり、行く手に立ちふさがったコンクリートの壁が赤く燃えていた。ベランダにひるがえっている洗濯物もガラスも壁面もすべて赤く染まっており、その背後にすでにどす黒い色が交じり始めた夕焼けの空があった。

いままた止めどなく噴き出してきた汗を拭いながら、達夫はそのマンションの前に立ってみた。記憶のなかでは、かつてそこは高い土塀に囲まれていたはずだった。そして、近隣の町家四、五軒分の広さがある敷地には、植木屋の手が入った五葉松や槇《まき》、檜《ひのき》、楓《かえで》などの樹木が仰々しい影を作り、そこに緑青《ろくしょう》の浮いた銅葺きの軒を持つ数奇屋造りの瓦屋根がかぶっていたほか、前栽には鯉の泳ぐ池もあり、西のすみには柿の大木もあった。もっとも、思い出すのはその程度であり、門扉の上にかかっていた門被りの枝が松だったか槇だったか、玄関脇から前栽《せんざい》に抜ける木戸がどんなふうだったか、犬矢来がどのぐらいの高さだったかなど、思い出せない部分のほうが多かった。

ともかく実家はなくなり、代わりに建ったコンクリートの塊が、百年も前からそこにあったような姿で西日を浴びているのだった。見たところレンガタイルの外壁は新しく、築年数はせいぜい三、四年。間取りはおそらく3ＬＤＫ。アーチになった玄関に金文字で《ロイヤルコート矢田》などとあった。

その玄関前に立って、分譲価格はいくらぐらいだったのかと達夫は考えた。東京より二割安いとして、ざっと四千万円。その程度の価格であれば自分にもローンの工面は出来るが、東京で同価格の物件を手に入れようと思えば、いま住んでいる福生からさらに奥多摩のほうへ引っ込まなければならない。そんなことを考え出すと、今度は仕事場に借りている多摩荘の八月分の家賃を払い忘れていることを思い出したりもした。

そうして達夫は十分ほども道端に立っていたが、見れば見るほどマンションは赤く、その色が次第に濃くなってゆく。西を向いた外壁の一部に当たった西日はとくに赤く、まるで昔その辺りに立っていた柿の実の色のようだった。また、南側のベランダの色はさらに濃い熟柿の色で、その色は果実と同じように腐ろうとしていて、北側はすでにどす黒かった。そして、西日の赤に目を戻すと、燃え立つレンガタイルの色が瞼に焼きつき、網膜で光のシミになり、達夫は呻きながら下を向いて歩き出した。

網膜にちらつく赤はしばらく消えず、やがて今度は一昨日No.4の浸炭炉で見た色に重なると、そうだ、あの照柿の色は目の錯覚ではなかったと達夫は突然考えていた。そうだ、オイルバーナか自動制御装置の不具合で、短時間にしろ温度が下がっていたに違いない。それでも温度計が正常値であったのは、熱電対か温度計自体が狂っているということだし、割レが出たのは、そうして加熱温度が現実に低くなったということだった。それ以外に理由を考えるのは難しく、要は炉にガタがきているのだ。

十分後、達夫は内環状線まで戻って、公衆電話にテレホンカードを入れ、羽村工場の番号に電話をかけていたものだった。電話は事務所につながり、保全課へ回してもらった。ところが、保留音が途切れてつながった電話から聞こえてきたのは、工程管理課の出目金の声だった。

《野田さん？　お通夜は》と出目金は言った。

「あんたに用はない。保全課へ切り換えてくれ」

《仏さんの前で工場のことなど心配しなくても》

「保全課を呼んでくれと言ってるだろう！」

電話機がピーピー鳴り出した。カードの度数が一桁になっており、小銭もなかった。

「急いでくれ」と達夫は怒鳴った。

《もう五時四十分だぞ。保守員は誰も残ってない》

「だったら明日朝一番に、炉の総点検をしてくれ。温度計と自動制御装置を見てくれ。温度が下がるんだ」

《ええ？》

「炉の点検！　とくに№４の浸炭炉だ。温度計を――」

電話は切れた。発信音になってしまった受話器を置き、抜き取ったカードを捨てて、達夫はボックスを出た。

五時四十分？　腕時計を見、まずいなと思ったが、あわてる元気も残っていなかった。タクシーを探してのろのろ車道へ踏み出すと、今度はふいに道路沿いのビルの看板が一つ目に留まった。目を奪われたのはただ、《野田不動産株式会社》の赤い文字があまりにケバケバしく光っていたからだった。まるでパチンコ屋の電飾か、新世界の芝居小屋の幟《のぼり》のような色。クラクションを浴びてやっと我に返りながら、達夫はあらためてビルを眺め、信じられない思いで目を逸らせた。そのまま、ウィンカーを出して寄ってきた白タクに転がり込んだ。

「どちらへ」と運転手が言う。

「葬儀会館」

「どこの」

「西成の――」

「西成の葬儀場なら浪華会館でっか。道路が混んでますし、半時間はかかりますけど、よろしおますか」

「ああ、いいです」

車が発進したとき、車窓を横切ってゆく看板が見えた。西日を浴びて光っている赤をもう一度眺め、あれはローズ系の赤の下に銀を重ねて出した蛍光色だと納得し、再度目を逸らせた。昔から、人工の色を見ると無性に神経がざわざわしてくるのは一種の条件反射だった。達夫はひたすら所在なく、新大阪駅のキヨスクで買ったガムを一枚、嚙み始めた。道路も車も街もみな赤黒く輝き、まるで昼間の熱風の名残に色がついているかのようだった。ラジオはナイターの実況中継で、沈んでゆく赤と野球放送のざわめきが運んでくるのは、数十年来変わらない夏の宵の匂いだった。子ども時代、それはいつも一日遊んだあとの汗ばんでひりひりする肌と、渇きと、多少の疲れを伴っていたものだったが、そこには同時に、あくる日へのもぞもぞするような期待も含まれていた。達夫はいま汗まみれで疲れ、激しい喉の渇きを覚えていたが、子どものころと違って明日への期待が欠けている分、宵の暑さはひたすら重苦しいだけだった。

「暑いな」と達夫は呻いた。

「今日も三十五度でしたさかい」と運転手は言う。

「昔、こんなに暑かったですかね」

「ここ十数年でっしゃろ、この暑さは。エアコンの熱とコンクリートで——」

いや、昔も同じように暑かったはずだが、ただこの自分が変わったのだ。年月を重ね、徐々に顔を出してくる心身の変調のせいで、炎天も夕日もあの弾けるほどの輝きを失ったのだと達夫は思った。歳をとるというのがこういうことなら、父泰三などは、この暑さの重苦しさに喉を詰まらせ、身をよじりながら死んだことになる。

そういえば、あのビルの看板の赤を、泰三自身は見たことがあったのだろうか。なかったのだろうな、と達夫はさらに思った。会社を放ったらかして、人生の大半をパレットで絵の具をこねることに費やした泰三が、もしあの色を見ていたなら、ただその色の醜さが許せないという理由で、会社に何か口出しをしていたはずだった。

達夫がそんなことを考えている間に、運転手は暑さのおかげでビールが美味いという話をし、次いで阪神が一点先取したところでペナントレースの話になった。そしてその半時間ほどの間に、達夫の脳裏からはまた通夜のことは抜け落ちてしまい、赤黒い残照ににじじりと満たされた空っぽの舞台には、朝出会った合田雄一郎の顔が一つぼんやり浮かんでいた。

十九年ぶりの西成だった。昔はほとんどビルの影もなかった国道沿いにビジネスホテルが建ち並び、ネオンが灯り、車が行き交う。南海電車の新今宮駅の巨大な高架と、その脇に立つ労働センターのコンクリートの塊だけは見覚えがあり、タクシーは凱旋門のような南海の高架をくぐったところで止まった。

浪華会館は市民会館ふうのそこそこの構えで、人の死に貴賤の差はないかわりに個々の感慨もないといった、素っ気ない印象だった。玄関ホールの受付で野田家の通夜会場を尋ね、「三階の蓮の間。エレベーターで上がって、右手奥」と教えられ、達夫はエレベーターに乗った。

三階のホールで案内図を確かめ、先にトイレへ入って用を足した後、洗面所の鏡に映った自分の姿に驚き、ワイシャツの襟のボタンを留め、まくり上げていた袖を下ろした。さらにネクタイを結び、皺になりかけていた上着に袖を通した後、顔を洗い、澱んだ目をぱっちりさせると、青白くたるんだ皮膚やこけた頰がよけいにグロテスクになった。

蓮の間の扉を開けたとき、最初に聞こえてきた「なむあみだぁぶぅ、なむあみだぁぶう」という声明から、読経はすでに終わりかけているのだと知った。導師の坊さんの前に設えられた祭壇はごく小さなもので、白い菊をいけた花瓶が二つ、写真、白木の位牌、蠟燭、線香、行灯《あんどん》があるだけだった。泰三のお棺は祭壇の後ろにあった。それらがすべて見えたのは、その部屋に並んだ一ダースのパイプ椅子が半分しか埋まっていなかったからで、椅子に座っているのは男の略礼服の背中が二つ、女の半袖の喪服の背中が三つ、後ろのすみに花紺色のポロシャツの背が一つだった。

実のところ、それでも充分なほど部屋は小さかった。忍び足で空いた椅子に近寄りながら、達夫は最初に《市営葬儀か》と驚き、次いで《なんでこんなに人が少ないのだ》と思った。

いま、靴音で振り向いたのは故野田泰三の弟の野田卓郎。隣の肉の塊は、その妻の栄子。次いで振り向いたのが妹の尚子と、その夫の江口良浩。妹夫婦と叔父夫婦にはさまれて、小さな背を丸めたまま動かないのが、母良子。合田雄一郎はあくまで付け足しだから、野田泰三の通夜に集まった身内は、自分を入れてたった六人。この少なさは、予想していなかった。だいいち、卓郎にはいい歳をした息子二人がいるし、死んだ泰三には卓郎のほかに、兄弟が三人ほどいる。母の係累もいる。みな関西在住の連中のはずだ。

そんなことを思いながら椅子に座ったために、椅子の足が動いてキイッと床が鳴り、前に座っている卓郎は咳払いをし、妹たちの背中がもぞもぞ動いた。不動なのは、ボケて何も分からない母の小さな背と、合田雄一郎だけだった。いや、雄一郎も目だけ動かしてこちらを見たのが分かった。真意を測りかねる無表情な横目だった。それをすかさず目に留めながら、達夫はまたちょっと要らぬことを考えた。こんな官僚面をした男と美保子の取り合わせなど、あらためて考えれば想像するのも無理がある、と。してみれば雄一郎が雑踏のなかに何分も立ち尽くして、他人の逢引きを見ていたというのは、自分の見間違いだったのではないだろうか。

馴染めない空気に押しやられて、達夫は下を向いた。隣の雄一郎に、「お前の家、カソリックと違うたか」と囁いてみた。

雄一郎は応えず、指一本を唇に当てただけだった。達夫は、「なむあみだぁぶぅ」と唱え続ける坊さんの、その紫の袈裟《けさ》の背をしばらく眺め、延々と続く声に耳を預けようと努めてみたが、その間にクーラーで冷やされた汗が悪寒になり、あっという間に鼻へ抜けて「ハックシュ!」と外へ飛び出した。

また卓郎が振り向き、ほかの背も振り向き、達夫はポケットを探ってティッシュを探し、そっと鼻をかんだ。それから、「あとで呑もう」とまた隣へ声をかけると、雄一郎は顎だけかすかに動かして「ああ」と応えた。

「なむあみだぁぶぅ」の声を聞きながら、達夫は所在なく祭壇の上の遺影を見た。小さすぎてはっきりしなかったが、未だ髪の黒い遺影は達夫の知っている泰三の顔だった。まさかあれが近影のはずはないと思うと、早くお棺のなかの顔を見たいものだという思いがつのり、そのせいで少し気が紛れた。

しかし読経は終わらず、達夫は仕方なく叔父夫婦たちの背中を一つ一つ見ていった。まずは、毛が数えられるほど薄くなった後頭部を光らせている野田卓郎。昔から兄の泰三とは身体の造りも頭の中身も正反対だったが、いまやひたすら横に膨張して、シャツの襟首からはみだした肉がゴルフ焼けで赤黒かった。

その隣の妻栄子も、亭主と同じく横に成長し続けている口だった。昔は、派手な顔だちと肉付きのいい胸や腰の線がなんとなく女優っぽい雰囲気で、口が大きく、声も甲高く、立ち居振る舞いはどことなく品がなかったが、達夫の母にはない女の匂いがあり、子ども心に惹かれたこともあった。しかし、毎年のお年玉の額が物語っていたとおり、栄子は間違いなくケチで、亭主とともに野田不動産の経営に携わってきたのは、ある意味向いていたに違いなかった。しかも、社長の良子がボケたいま、会社は完全に二人のものになったはずだ。

二つの肉塊の隣で、母良子はまるでしぼんだ浅黒いナスビのように見えた。大きな商家から大地主の御曹司の元へ嫁いできた大正の女は、役立たずの亭主の代わりに野田の家を支えるために四十年働き続け、ある日突然ボケが来た。ボケる前は、気丈夫で性格がきつく、ヒステリーを起こして怒鳴り始めると、その声が二十メートル離れた借家まで聞こえたものだった。栄子とは正反対で化粧もせず、かっちりしたブラウスとタイトスカートの恰好は、いつも年増の女教師といった風情だったが、いまやその姿を想像するのも困難だった。

その隣の妹尚子は、三十という年齢相応の老け方にちょっと驚かされた。兄の自分と違って、昔から学校の成績だけは良かったが、さっさと東京の大学へ行って派手に遊び暮らした後に、結局何年か経って摑んだ男は、奇妙なほど泰三に似たカスだった。共稼ぎ夫婦で子どももなく、適当に生活を楽しんでいるらしいが、三十になった女の背中はどことなく律子に似てきていると思った。

それから、亭主の江口良浩。尚子はこんな男のいったいどこに惹かれたのか、学歴も稼ぎも造作もみな、そこそこという以上のものでなく、しかもどことなくひ弱で女性的な感じのするのが、達夫には不快だった。いや、軟弱でもせめてお人好しならば救いもあるが、気弱な面に似合わない小賢しい気配りや計算の見え透いているのが気に入らなかった。もっとも、そう思ったのも、ちょうどその当人がちらりと達夫のほうへ振り向いたとき、こそこそと目を逸らせたからに過ぎず、端的にあんな男に興味はないというのが一番正確ではあった。

そうして遅ればせながら、達夫はここにいるわずかな親族がみな金の話を腹に持っているのではないかと疑い始めたのだった。達夫とて金が欲しくないわけではなかったが、取り分を巡って争うことになったら、自分の忍耐がどこまで続くか、まるで自信はなかった。実家が消えてマンションになってしまった以上、さて今現在どこにいくらの金があり、誰の名義になっているのかも分からなかったし、会社の株の持ち分にしても然りだった。達夫は慰みに、じくじくと自分の不利な立場を考えてみた。長年の音信不通という意味で減点二。父母の面倒を見なかったことで減点四。会社の経営を手伝っていないことで減点三。あとは、法定遺留分を主張するのが精一杯というところか。しかしそれなら妹の尚子も同じようなものだろう。いったい実家への貢献度の大きさが問題なら、卓郎夫婦がおおかたふんだくってゆくことになるのだろうか。いや、お袋はどうなる？

衣擦れの音が立ち、いつの間にか遺族席のほうへ向き直った坊さんが合掌していた。卓郎たちが腰を上げて同じように合掌し、雄一郎も同じようにしたので仕方なく達夫も従った。卓郎が車代らしき白封筒を差し出し、坊さんはそれを袈裟の袖に忍ばせて、また合掌の応酬になった。その間に振り向いた尚子が唇を歪めて《死ね》という顔をし、《亭主に言え》と達夫も唇で応じた。

そうして坊さんが出ていったあと、卓郎がすぐさま愛想笑いを浮かべて「これはどうも」と会釈をしたのは、達夫ではなく雄一郎のほうだった。

「合田のぼんが、よう来てくれはりましたなあ。いやはや、実にお懐かしい」

そのはたから、妻の栄子が同じく甲高い声を上げて曰く、「ほんまに何年ぶりでっしゃろか。こんなところで合田のぼんにお目にかかるやなんて」

「ほら、尚子ちゃんも覚えてるやろ。うちの借家にいはった警察官の息子さん。尚子ちゃん、小さいときは合田さんとこでよう遊ばせてもろうとったんやで。お名前は雄一郎さん——やったですかな?」卓郎は言い、

「そうです。その節はこちらこそお世話になりました」雄一郎は背中に定規が入っているような仕種で応えた。目は少しも笑っていなかったが、口許は和やかだった。続いて、尚子と良浩がその雄一郎にかたちばかりの会釈をし、驚いたことに母の良子までが何やらにこにことお辞儀をした。相手の判別は出来なくとも、それが幸せだった時代を喚起する顔の一つだということは、本能的に分かるのかも知れなかった。雄一郎はその母にも丁重に頭を下げて「このたびはご愁傷様です」と挨拶をした。

「ところで、達夫君は何をしてたんや。君が遅いもんやから東京へ電話したら、奥さんは朝早うに出たて言いはったぞ」やっと達夫のほうへ向き直った卓郎は言い、「大阪支社に顔を出していたもんで」と達夫は応えた。

「それならそれで、電話の一本ぐらい入れられへんのか。まったく泰三の悪いところばっかり似よって」

達夫は卓郎の悪態など初めから聞く気もなく、返事もせずに祭壇の後ろに置かれたお棺のほうへ近づき、小窓を開けた。頭の両側をドライアイスの塊で固定された泰三の顔は、

予想通りほとんど知らない男のものだった。こけた頰とおちくぼんだ眼窩は遺影からもかけ離れ、髪は真っ白で、肌と唇は屍蠟《しろう》の灰色だった。これが、老残の苦痛からやっと解放された人間の顔か。達夫は数秒眺めてみたが、昨日一報を聞いたときと同じく、はっきりした感情などは湧いてこなかった。代わりに、なぜか突然、この男は幸せではなかったのだと思ったが、その理由も不明だった。

泰三については、長年覗きもしなかった押入れの襖を開けるようにして、埃まみれの断片ならいくらでも思い出すことはあった。それはどれも、子どもには優しい男の顔で、阿倍野のデパートのオモチャ売場で一万円札の詰まった財布を瀟洒な紬《つむぎ》の着流しの袖から取り出しては、「好きなもん買いなはれ」と品のいい船場言葉で言い、自分や尚子や雄一郎を寿司屋に連れていっては「たんと食べやっしゃ」「よろしゅうお上がり」と言う男の優雅な顔だった。しかし、子どものいないところでは、泰三はまったく別人の顔をしていたし、実家とは別に借りていた仕舞屋で年中絵を描いていた男の顔は、子どもには形容するすべのないものだった。

子どもが出入りするのを母に厳しく止められていたその隠れ家に、達夫はときどき忍び込んだ。そこは家じゅう油絵の具と溶剤の臭いに満ち、大小のキャンバスで足の踏み場もなく、机も棚も椅子も絵の具のチューブ、筆、パレット、スパテラの置き場だった。夏の暑い日、障子を開け放った部屋で、イーゼルに立てたキャンバスの前に立っているときの泰三は、頭に汗止めのタオルを巻き、上半身裸で綿のズボンを穿いていた。

そして、そこにあった絵の数々は、子どもの目には上手いとも下手とも分からない抽象画で、多く使っていた色は青だった。ほとんどのキャンバスがさまざまな青に塗りたくられていたために、泰三の肌まで青白く見え、親父は病気やと子どもごころに思ったが、いまなら鬼気せまるとでも言うところだった。しかしなぜ青だったのか、無数の青がどんなふうに平面のかたちを生み出していたのかなどは、いまとなってはもう分からない。

そうして泰三がパレットで絵の具を調合し、裸でキャンバスに向かっていたその家にはもう一つ、野田の実家にはないものがあった。入れ替わり立ち替わり出入りする女と、香水や白粉《おしろい》の匂いだ。女優もどきの美形もいたし、着物の襟を抜いた女郎も、断髪の男みたいな女もいた。それらの女たちがそれぞれ泰三の愛人の座を争っていたことだけは子どもの目にも分かったが、それこそ子どもには、理解以前の嫌悪と軽蔑とひそかな興味を混ぜあわせた不可解というものであり、泰三を父ではなく、他人にしていた最たるものだった。

ときどきこっそり実家に帰ってきては達夫たち子どもを誘い出す泰三の、気前のいい優しい男の顔。一方、女房の前では借りてきた猫になって、男のクズだと罵倒されるままになっていた無能な顔。また一方、女たちに追いかけられて逃げ回っていた色男の顔。それらを重ね合わせると、結局は誰の父でも夫でも愛人でもない、一人の売れない画家だった

とし か形容出来ない泰三の顔になるのだが、しかし画家というのもほんとうは正確ではないと達夫はさらに考えてみた。戦中に芸大を出、結核で兵役を逃れて終戦を迎え、もはや非国民と誹謗される心配もなくなって、戦後の困窮をよそに絵を描き続けた泰三は、二科展に毎年作品を出し続けたが、達夫の知る限り、見事なまでに一点の絵も売れなかったからだ。

もっとも、達夫自身が青梅の美術教室で美術界の事情を垣間見るようになったいま、泰三の絵が売れなかった理由の一端は明らかだった。生涯、美大や芸大に職を求めなかった泰三は、存命中に芸術院会員になる見込みはなく、芸術院会員にならなければ絵の値段が上がる見込みはなく、値上がりの見込めない絵は投機対象にならないために画商がつかなかったのだ。それが画家を生業に出来なかった現実的な理由ではあったが、達夫たち一族にしてみれば、たとえ生涯一点の絵も売れなくとも、泰三はやはり画家だったとしか言いようがないというのが、もう一つの現実だった。妻子にとって、野田の係累にとって、泰三から画家の肩書を取ってしまうと何も残らないというのが。

髪結いの亭主ならまだしも、母良子にとっては夫ですらなく、達夫たちにとっては父でもなく、愛人の女一人を電車に飛び込ませて野田の家に恥を塗りたくることでやっと名を残した男を、せめて画家だったと言わずにすませられる者は、達夫を含めて、野田の家には一人もいなかった。そういう男が一生を終えて横たわる姿に、唾こそすれ、それ以上の何かを考えることがあろうとは、達夫自身、意外な気がした。ほんとうは考えたというほどのことを考えたわけではなかったが、お棺のなかに収まった男があらためて何者か分からなくなり、子どものころあれほど抜き差しならなかった嫌悪の正体も、いまや自分には分からないのだと認めるほかはなかった。初めに、何かしら歯が立たないような膨大な深淵を覗き込んだような気がした、その一瞬の驚きも数秒のうちに分からなくなり、そこでは父だの息子だのといった執着も同じように行方不明になって、あとにはいつもと同じ不快の靄の垂れ下がった鈍い自分がいたというわけだ、と。いや、ほんの一瞬よぎっていったのは、何者でもないはずの男への言い知れぬ畏れか嫉妬のようなものだったのだが、達夫は結局それには気づかなかったことにした。半世紀以上も絵と向き合った男の魂とやらを前に、いまの自分にやってくるのは頭痛しかないと思い、実際、いまや馴染みとなった鈍痛の塊がまたそこまで降りてきていたからだった。

「おい、達夫君！」卓郎が苛立った声をあげていた。「合田さんも来てくれはったことやし、まず一杯やろう」

隣の控え室から、妻の栄子が缶ビールと寿司桶などを運び出してきた。大トロ、ヒラメ、白蒸しの穴子、ウニの握りなどが並んだ桶は会葬者のためではなく、卓郎夫婦が夕飯代わりに食うための特上の寿司だった。無能な遺族の代わりに葬式を取り仕切らなければならなかった自分たちへの、当然の持てなしというわけだったが、達夫の記憶にある限り、始末屋の大阪商人の娘だった良子が取り仕切っていた野田の本家ではトロなど見たこともなかった。それをいま、栄子がそそくさとした手つきで良子の口に運び、もう味も分からないのだろう母は、入れ歯の口を機械のようにもぐもぐさせてそれを食うのだった。達夫はいまなら自分だって寿司ぐらい母に食わせてやれると思ったりした一方で、もう何も分からない母の入れ歯の口許に生理的な困惑を覚え、何だか俺への当てつけのようだと思いながら目を逸らせるほかなかった。

その傍で、卓郎はビールを男たちに薦めて呑み始めていたが、尚子の亭主は愛想笑いの労力すら惜しいという仏頂面をさらし、大いに気づまりなはずの雄一郎はそんな素振りも見せない平板な顔をして、注がれたビールのコップを手のなかで温めているだけだった。達夫は喉の渇きに負けて、まず一杯のビールを空けた後、こいつはなぜこんな場所に留まっているのだ、なぜさっさと出ていかないのだと思い、そうか、美保子のことが気になって席を立てないのか、こいつも俺と二人になるのを待っているのかと邪推を巡らせるのに、一寸我を忘れた。一方、卓郎はビール一杯で汗の吹き出した額を忙しくハンカチで拭いながら、その雄一郎にしきりに話しかけていたが、実際、卓郎が気を置かずに世間話が出来るのはこの顔触れでは雄一郎しかいないのだった。

「ほう、お父さんと同じ警官になりはったんですか。ほな、東京やったら警視庁ですか。出世しはりましたなあ。それで、大阪へ来はったのはお盆ですか」

「いえ、仕事です。今朝、東京駅で偶然達夫君に会いまして、お通夜のことをお聞きしたのです。昔、達夫君のお父さんにはようご馳走していただきましたし、これはお参りさせていただかなあかんと――」

嘘をつけ。美保子だ、美保子。達夫はもう一杯ビールを空け、卓郎はなおもどうでもいい話を続けた。

「そうですか、それはそれは。大阪へはときどき来はるんですか」

「年に一回ぐらいは」

「大阪も、えらい変わりようでっしゃろ」

「この辺りもきれいになりましたね」

「バブルのときに、西成にも外の資本がどんどん入ってきて、昔のドヤがみんなビジネスホテルに建て替わりましてな。矢田のほうは、路地が多すぎてなかなか再開発も進みまへんが」

「そういえば、あのマンション――」達夫はビールの勢いを借りて横から口をはさんだ。「ここへ来る前に実家の跡地へ寄ったら、マンションが建っていてびっくりしました。叔父さん、あれはいつ建ったんですか」

「玄関に定礎九〇年と刻んであったはずやが」

「マンションて何の話ですの」尚子が早速口を出してきた。

「俺たちの家があった場所に、六階建てのマンションが建っとるんや」達夫は言い、尚子は「ええ？」と大声を上げた。

「そんな話、聞いてませんが――」案の定、亭主の良浩も振り向いた。

他人の貴様には関係ないと思いながら、達夫はさらに卓郎に尋ねた。

「あれは誰が建てたんですか」

「うちの会社に決まっとる」

「社長のお袋の了解なしに、叔父さんが建てたんですか」

卓郎はそわそわと額の汗を拭い、ハンカチの陰で険悪な目を歪ませた。「そんな話を仏さんの前でするやつがいるか。ええ歳して、場をわきまえたらどうや」

「そやけど、あの家は私らの家やないの。私らに相談もなしに――」尚子は気色ばった顔で言い出し、卓郎の顔はますます歪んだ。

「君らの家？　あれは亡くなった泰三と良子さんの家や。君ら二人は家を出ていったきり帰っても来んし、泰三は泰三で七十になってボケてきた上に病気ばっかりで金はかかるし、良子さんは地所を会社に売却して、その代金で自分も老人ホームの権利を買うて、泰三の病院の費用を払うてはったんや。親の面倒も見なかった君らが、いまごろ何を言うとるか」

「そやかて、マンションを建てたのはいったい九〇年のいつですのん？」尚子の声は甲高くなった。まるで電車のなかで男に足を踏まれたおばさんのようだった。「だって、母さんがボケ気味やから病院に入れたて、栄子叔母さんが電話かけてきはったんが八七年の冬や。それから、母さんが芦原《あしはら》の有料老人ホームへ入ったんが八八年。九〇年にマンションを建てたというけど、そんならいったい母さんが将来のために家を売ったのは、いつですのん！」

「尚ちゃん、そんなこと言えた義理やないでしょう」そう言い出したのは栄子だった。「お母さんがいよいよおかしくなってきはったとき、病院に入れたり手続きをしたりしたのは誰やと思うてるの。あんたも達夫さんも、東京へ行ったきり、帰ってきたこともあらへんくせに、いまごろ何を——」

「娘には娘の生活があるんやから、叔母さんこそ口出さんといて！　いったい母さんがほんまに自分で家を売りたいと言うたんかどうか。叔父さんたちが勝手に処分したんと違うの！」

「マンションを建てたからどうやというの！」栄子の声が尖り、「あたしらの財産よ！」と尚子が怒鳴った。隣では亭主の良浩が揉み手をし、そこで卓郎の一喝が飛んだ。

「通夜の席やぞ！　いくら泰三がどうしようもない男やったからというて、仏さんは仏さんや。わざわざ拝みに来てくれはった合田さんに失礼やろうが」

「いえ。私はこれで失礼しますので」

いつ切り出そうかと待ち構えていたように、雄一郎はそう言うが早いか腰を上げていた。すると「いやいや、それでは申し訳ない」と卓郎は言い、「いえ、こちらこそ」と雄一郎は固辞し、真意はどうだか怪しいものだと思いながら、「あと五分待てや」と達夫は雄一郎を制した。そして、「すぐに俺も行くから」と言うと、今度は卓郎が「達夫！」と怒鳴った。

達夫はそれには応えず、矛先を卓郎に向けてあらためて尋ねてみた。

「叔父さん。結局、親父はどこで死んだんですか」

「奈良の橿原《かしはら》市の病院。有料老人ホームと契約している」

「何の病気やったんですか」

「胃癌」

「いつから入っとったんですか」

「もう六年かな。ホームに入ったのが八八年や。ボケてどないしょうもなくなってから、お母さんのところへ民生委員から連絡が来て――」

「八八年いうたら、母さんも老人ホームに入ってたんと違いますのん！」と尚子が再び割って入り、「お前は黙っとれ」と達夫はそれを一蹴した。

「それで叔父さん。橿原の病院に入る前、親父はどこにおったんです」

「病院に付属している有料老人ホームに」

「費用はお袋が出したんですか」

「もちろん良子さんが出しはった。老人ホームの入所金だけで三千万。その上に毎月の費用が四十五万。二年で一千万。六年でその三倍や。良子さんはたしかにボケは来てはったが、泰三に金がかかることだけは分かってはった。家屋敷を売りたいと言いはったんは、君らのお母さんや。会社の税理士や弁護士が作成した書類に、お母さんは自分で判子をつきはった」

達夫は母の横顔を眺めてみた。肉親のいさかいをよそに、黙々と握り寿司を箸で二つに割き、入れ歯の口に運んでいるその顔からは、何も窺えなかった。泰三の女たちに対するかつての嫉妬のすさまじさ、泰三に対する嫌悪と憤懣の爆発の日々を思い出すと、さんざん泣かされた無能な亭主がボケたときに、良子が数千万の金をその男のために出した心境など、達夫には分からなかった。いや、分からないのは母のすべてだと言うべきだった。女だてらに長年ひとりで野田の家を支えてきた心根のありかも、何かの理由で子飼いの従業員たちの首を切るときの商売人の合理主義も、はたまた金にならない芸術の類への無知・無関心も、泰三がそれを理解出来なかったように達夫自身も理解出来ないのであり、さらにはひとりの女性の人生の不器用さ、かたくなさ、惨めさなどは言うまでもなかった。

「親父の持ち物はいま、どこにあるんですか」

「良子さんには整理出来へんから、君か尚ちゃんが行って整理せなあかんやろう。ホームのほうにはもう何も残ってへんと思うが、手続きもあるし」

「ホームで、絵は描いていたんですか」

「入院してから描いていた分は、昨日栄子が引き取ってきた。見るんなら、控え室にある」

「いろいろお世話になりました。誰も親父の絵は要らんでしょうから、それだけ私がもろうて帰ります」

達夫はそれだけ言って席を立ち、それを卓郎の声が追いかけてきた。「おい！　今夜ぐらい腰落ちつけて座ってられへんのか、君は！」

「明日の本葬にはまた来ます」

「兄さん！」一声怒鳴った尚子は、自分だけ抜け駆けする気かという顔だった。気に入らなければ自分も出ていけばいいものを、金の話が気になって座を蹴ることが出来ない尚子は、欲深いというより正直なだけだと思ったが、とにかく達夫にはもう応える忍耐もなかった。

控え室のすみに置いてあった紙袋は、一目でそれと分かった。全紙大の紙を数十枚ずつ丸めたものが、二枚重ねにしたショッピングバッグにぎっしり詰まっており、ぶら下げてみると約十キロはあった。底が抜けそうなその袋一つをぶら下げて、達夫は控え室を出、腰は上げたものの所在なげにつっ立ったままだった雄一郎を目で促して、さっさと会場をあとにした。

雄一郎は卓郎たちへの挨拶に時間がかかったらしく、一分ほど遅れて玄関へ出てきた。とくにこれといった表情はなかったが、朝の刺々しいほどの若さはすでになく、朝は瑞々《みずみず》しかったキュウリが半日漬物石にのされて食べごろの浅漬になったといったふうだった。さては、盗み見した美保子と自分の逢引きが漬物石になったか。達夫は腹のなかでうそぶいたが、ただでさえうっとうしい他人の通夜の席で、たったいま親族の醜い話を聞かせてしまったことなど、もう念頭にもなかった。

「行こうや」と声をかけると、雄一郎は「ああ」と鈍い返事をした。

外へ出るとどす黒い夕焼けの残滓もすでになく、高架を走る電車の車窓の明かりが宵の虚空を流れていた。夜気にはすえた脂と下水溝の臭気が混じり、なおも昼間の熱をこもらせてじりじりと肌を刺してくるなか、男二人で国道沿いを阿倍野の方向へ歩き出した。

「あんた、今夜は泊まるんか」達夫は最初に聞いてみた。

「梅田にホテルを取ってある」という返事だった。

「出張扱いか。警察も、週休二日になっとるんか」

「刑事は四日出て一日休み。実際には月に三日休めるか休めないか――」

「家族が大変やな、それは」

「さあ。俺は女房と別れたから」

「いつ」

「もう六年、かな。達夫は奥さんは」

「結婚して十二年や。息子が一人おる」

「息子さん、幾つ」

「十歳」

「へえ――。俺に子どもがおったら、そのぐらいの歳になってるんやろな」

「コブ付きで離婚は出来へん」

「そうやな」

雄一郎が離婚経験者というのは意外な感じもしたが、世間の夫婦の何分の一かは家庭内離婚のようなものだと思えば、とくに驚くようなことでもなかった。達夫は、話しながら律子の蜂の巣頭や息子の小賢しい顔をちらりと思い出し、それらがいまの一瞬、ひどく現実味のない遠い浮遊物のように感じられるのに気づきながら、話題を変えた。

「ところで、阿倍野へ出よか、それとも新世界のほうがええか」

達夫は半ば自分に尋ねるつもりでそう切り出した。雄一郎は、あまり頭が動いていないような無表情で「どっちでもええよ」と言っただけだった。

ＪＲ新今宮駅を通り過ぎた太子《たいし》の交差点に立つと、高架を走る電車がごうと音を立てていった。線路に沿ってまっすぐ行けば阿倍野のターミナル。ガードをくぐって向こう側に出れば新世界であり、少し暗い赤と白のネオンの灯った通天閣が見えた。そして、そのどちらでもない交差点の右方向は、阿倍野や新世界の晴れやかさとは違う西成の、小さな明かりを点々と浮かべたどろりとした闇だった。

「こっちへ行こか」達夫が言うと、雄一郎はまた「ああ」と応えた。その相槌の打ち方や抑揚には聞き覚えがあると思った。どっちでもいいのだというふうな白けた響きの下に、脱線や不道徳を共有する気負いと暗い歓びがひそみ、妙に共振してくることがあった、あの優等生の「ああ」。

中学時代、達夫はしばしば学校を抜け出したが、雄一郎を誘うと、いまのように「ああ」と一言応えてついてきたのだった。道程はいつも決まっていた。まず阿倍野で電車を降り、天王寺公園をぶらぶらし、外の鉄柵ごしに動物園を眺めながら、新世界に入る。そこで芝居小屋か碁会所か賭場を覗き、客寄せのちんどん屋の後ろについて歩き、夏はかき氷、冬はタコヤキを買い食いした後、「あっちへ行こう」と雄一郎を引っ張ってジャンジャン横丁から国鉄のガード下をくぐるのだ。

そこは西成の北の端で、少し右手に行ったところには飛田《とびた》本通りの入口があった。格子戸のある仕舞屋が両側に並ぶその通りは、朝も昼も夜も白粉の臭いがし、格子のなかからはくぐもった女の嬌声が聞こえ、夜はそこに三味線の音や、食い物の臭いが混じる。当時、すでに赤線は廃止になっていたが、どこもかしこも表向き飲食店の営業許可を取って女を置き、朝早くからおおっぴらに賑わっていた。二階はたいがい旅館ふうの磨りガラスの窓になっており、開いている窓の縁で襦袢《じゅばん》の襟を抜いた女が肘をついていたり、あるいは着物の裾をはだけた女が、開け放した玄関の上がり框に腰をひっかけてタバコを吸っていたりだった。どの女も顔を真っ白に塗り、唇は真っ赤で、眠そうな目をしており、そういう女の隣にはなぜか必ず、ポン引きのやり手ババアがちょこんと座っていたものだ。

そんな飛田の色街を子ども二人が歩いていると、出入りの旦那衆や筋者たちには「ガキの来るところやないぞ」と睨まれ、女たちは「ぼん、寄っといで」と手招きをするのだったが、置屋ばかり並ぶ路地を延々と歩いてゆく間、雄一郎は体育祭で運動場を行進するような無表情な足どりで黙々とついてきて、達夫が「怖いか」と尋ねると、縦でも横でもなくあいまいに首を横に振った。

一方、達夫自身がそうして飛田をうろつき、執拗に女郎たちの顔を一つひとつ見て回ったのには、理由がなくもなかったのだった。浮名には事欠かなかった泰三の生活のなかでも、達夫にとって衝撃的だったのは飛田の女だった。泰三が長年飛田に通っていたことを達夫が知ったのは十一のときだったが、そのとき、泰三に対する子どもの漠然とした不審は、突然大きな岐路に立った。すなわち子どものなかで、父泰三は男のなかの男か、情けない女たらしのどちらかになる運命にあったのであり、飛田の路地を歩きながら達夫が探していたのは、その答えだったのだ。もっともそうと自分で気づいたのは十四、五になってからだったし、雄一郎に話したこともなかったので、雄一郎自身が何を考えて飛田見物についてきていたのかは不明だった。自分のように、半ば大人社会に対する反抗の妄想に浸り、半ば良からぬ欲望にちくちく刺激されていただろうという想像も、雄一郎については当たっているという自信もなかった。

しかし、いまはどうか。達夫は雄一郎の横顔を窺ってみたが、何を考えているのか分からない無表情は昔と同じで、子どものころにこの辺りを歩いたという記憶さえ念頭にあるような、ないようなだった。ましてや、これがひとりの女のことをいまのいまも思い煩っている顔だろうか。そう思うと、達夫はひょっとしたら惚れたのは美保子のほうなのかと考えてみたが、それもあり得ない話に思え、疑心暗鬼のアミーバだけがぬるりとうごめくに留まった。何といっても、佐野敏明のようなうらなりを結婚相手に選んだ女の気持ちこそ、謎といえば謎なのであり、どんな男に惚れるか知れたものではなかった。

独身だという雄一郎は、白いスニーカーの足も見るからに軽そうだった。見ているとじりじりさせられるような能面で、「昔よりビルは増えたが、臭いだけは変わらんな、ここは」などと言った。

「そうかな」と達夫はうわのそらで応えた。

「外国人があまり入ってきてへんのやな。ほら、板橋や大久保の辺り、外国人が増えたら街の臭いが変わったから」

「東京では外国人犯罪も扱うとるんか」

「殺しも強盗も、国籍は関係ないから」

雄一郎はあっさりと言ってのけ、達夫は警察の話に興味はもてないまま聞き流した。

大阪市内を南北に貫く幹線道路の一つである堺筋は、西成に入ると新紀州街道と呼称が変わり、道路の両側に見える風景が変わる。ビラや落書きで汚れたトタン塀や店舗のシャッターがあり、屋台然とした小さな呑み屋の明かりがあり、その下に薄ぼんやりと浮かぶ労働者の作業着の灰色があり、車道を走り抜ける車の騒音が絶える一瞬、漂う静けさは異様に深い。その静けさがあいりんの労働者たちが眠る西側と、東側にある飛田の遊廓をくっきりと分断しているのだった。

「飛田へ行かへんか」

達夫がそう誘うと、雄一郎はちょっと目を逸らせて一秒返事を引き延ばし、「呑むだけなら」と生真面目に応えた。その雄一郎の反応が滑稽に感じられて、達夫はハッハッと声を上げて笑い、その声は街道のコンクリートに反響するやいなや、走り抜けるトラックの轟音に吸い込まれていった。

「さすがデカやな」と達夫が言うと、雄一郎はあいまいに首を横に振った。

路面電車の線路を越えて、今池本通りの商店街から天下茶屋の路地に入ると、昭和四十年代にあった華やいだ喧騒はもはや遠く、料亭や小料理屋が軒並み廃業していったあとの、明かりもない格子戸や板塀だけが続いていた。そこから今度は女郎屋の並ぶ幾筋もの路地になり、達夫と雄一郎は開け放たれた玄関の明かりが洩れ出てくるばかりの、息苦しいような暗がりを、熱帯夜の熱気にまかれながら歩いた。いまでも百五、六十軒は営業しているのか、皓々《こうこう》と明かりを灯した玄関口には、それぞれ化粧の濃い娘たちとぽん引きの婆さんが座っており、女たちの多くは東南アジアから来たらしい顔をしていた。昔あった雑然とした物音や女たちの匂いの代わりに、「呑み放題で一万円ポッキリでっせ」「兄ちゃん、ショートで五千円にまけとくで」と、やり手ババアの無機的な声が飛んできて、そのつど達夫は適当に笑いかけて通り過ぎたが、雄一郎のほうはまっすぐ前を向いたまま、女たちのいる玄関先へは目をやろうともしなかった。

「顔ぐらい見たれや」

達夫はだんだん腹が立ってきて一言いったが、雄一郎は「そんなわけにもいかん」という素っ気ない返事を返しただけで、やはりそれ以上は乗ってこなかった。

そのとき、達夫の視線の先には四つ角に立つ大きな料亭があり、わけもなく自分が不快になった理由がそれだということは、達夫自身分かっていた。それは、大正時代から昭和三十年代までこの辺り随一の遊廓だった店で、赤線廃止になってからは表向き大衆割烹に変わったが、達夫の子ども時代、そこの二階の、夕日の入る小さな座敷に泰三は女を連れ込んで呑んでいた。その光景が思い出すともなく瞼に浮かぶやいなや、達夫は身震いし、それが伝染したように雄一郎も一瞬肩を震わせた。

「その辺の店に入ろう」と雄一郎は言った。

ここにしようと適当にのれんをくぐったのは、居酒屋に毛の生えた程度のカウンターだけの小料理屋だった。達夫は汗まみれの首筋をお絞りで拭ってやっと少し落ち着き、我に返った。時刻はすでに九時近かった。泰三の画用紙が詰まった重い袋と自分のボストンバッグを手に、よくも歩いたものだと思ったが、ほんとうのところ荷物のことも時間のこともしばし念頭になかったというほうが正しかった。

「よう歩いたなあ」と言うと、「うん」と時計を見もせずに雄一郎は鼻先でうなずいた。出てきた生ビールを互いのコップに注ぎ合い、「乾杯」と呑み干した。

「アテ、何にしまひょ」と四十がらみの小母さんが尋ねてきた。

品書きを見て「枝豆とハモ皮の酢の物」と雄一郎は言い、達夫は「神戸牛のタタキとグジの煮付けと糸モズク。アワビの刺身。冬瓜《とうがん》の葛煮」と連ねた。

「俺、そんなに食われへんぞ」と横から雄一郎が言った。

「二人やったら食えるやろ。昔、俺がたまたまある座敷を覗いたときにな、親父がこれだけの品数を、座卓に並べとった。神戸牛とグジとアワビと――。親父は自分はほとんど食わずに呑むだけやったくせに、女のためにやたらと品数を揃えてな、女に『たんとお上がり』言うて――」

達夫にとって、それは十数メートル先のあの元遊廓で実際に見た光景だった。障子越しの西日がさす三畳間の座卓に、並べ切れないほどの皿を並べたまま、泰三は女の膝を枕にして横になり、女もまた皿には手をつけずにぼんやりとタバコを吸っていた、あの光景をどう説明したらよいか――。自分はあまり聞きたくないというふうに黙ってしまった雄一郎の横顔に向かって、達夫は構わず語り続けた。

「ほら、うちの家、忙しいさかいにお袋はおらへんし、女中が作るもんいうたら、イワシの煮付けとかナスビの炊いたのとか。そんなもんばっかり俺や尚子は食うとったのに、親父は女とアワビやぞ、アワビ」

しかしそうは言ったが、達夫が襖の隙間から泰三の座敷を覗いたとき、その目を射抜いたのは実はご馳走ではなく、箸もつけられずに座卓に並べられて西日を浴びていた皿の、彩りの鮮烈さだった。すでに萎びて食い物としての命はなくなりかけていた牛刺しの真紅、アワビの白、グジの薄桃、冬瓜の薄緑、伊万里の皿の絵付けの色。そして、手つかずのまま放り出されたそれらの食い物と、褪色した畳の上に落ちる西日の臙脂色。横たわる泰三のシャツの背。その上を這う女の指の赤いマニキュア。

「そのとき見た女が、あの踏切で――」

そこまで言ったとき、傍らの雄一郎は「ところで、いまはどこに住んでるんや」と話題を逸らせてしまい、なるほど、こいつが聞きたくなかったのは踏み切り事故の現場に出ていた父親の話だったかと達夫は納得した。

「福生の加美平団地」と達夫は答えた。

「あの、羽村との境にあるやつか」

「ああ、知ってるんか」

「見たことはある。警視庁にいると、都内のたいていの場所は覚えてしまう」

「へえ。で、お前の家は」

「赤羽の団地」

そこでまた、会話は途切れた。どうでもいい住所の話を先に持ち出しておいて話題を続かせようともしないのは、ひょっとしたら美保子の住所が加美平団地だと知っているためか。わざわざ住所を尋ねたのはそのためか。達夫はまたぞろそんな邪推をしてみたが、雄一郎は相手に何も窺わせない顔でビールを注ぎ足し、呑み干しただけだった。

「そういえば雄一郎、どこの署におるんや」

「本庁。桜田門の、アレ」

「へえ、そんな偉いとは知らんかった」

「偉いことない」と雄一郎は素っ気なく遮った。「俺みたいなノンキャリアは、出世して所轄へ異動になるんや。そのうち所轄へ行ったら、本庁の雑魚《ざこ》をいびりたおして——。いや、俺は出世は出来へんやろうな。すまん、内輪の話だ」

カウンターに最初の幾皿かが出てきて、達夫は先に箸をつけた。雄一郎も箸をつけたが、見ていると食は細いようだった。仕事柄、食事が不規則な上に、食うと胃に血液が降りて神経が鈍るから食えず、それが習慣になってしまったとかいう話だったが、熱処理棟の高熱のおかげでやはり慢性的に食えない達夫とは、まるで次元の違う話だった。

皿は次々に並び、色とりどりの花が咲いたようになった。それをただ眺めながらビールを二本空けたところで、雄一郎はウィスキーに切り換えた。指二本分のウィスキーに氷をひとかけら入れて呷る様子は、普段からそうしている男のものだった。

「よう呑むんか」と尋ねると、「ああ」と雄一郎は応えた。「独りになってから、量が上がった」

「どのぐらい呑むんや」

「夜、寝る前にこれぐらいのを二杯か三杯」

「俺は毎晩は呑まへんけどな。呑み出したら止まらんから、女房にボトルを取り上げられる。家ではタバコもほとんど吸わへん」

「俺も、結婚していたときはそうやった。そういえば、家では呑まなかったな——」

「奥さんが恐かったんか」

「そうやない」

「お前の呑み方、やけ酒の呑み方や」

雄一郎はそれには応えず、ハハと笑った。グラスの氷を噛み砕き、最後の一滴を水のように呑み干すと、「もう一杯」とカウンターにグラスを置く。呑むことが好きなのか、アルコールそのものが心地好いのか、それは人に自分も呑みたいという気持ちを起こさせ、アルコールへの飢えをくすぐり、誘惑する呑み方だった。達夫もウィスキーのグラスをもらい、同じように氷ひとかけらを入れて啜り始めた。

「達夫の奥さん、専業主婦か」

「中学の教師。国語教えとる」

「へえ、あんたが学校の先生と結婚するとはな」

「あとからそうと知って慌てたわ。俺は高卒やし、勉強ほど嫌いなものはない人間やと言うたら、それでもええて言うから一緒になった」

「太陽精工やったら、ベアリングを作ってるんか」

「ああ。軸受け、シャフト、ロッドエンド、球面ブッシュ。回転するものは何でも」

「俺は、達夫は多分美術のほうへ行くんやと思うてた」

「図工も美術も落第点やったぞ、俺は」

「なんでそう思うたんかな——。理由は思い出されへんが、親父さんが絵を描いてはったし、達夫が物を見るときの目が俺なんかとはまるで違うてたから」

「どう違うてたんや」

「俺なんか、物は物でしかないんやが——。ほら、小学校で図工の時間によう写生をさせられたやろ？　達夫だけ、いつも画用紙が真っ白やった。何してるんかと思うたら、写生する物をじっと見ている。いつも見ているだけで時間が終わってしまうから落第点やったかも知れんが、俺は達夫の目が凄いと思うた。自分は物を見る目はないんやと逆に悟ったよ、あのころ」

「そういう穿《うが》った物の見方をするから、俺はお前が苦手やったんや」

「そうやったな」

雄一郎は薄い微苦笑を浮かべ、それ以上は言わなかった。

「なあ、雄一郎。俺の画用紙が真っ白やったのは、俺の欲しい色が作られへんかったからや。あるいは、たんに何も描きとうなかっただけや。それが証拠に、俺はいつも途中退場やったやろ」

「ああ」

「代わりに、外でトンボを追いかけとったわ。冬は大和川で釣り。中学になったら、女」

「俺は十六で東京へ行ってしもうたから、高校時代のことは知らんが、悦子とかいう人、あれからどうした」

「悦子？」

「タバコ屋の娘。あんたが妊娠させたとか、させていないとか言われた、あの――」

「ああ――、そういえばそんな女がいたな。多分、あれからどっかへ行ったんやと思う。もう忘れた」

「あの、中学校のそばの何とかいう家の娘は」

「そんなん、忘れた。よう覚えてるんやな、他人の女の話を」

「忘れるほうがおかしい」

「忘れるのは、要するにそれだけのことやから忘れるんやろ。覚えている女もいるからな。声とか顔とか――」

「達夫みたいに数が多いと、そうなるんかな。俺には分からん」

「お前は女の顔、いちいち覚えてるんか」

「ああ」

「何のために覚えてるんや」

「さあ。性格だろうな」

「それは多分、お前のほうから女を裏切ったことはないからやろう。俺は、俺のほうから捨ててしまうことが多いから忘れる。そういうところは親父に似た」

「昔ときどき思うたが、達夫は親父さんに似てるよ」

「どこが」

「顔」

「遺伝や、それは」

「目の表情」

「女ひとり、電車に飛び込ませた男の目か」

雄一郎はちょっと間を置き、「ああ」と応えた。

「昔やったら――」達夫も間を置き、「この辺で殴り合いやな」と笑ってみせた。

「そうやな」と雄一郎もあっさり応じた。

「ああ、お前の言うた通りかも知れへん。親父が独りで絵を描いていたときの目は、俺に似てるかも知れへん。リンゴ一個を一日眺めていた目。何も生まないまま、形のないものに憑《つ》かれた目や。あげくの果てに丸いリンゴが三角に見えてきて――」

「三角のリンゴか――。その絵、覚えてる。群青色やった」

「そんなもの覚えてるの、お前だけやぞ。ともかくその青い三角のリンゴを、親父はまた一日じっと見ていた。要するに親父は自分の目も、自分で描いたかたちも、色も、何もかも不快やったんやろう。それだけは俺に似てる。俺は小さいころから心地好いものとは無縁やった。俺が発情するのは心地好くないからやし、何か考えるのも心地好くないからやし、生きてることがそもそもあんまり心地好くないから、こうして生きてるようなもんや」

雄一郎は、否定も肯定もせず、ただ「俺には分からん」と無難な相槌を打った。

達夫は続けた。「お前もきっとそうやろ。たとえば、ここで俺と呑んでいることからして、心地好くないから呑んでいるんやろうが」

「さあな」

雄一郎は苦い笑みを見せ、首を横に振り、四杯目のウィスキーに口をつけた。顔色も変わらず、身体の節々の弛緩もないようだったが、それでも淡々とアルコールを呷り続ける表皮の下に、びっしり張り詰めた無数の神経が透けて見えるかのようで、そんな男を見たのは十八年ぶりだと達夫はあらためて考えてみた。雄一郎の後にも先にも、こういう男はいなかった、と。そして、似たような感じといえば美保子もそうで、どちらの眼球も眩しすぎて暗いほどなのだ、と。美保子は葡萄のようで、雄一郎は深海のような目。刑事というのはきつい目をしているというが、雄一郎の目の鋭利さは、底に深海の広がりを感じさせるのだ。

達夫は思う。昔から、共通の話題も関心事もなかったにもかかわらず、雄一郎が達夫の話に耳を傾け、達夫が自分のことを雄一郎に語ったのはいったいなぜだったのか、と。それは大部分、自分が何かを語りたいと思ったときにそばに雄一郎しかいなかったということだったにしても、雄一郎が勉強の時間を潰し、ほかの友だちと野球をする時間を潰して、しばしば自分のそばにいた理由は不明だった。だいいち雄一郎は自分のことを決して語らなかったし、人を常に観察はしていたが、決して自分が当事者になって自分の身を削ることはない、冷静で狡猾な第三者だったのだ。

しかし、いまはどうだろうか。達夫は、昔とは違う種類の緊張の糸をこの数時間感じ続けていた。目の前にいるのは、いまのいま一人の女のことを考えているに違いない男であり、美保子に相対することで一人称になり、達夫の前にその一人称のわが身をさらしている男だった。清涼そうな表皮の下に、おそろしいほどの自制心と爆発力が同時に透けて見える、まるで生まれ変わったような合田雄一郎だった。いったい歳のせい、もしくは何かの偶然で、互いの距離が縮まったのだろうか。ちょっと手を伸ばせば心臓に触れ合う距離まで、あの雄一郎が自分に近づいてきたというのだろうか。そんなことがあり得るとも思わなかったが、十八年ぶりに出会ったにしては一人の男の呼吸まで感じられるのが、尋常な話であるはずはなかった。

達夫はふいに、生温かい臓物が手に触れるような感じに襲われ、嫌悪に身震いした。手に走った感触は温かく、ぬるりとして、指の間でやわらかくうごめくかのようだったが、その一瞬、達夫は傍らの男の胸に手を突っ込み、心臓を摑み出す幻を見たような気がし、さらに身震いした。

達夫はウィスキーのグラスを一気に呷り、「もう一杯」とカウンターに置いた。雄一郎のほうは、所在なげな目を床に置いた紙袋にやっていたかと思うと、「親父さんの絵、見てもええか？」と言った。

　雄一郎は自分で紙袋から数枚ずつ巻いた全紙を取り出し、一枚一枚広げていった。どの絵も、木炭で引かれた無数の曲線が何かをなぞるというのでもなく、一本一本ただ弧を描いてうねり、重なり合い、渦を巻いてどこかへ向かってゆく。どれもこれも、そればかりだった。

　達夫は、泰三がかつて描いていた絵を一言でいえば《亀裂》もしくは《断層》だという漠然とした印象があったので、その連続してうねる線には、内心ちょっと意外な印象を受けた。しかし、すでに軟化していた泰三の脳の最後の言葉がそれだったとしても、半世紀以上絵を描き続けた男の、最後に行き着いたところがそれらの黒々とした線の運動だったというのは、何となく泰三らしいという気はした。かたちにならず、名づけることも出来ず、他人の理解も寄せつけない線。本人だけに意味があって、他の一切の世界にとって無意味そのものの線こそ、まるで泰三の人生のようだと思った。

「俺は絵のことは分からんから」そう言い訳をして、雄一郎は三十枚ほどを黙々と眺め、再び巻き直して紙袋に収めた。

「そういえば、いま思い出した。昔、親父さんのアトリエで見せてもろうた絵が、最近どこかに掛かっていた。群青色の三角が三つ重なった絵――」

「二科展か」

「いや、違う。俺はここ数年、美術館には足を運んでいない。それにごく最近の話や。多分、銀座の画廊やったと思うが、通りすがりに見ただけやから――」

「何かの間違いや。親父には画商はついてなかった」

「達夫は、親父さんには長いこと会うてへんかったんやろ？　だったら、親父さんの絵が最近どうなっていたか分からんやろうが」

「親父の絵が銀座の画廊に掛かっていたていうんなら、俺は首くくったるわ。個展を開いても、一枚の絵も売れんかった親父やぞ。昔、市役所の階段ホールに掛かっていた絵も、売れたんかと思うたら寄贈やった。アホらしい」

「時代とともに、絵の評価も変わるかも知れんやないか。これまでの親父さんの絵、何百点もあるだろう。いまどこに置いてあるんや」

「知らん。どうせ売れへんからいうて、親父自ら女どもにくれてやってたからな。もうほとんど残ってへんやろ」

「探して、きちんと手元に置いておいたほうがええぞ。銀座の画廊は全部当たっても数は知れてるし、一度調べてみろ。絵も大事な遺産やないか」

「遺産か。あの青ばっかりの絵が遺産か。遺産ていうんなら、お前、一枚ぐらい買うたれや。一号一万。大安売り！」

達夫はカウンターを一発拳で叩いた。「一桁安いぞ。どうや」

雄一郎は顔色一つ変えるでなく、あっさり「買った」と言った。「現物、並べろや。俺が好きなの選ぶから」

「一枚も手元にないて言うたやろうが」

「だから、集めろって」

「何のために」

「俺ならそうする」

「人のことは放っとけ」

そうは言ったものの、銀座の画廊で泰三の絵を見たという雄一郎の話は、ほんの少し達夫の神経にひっかかってはいた。雄一郎のやけに正確無比の目は、一度見た絵をほかの絵と取り違えることはない。泰三の絵がほんとうに画廊にあったというのなら、いまごろになって泰三の絵を誰かが評価したということだったが、それは達夫にとっては、長年の不審の上に新たな不審を重ねるに十分な出来事ではあった。

いや、いくら時代が変わっても、いまごろ泰三の絵が評価されるというのは現実問題としてあり得ないとすぐに思い直した。絵画は一般に、存命中の画家が出世してゆくのを見込んでこそ投機対象になるものであって、画家が死ぬと一気に値段が下がる。ましてや、死んだ無名の画家の絵など可燃ゴミ以下になる。画廊にあったというのなら、物好きな画商の個人所蔵かも知れないが、それこそ達夫にはどうでもいいことだった。仮に奇跡が起こって、絵の一枚や二枚売れたところで、いまさら母の苦労が報われるわけでなし。野田の家に平和が戻るわけでなし。泰三のために死んだ女があの世で喜ぶわけでなし。

「雄一郎、一枚ぐらいどこかで見つけてくるから、ゴミでもよかったら買うてくれ」

「ああ、ええよ」

「独り者は金が好きに使えてええな」

「バカ言え。離婚したときに、俺は慰謝料払うた。信用金庫から借りた金、十年返済で給料から天引きや。何がええもんか」

「慰謝料は、お前が言い出したんか」

「ああ。女房は学生主婦やったから」

「へえ――」

それぞれ五杯目のウィスキーを空けた。達夫は、手をつけられないまま干からびていく皿の数々を眺めた。グジの煮付け。神戸牛のタタキ。アワビの刺身。冬瓜の煮物。それらの薄桃、赤、白、薄黄緑などの色が滲み合い始めたかと思うと、いつか見た西日がそれらの上にカッと照りつけるのを見た。すると、臙脂色に燃える小部屋の畳に横たわる男のシャツの背が見えた。それを撫でる女の赤い爪が、ゆっくりとシャツの背を上下するのが見えた。女が眠そうなくぐもった声で『死のうか』と呟く。泰三は『もう死んでるやないか』と背中で応える。

「達夫――。起きろ」

肩を揺すられて目覚めると、目と鼻の先に雄一郎の顔があった。それから目を逸らせるやいなや、達夫は「お勘定！」とカウンターに声をかけて腰を上げた。同時に、雄一郎の手が二万円を差し出してきたのを見たが、最終的に勘定がいくらになったのか、釣りがどうなったのかなどは記憶になく、席を立ったときに画用紙の詰まった重い紙袋の把手《とって》を摑んだことだけは身体が覚えていた。

店を出ると、熱帯夜のゆらめく熱気の海を泳ぐようにして達夫は歩いた。

「いま何時や」と自分に尋ねると、「十一時半」という声が傍らで聞こえた。

「まだ、電車動いてるな」

「ホテルを決めてないのなら、いまから探そう」

「お前ひとりで行け、俺は――」

「おい、どこへ行く。達夫！」

自分を呼ぶ声は、後ろからついてきた。達夫は足のおもむくままに女郎屋の並ぶ路地を通り抜け、新紀州街道へ出た。電車の音が聞こえた。細い警笛を鳴らしてゴトンゴトンと流れてゆくそれは、土手の上を走っている阪堺《はんかい》電車だった。違う、俺が探しているのはあれではない。達夫は無意識に思い、近くを走っているはずの路面電車の軌道を探して夢中で進んでいった。後方で自分を呼ぶ雄一郎の声がしていたが、それをかき消していま、達夫の耳に響いてくるのは路面電車の音だった。

路面に敷かれた鈍色のレールがあり、車両の屋根に立つパンタグラフと、虚空に縦横に張り渡された架線がある。電車は、終点の今池駅の手前でブレーキの音を軋ませながら、街道をゆっくり斜めに横切ってゆき、踏み切りの警報がカンカンと鳴り続ける。その踏み切りでは、遮断された双方向の車の列が吐き出す排気ガスに臙脂色の西日が差し、路面電車の赤茶色の車体も同じ色に染まる。西成の空と薄汚れた町家や路地、飛田の遊廓の色褪せた面格子などがすべて、浸炭炉の重油の炎に焼かれているかのような色だった。

達夫はそのとき、二時間ほど前に通った今池本通りの商店街の入口辺りまで来ており、目の前には往来の車のヘッドライトを浴びて光る路面電車の軌道があった。すると、臙脂色に染まりながら近づいてくる電車があり、カンカン鳴り続ける踏み切りがあり、その手前に連なった車の間から、突然赤いワンピースが躍り出してゆくのが見えたのだった。そして、あの赤い爪をした女だと思ううちに、それは両腕をニワトリのようにばたばた振りながら遮断機をくぐり抜けて踏み切りへ飛び出してゆき、辺りは悲鳴と電車の急ブレーキの音の渦になって、達夫の目と耳のなかにも火花が散った。

「達夫！　道路の真んなかやぞ！」

雄一郎の怒鳴り声が聞こえた。その声と一緒に四方からクラクションが飛んできたが、達夫は自分が車道の真んなかにいるのにも気づかず、すぐ先にあるはずの今池の駅舎を探して目を凝らし続けた。近くを走る阪堺電車の土手のそばに、天王寺から来る路面電車の終点の駅舎があったはずだ。しかし、いまはトタンの防護壁しか見えなかった。

「駅、どこや！」達夫は叫んだ。

「駅なんかない！　こっちへ来い！」

「駅はどこへ行った！」

「あの路面電車なら今年の春になくなった！　来いったら！」

なくなったという一言を呑み込む間もなく達夫は歩道に引き戻され、鋭い足蹴りを食らってひっくり返った。手に握っていたはずの紙袋の紐がちぎれ、全紙の束が道路に溢れ出すのが見えた。くそ！　自分の喉から洩れた一声が一瞬のうちに身体に回り、達夫は拳を繰り出す。それは空を切り、よろめいた拍子に腹に膝蹴りが入ってきて、今度は激痛が全身を回った。

「おい、そこの二人！　道の真んなかで何やっとるか！」

近くで怒号が上がった。達夫と雄一郎は駆けつけてきた警らの警官二人にたちまち歩道まで引きずり戻されたが、達夫はそれも見てはいなかった。なおも「駅、駅！」と叫び続け、「春になくなった、チンチン電車の駅です」と雄一郎が代わりに言うと、警官の返事は「道路にぶちまけた画用紙を拾うのが先や、ばかもん！」だった。

雄一郎は短く「すみません」とだけ言い、車道へ出ていった。達夫は「そんなもん、要らんぞ！」と怒鳴った。しかし返事はなく、雄一郎は車の行き交う街道に散った全紙の束を一つ一つ残らず拾い、把手のちぎれた紙袋に突っ込むと、ついでにボストンバッグも拾って戻ってきた。

「そんなもん、いらんぞ、俺は！」達夫はさらに声を張り上げたが、返ってきたのは「大きな声出すんやない！」という警官の罵声と、雄一郎の無言の一瞥だけだった。

「お前、デカと違うたんか」

道路を渡ってすぐのところにある西成警察署の仮庁舎まで歩く間、達夫は雄一郎に声をかけたが、返事は返ってこなかった。雄一郎は片手に自分の書類カバン、片腕に把手のちぎれた紙袋を抱えて、黙々と歩いているだけだった。その表情のない横顔に向かって、達夫は「留置場で俺と寝るか。可愛がったるぞ！」と悪態をつき、「大きな声出すなて言うたやろが！」警官がまた怒鳴った。

仮庁舎に着くと、警官二人は「酔っぱらい二名」と受付の当直に声をかけ、達夫と雄一郎は一階のベンチに座らされた。先客はまだ若いチンピラが一人。隣のベンチでは泥酔者が一人、高鼾だった。黙然として表情もない雄一郎の青白い横顔に、「お前、デカと違うたんか」と達夫は所在なく繰り返した。

「東京ではな」とだけ雄一郎は応えた。

「お前、いつもあんなことをやってるんか」

「何を」

「人を蹴ったり、殴ったり」

「やるときはやる。それが俺の仕事だ」

「同じ警官でも、親父さんはもっと違った感じやった」

当直の警官にカウンターに呼ばれ、「名前と住所と勤務先」と尋ねられると、雄一郎は北区の赤羽西団地の地番を告げた。勤務先については、平然と「桜田商事」などと応えた。

「あんたは」と急かされて、達夫も自宅の住所を応え、太陽精工の名を告げた。

「道路に紙をばらまいて、ケンカしてたんやって？　その紙、見せろ」

当直は言い、雄一郎は黙って紙袋の全紙を取り出した。当直はそれを数枚広げ、何も言わずに雄一郎に返すと、今度は「さあて、何があったんか言うてみろ」だった。すると、雄一郎はいつの間にか標準語に戻って、白々しいほど手際のいい説明をしてみせた。

「その絵を描いた人がこの野田の父で、その人が昨日亡くなり、今夜、浪華会館で通夜がありました。旧知の仲なので、私も参列しました。その帰りに少し呑み、親父さんの思い出の電車を見に行ったら、電車が廃線になっていたので、この男は取り乱したのだと思います。道路の真んなかだったし、危ないので引き戻そうとしたら掴み合いになりました。それだけです。私が責任を持ちますから、勘弁してください」

なるほど、警察ではこういう物言いをしたらいいのか。達夫はあくびが出るような退屈を感じた。多分、工場でもこういうふうに言えば波風が立たないのだろう。筋道を立て、謙遜を忘れず、通すべき筋を通し、最後にしおらしく慈悲を乞えばいいのだ。

「おい、この人の言う通りか？」当直が達夫の顔を覗き込んできた。

「はあ」と達夫は気のない返事をした。

「泊まるところは？」

「天王寺都ホテル」雄一郎がさらりと嘘をつく。

「両方とも？」

「そうです」

「では、もう行ってよし。二度とするな」

素っ気ない応待の末に、十分ほどで達夫と雄一郎は仮庁舎を出た。

達夫の酔いはすでに醒めかけ、じっとりと熱を孕《はら》んだ夜気だけがじわじわとワイシャツの襟首にまとわりついていた。雄一郎は、片手に書類カバン、片手に紙の詰まった袋を抱えて無言でついてきた。美保子の件でなにがしかの探りを入れるまでは、どこまでも離れないつもりか。達夫は執拗に邪推を巡らせ、それが伝わったかのように、雄一郎はちらりと振り向くと、「留置場で頭を冷やしたほうがよかったか」などと言った。

それはひたすら冷たい声だった。達夫の耳をざらつかせ、夜気をざらつかせて、街道沿いに並ぶシャッターの下やゴミバケツの陰、高架下の闇や街灯のたもとに忍び寄り、野宿者たちの眠りをざらりとかき乱す声。顔のないお上の声――。達夫は自分の腹の底に据わっている溶岩の塊を探ったが、爆発する勢いはすでに失せ、熱い鋼が冷えるように水蒸気の結露が腹の壁を冷やしていると思った。それから、しばらくして露の正体が痛みだと気づくと、今度は雄一郎の蹴りを食らった筋肉か内臓が壊死《えし》を起こして冷たくなってゆく様を想像し、同時にお棺に収まっていた泰三の躰の色がまた少し脳裏をかすめていった。

「どこまでついてくる気だ」達夫はやっと一つ呻いた。

「宿を探そう。終夜営業のドヤが近くにあるから」雄一郎は言った。

「なんでお前と一緒に泊まらなあかんのや」

「俺はホテルを取ってあると言っただろう」

「だったら先に行け」

達夫は行きずりの道端に座り込み、雄一郎もそのまま傍らに立った。頭上に覆い被さるコンクリートの巨塊は労働センターの建物で、百メートルも続く鉄のシャッターのそばに、野宿者たちの黒い影が折り重なっていた。道路の片側は南海電車の高架だったが、すでに終電の時刻を過ぎて音はなく、闇に吸い込まれるような街道の先のほうで、酔っぱらいの叫び声が一つ響いていた。

「達夫、寒いんか」

「寒い？　この熱帯夜やぞ」

「震えとるから」

「これは発作や。俺は、頭に来ると震えが出るんや」

「宿へ入ってくれ。頼むから」

「入って何するんや」

「話がある」

話。美保子の話か。そら、遂に言い出しやがった。笑ってやろうと思ったが、腹からなま温かい胃液がこみあげて達夫は吐き、笑い声は引っ込んだ。胃をしぼったために呻き声と涙が一緒に溢れた。呻き声は「人殺し」という言葉になり、吐瀉物《としゃぶつ》に続いて喉から溢れた。しかし、身体中を酸で洗われるような疼痛が来たためにその言葉もすぐに消えた。

人殺し。それが泰三のことなのか、あるいは雄一郎なのか自分なのか分からないまま、達夫はその思いつきがちょっと気に入り、腹のなかで「人殺し」と繰り返した。そうして根も葉もない予感のようなものを強引にたぐり寄せると、同類あい憐れむだと可笑しくなり、わずかな興奮を感じた。「俺が蹴ったからや。すまん」そう言って雄一郎が詫びてきたとき、一転して「吐いたらすっきりした。宿へ行こう」と応じていたりしたのは、そのせいだった。

雄一郎がすぐ近くだと言った安宿は、西成銀座の一角にあった。レンガタイル貼りの立派な外観は、福生の古い団地よりはるかに上等で、一泊千八百円から二千円、冷暖房・テレビ付きという看板が表に出ていなければ、市街地のビジネスホテルと見間違うところだった。表玄関は閉まっていたので横手の裏口から入り、フロントで金を払った。部屋は三階だった。少し狭いがベッドは糊のきいたシーツがかかり、テレビもカーテンもあった。達夫が洗面所で口をすすいでから部屋に入ると、雄一郎は窓辺を背にしてタバコを吸っていた。それが申し訳程度に振り向き、「気分はどうだ」と声をかけてきた。

「ええわけないやないか。葬式やぞ、葬式――」

達夫は上着を脱ぎ捨て、ひとまずベッドに腰かけた。路上での大立ち回りでクシャクシャに潰れたタバコを一本くわえ、ゆっくり火をつけて、窓辺からもう一声かかるのを待った。すると、呆れるほどに予想通り雄一郎は口を開き、予想通りのことを尋ねてきたものだった。

「今朝、東京駅で逢っていた女性とはもう長いのか」

もう長いのか。耳に届いたその言葉の唐突さに、達夫はまずはちょっと面食らった。こいつがアホなのか。それとも刑事は皆こういうばかばかしい物言いをするものなのか。

「そんなこと、お前に何の関係があるんや」

「知りたいだけだ」

「人の女の何が知りたいんや」

「もう長いのか」

「十四年」

「結婚する前からの知り合いか」

「それがどないした」

「いまも続いているんか」

「お前が何を言いたいんか知らんが、人の女が気になるんなら、黙って調べたらええやないか。お前、デカやろ」

しかし雄一郎は格別な反応は示さず、達夫の目を見つめたまま「いまも続いているのかどうか、教えてくれ」と単調に繰り返した。

「ああ、続いているとも。それがどうした」

「それだけ聞けばいい」

そう呟くやいなや、雄一郎は吸いかけのタバコを灰皿で潰して歩み出し、その動きに誘われるように、鎮まりかけていた達夫の腹の溶岩がどろりと動いた。

「人の女の話を聞き出して、もうええですむと思うてるんか、お前は――」

雄一郎の返事はなかった。達夫は自分が一瞬ためらっているのを感じたが、次の瞬間には、目の前を通り過ぎようとした雄一郎めがけて右拳が先に飛び出していた。鈍い手応えがあり、雄一郎の長身がぐにゃりと折れて壁にぶつかった。しかし、それはすぐに姿勢を立て直すと、こちらへ振り向きもせずにそのままドアに手をかけようとし、それを見たとたん、達夫の腹には次のうねりが来た。目の前の異物に飛びかかり、それを引き戻して壁際に押しつけ、激しく揺すった。

「お前こそ、美保子の何なのか言うてみい。美保子と寝たんか！」

雄一郎は顔を上げたが、血を垂らした口許は一文字に締まっていて表情もなかった。怒りとも侮蔑とも狼狽とも違う、この犬のように潤んだ目はいったい何だ。達夫はまた一瞬戸惑いながら、今度は自分の手が掴んだままだった身体一つをなぎ倒した。それは鉄のドアに頭を打ちつけて跳ね、達夫はその腹に拳を突っ込み、足で蹴りつけた。相手が抵抗しなかったのか、こちらが抵抗するヒマを与えなかったのか、どちらなのかは分からなかったが、雄一郎はドア口の床に膝をつき、うずくまり、そのまま動かなくなった。達夫はその上に浴びせる言葉を探したが、息が切れてうまくゆかず、身構えたまま相手が動くのを待った。頭でも上げたら、もう一度蹴り上げてやるつもりだった。

その達夫の眼前で、雄一郎はほんの数秒でゆっくり上体を起こしたが、息が乱れた様子もないのは、それほどこたえていない証拠だった。それが新たなむかつきになって達夫はすかさずその脇腹を蹴りつけ、もう一度頭をひっ掴んで壁に打ちつけた。それはがくんと跳ねて前に折れ、その首を掴み直すと、やっと雄一郎も手首を掴み返してきたが、まるで狙っていたかのように乱れもない、よく絞まる鋭敏な手指だった。

「言え、美保子と寝たんか！」

そうして首を絞め続けていた間、達夫は自分を睨み返してくる目の暗い潤みにふいに溺れそうになり、吐き気をもよおすようにして思い出していたが、達夫は昔、いやというほどどこの目を見たのだった。深すぎて足の届かない湯船の縁にしがみつき、身じろぎもしない子どもの目。深い湯船に満ちていたのは、感情という名の煮え湯だ。いや、感情を煮え立たせていたのは達夫も同じだったが、雄一郎のそれは、まるで熱源が自分自身ではなく他人から来ているような、月のような冷たさなのだった。達夫は思う。自分には溶岩があるが、こいつにはない。いつも人の熱をもらって自分を温めていながら、自分からは何一つ応えることをしない。たんにこちらが繰り出した憎悪には同じ量の憎悪を溜め、侮蔑には侮蔑を、嘲笑には嘲笑を溜めて、ただこの俺を見る。

達夫は、目の前の男への憎悪がそうして際限なく脹らんでいった子ども時代の時間を、いまも鮮明に思い出すことが出来た。自分のこころは絶対に他人に覗かせず、応えもせず、従って傷つくこともない人間を前にしたとき、どうしようもなく自分のほうが狂い出す時間。どんなにこちらが呼びかけても応えない相手を前に、自分は無残に敗退し、最後は暴力の衝動だけが飛び出す。そうだ、こうしてそのうち人を殺すことになるのだろうと思った時間。相手が誰であれ、息の根を止めるまで終わらない時間。泰三が女を電車に飛び込ませたような怠惰な時間ではない。この手で絞め殺すまで続く時間。未来の人殺しを待ち続けてきた、気が遠くなるほど長い時間！

何度か姿勢が変わり、手当たり次第に殴ったり掴んだりしている間に、達夫の視界からは突然相手の姿が消え、ハッとしたとたん、下から拳が一つ飛び出してきたかと思うと、それはぴたりと達夫の顎の下で静止した。

雄一郎の頭は壁からずり落ちた床の上にあった。下から突き出した拳を下ろして、「これでお終いだ。疲れた」とだけ呟くと、雄一郎はそのまま達夫を押し退けて身を起こした。それから、何事もなかったかのようにスニーカーの紐を締め直し、次いで袖が破れた花紺色のポロシャツを脱ぎ、書類カバンから取り出した新しいシャツに着替えた。今度は眩しいほどの白だった。

達夫はそれを眺めながら、いまはただむかつき、ただ喘ぎ続けた。所在なさに任せて、夕方立ち寄った矢田の路地の姿を目の前の男の姿に執拗に重ねてみたりもしたが、それもいまや人生のすべてが不快だった十代の、路地とともにあった記憶の全部と一つになって、渾然となっている顔や声というだけだった。それがいま、東京駅で人の逢瀬を盗み見たあげくに大阪まで追いかけつきまとい、あげくの果てに女とはいまも続いているのかと言い出すのだが、だからといってどうということもない。昔と同じ、感情の煮え湯そのままの目を見せようが、獣の目を見せようが、どの姿も、自分で破れていくだけで人を受け入れることのない何者かというだけだった。そして、その遠さや無情さに絶望しながら何とか自分と相手を隔てる壁を破壊しようとして暴れ狂った、あの昔の熱もいまはもうないのだ。そう思うと、達夫は一転して冷え冷えとしながらこれで人並みだと自分に呟き、はたまた、それにしてはこの半日の間に一人の男に向かって放出した自分の熱エネルギーはいったいどこから来たのだと訝ってみたりした後、急に冷えた炉がひび割れるような不快な肉の軋みに、身震いが走っただけだった。

そして、目の前の男に対する懐かしさも好意のかけらも、もう自分のなかに残ってはいないのを再確認すると、達夫はやっと落ち着くところに落ち着いた気がし、自分から背を向けた。その後ろで雄一郎もまたさっさと部屋を出ていってしまい、階段を駆け降りてゆくスニーカーの軽い足音はすぐに聞こえなくなった。

達夫はワイシャツとズボンを脱いで身体を楽にした後、タバコをたて続けに三本吸い、雄一郎の手で運ばれてきた紙袋のデッサン数枚を摑み出した。それを慰みに広げてみたが、小料理屋で見たときと同じく、意味不明の木炭の線がざわざわとうねり狂っているだけだった。達夫はそこにどんな意味も認めようとは思わなかったが、代わりに木炭を走らせる一人の男の周りで、本人が投げ捨てた家族や愛人や社会や、人間らしい種々の感情や成功体験や、孤独や失意や恨みなどがここぞとばかりにざわめき、何事か言い立てているような騒がしさだと考えてみた。そら、それらの人生の雑音というやつに追われながら、一人の男が身悶えしながら逃げてゆく。それを追うのは良子の声であり、女たちであり、資産を狙う親戚たちであり、泰三自身が次々に切り捨てた自分の人生の声だ。そうして逃げまどい、泰三本人は遂に逃げきってあの世へ駆け込んだのだが、その前に自分の手で描いた無数の線を消してゆかなかったために、残された者はいまもこうして、そのはた迷惑な人生の雑音を聞かされることになる。まるでまだ泰三に息があるかのように。まだその辺で女に背中をつねられながら、屁でもひっているかのように。

達夫は手のなかの画用紙一枚を半分に裂き、それをさらに半分に裂いてばらまいた。続いてもう一枚。さらにもう一枚。そうして数百枚あった紙を全部破り捨てるのには小一時間かかり、床を紙の山にして、そのままベッドに横になった。自分がいつ目を閉じたのか覚えてはいなかったが、枕か敷布の糊の臭いを女の汗の臭いだと思い、その肌を温めるどこかの男の汗の臭いを感じ、嫌悪で息を詰まらせたのが夢の入口だった。

海老茶色の路面電車が、夕日の照柿の色に染まりながら近づいてくると、それに向かって赤いワンピースの背が飛んでゆく。しかし、車体が揺れながらゴロゴロと通り過ぎたあとに女の姿はなく、赤い端切れとちぎれた手足が片方ずつ、そしてサンダルの片方がころんと転がっているのだった。達夫はめまいをもよおすような鮮血の臭気に鼻腔を開きながら、いまにも動き出しそうなサンダル一片に見入り、次いで泰三が着流しの裾をはだけ、下駄をカタカタ鳴らしながら駆け去ってゆくのを見る。肉片と化した女を、泰三はその目に収めたのか、収めなかったのか。それにしてはなまめかしい裸のくるぶしやふくらはぎをして、躍るように、おどけるように駆けてゆくそれも、ひどく滑稽だった。

「すごいな――」一緒にいた雄一郎が一声あげたが、それは京都の府立美術館へ一緒にフェルメールの『青いターバンの少女』を見にいったときと同じ声だった。まるで、あの有名な一幅の絵が青なら、こちらは臙脂一色だとでもいうふうな。そして、それを耳にしながら、どいつもこいつも、どうしてこんなに間が抜けているのだと達夫はうんざりし、踏み切りの路面に散った赤い端切れをただ目に焼き付けながら、この色や暑さや臭いを浴びているのは世界で自分一人なのかと思ったのだ。

「あれ、親父の女や」達夫は言ったが、雄一郎は案の定それには興味を示さなかった。

「頭と胴体は車輪の下やぞ。すごいな――」雄一郎はなおも絵に見入るように言い、達夫はその腕をひっ摑んで「あの飛田におった女や」と繰り返した。「親父は、女がヒロポンをやっているのを黙って見とったんや。ヒロポン中毒になったら頭がおかしくなって、死にとうなるのを知っていて、親父は止めなかったんや」

「それは、たぶん止める理由がなかったんや」

雄一郎は素っ気ない返事をしたが、その視線の先には警官や救急隊員たちが集まり始めた踏み切りがあり、そこには呼び子を吹き鳴らしながら交通整理を始めた雄一郎の親父さんの姿があった。そして、そうだった、黒い制帽の下に玉の汗を光らせ、見ているほうが吐きそうになる西日の熱に焼かれていたその顔は、たしかに生きているとはいっても、それこそもう何一つ自問することもないゴムのお面のようだったのだ――。

西成の朝は未明に明けてしまう。達夫は、寝入ったと思うと戸外を行き交う靴音や車の音で目覚め、時計を見るとやっと午前四時過ぎだった。磨りガラスの外はすでに白んでおり、達夫は一昨日と同じ寝不足から来る鈍痛の予感に怯えながら、そろりと顔を撫で下ろした。すると、いつもと同じたるんだ薄い皮膚が掌に張りつき、引っ張られた筋肉が鈍くたわんで、それは早くも体調が悪いと訴えてきた。

次いで、福生の団地とは違う空気の臭いに鼻孔がひくつき、さらに床を埋めた画用紙の残骸が、昨日今日自分にふりかかっている重荷を呼び戻すと、まずは気の重さが塊になってどっと毛穴をふさぐのを感じた。その上、東京に残してきた美保子の顔も、寝起きの神経にはちょっと重過ぎるようなわずらわしいようなで、結局達夫は汚れた磨りガラスの窓を開け、久々の郷里だという感慨もやって来ないまま、夜明けの路地に湧き出してくる日雇い労働者の群れを眺めた。

午前五時にシャッターの上がる労働センターめがけて、黙々と押し寄せる無言の群れは、子どものころはなぜか、夏祭の人出と変わらないうきうきするような雑踏に感じられたものだったと達夫は思い出す。週三日は家に帰らなかった高校時代、夜っぴて新世界をうろついた後、ジャンジャン横丁のガードから飛田に入り、そこを通り抜けてさらに阪堺電車の土手をくぐると、いま眼下に見える西成銀座だった。やっと夜が明けかけた路上に食い物の屋台の湯気が立ち、野良犬どもが忙しげにうろうろし、労働者たちがわっさわっさと湧いてくる。その押し合いへし合いに混じって、百円玉一つで大盛りの飯と味噌汁を食い、日が高くなると仕事にあぶれた男たちとともに公園で昼寝をしながら、サイコロ賭博の縁台を眺める。そういう日々、達夫は違和感もない代わりに同化することもない異質を発見しながら、一寸した安穏の隣に張りついている己が退屈と無関心を見ていたのだった。

かと思えば、ある晩秋には矢田の実家の前栽にあった柿の大木に登って、二十メートル先の借家で行われている葬式を眺めたことがあったと達夫はさらに思い出す。春先から肝硬変で入院していたらしい雄一郎の親父さんが現職のまま亡くなったときで、葬式には達夫の母良子と専務の卓郎夫婦も大家としてかたちばかり参列したのだった、と。柿の上から見ていると、借家の玄関から運び出されてゆくお棺を、一人息子の雄一郎が担いでいた。学区で一番いい天王寺高校へ進学した雄一郎は、髪をいつも短く刈り、清々とした詰襟姿だった。そして、生活時間が違うためにもうあまり顔を合わすこともなくなったその姿を久しぶりに眺めながら、達夫はいまはただ卒業資格を得て家を出てゆくためだけに通っている自分の高校生活のことを、考えるともなく考えたのだ。きりきりと尖った数字を黒板に書きなぐりながら、スカートにつくった座り皺の下に垂れた尻のかたちを浮き上がらせている数学の女教師。膝の抜けた体操着のズボンにサンダル履きという恰好で、李白の詩が云々と唱え続ける古典の教師。脂の浮かんだどす黒い顔に公務員の怠惰を刻んで、お前らみたいなアホと付き合っている身にもなってみいと言いつつ、タバコのヤニで黄ばんだ歯を見せ、大欠伸をする化学の教師。ビニ本と花札とコンドームが机の下を飛び交う教室で、薄汚れた窓に差す西日に背中を焼かれながら、終業のチャイムが鳴るまでひたすらぐるぐるうねる線を机に刻み続ける。どこまでも散漫につながっているように思えるそんな自分の人生に、実はいつでも区切りがつけられるのだといったことを考えたそのとき、俺はたぶん、遠いところへ行ってしまった幼なじみへの訣別に留まらず、自分自身と家族と家と郷土の、全部への訣別をぼんやり考えていたはずだ。いまさらながらにそんなことを思い出しながら、達夫はその実、自分が捨てたいと思ったことどもの、あまりの下らなさ、つつましさに身震いした。

そうだ、あの雄一郎の親父さんの葬式のときは、「湯呑みや座蒲団は揃ってますんやろな！　あっちは取り込んでなさるんやさかい、それぐらい気をきかしてあげなはれ！」と使用人たちに怒鳴る母の声が母屋に響き、見ると、母は「この忙しいときに葬式やなんて」と言いながら、これみよがしに座敷で喪服用のお太鼓をぎりぎり結んでいた。かと思うと母は「達夫はどこやのん！　達夫にはよう着替えさせんと！　達夫！」前栽を見渡して怒鳴り、手伝いの女中が広縁をばたばた走ってゆくのだった。そのとき、それを柿の木の上で聞きながら達夫が吸っていたのはショートホープで、前栽の池に吸殻を弾き飛ばすと、鯉がぴょんと跳ねてそれに食いついたのだったが、あの鯉はしばらくしてニコチン中毒で死んだに違いない。

そうだ、鯉といえば、自分が物心ついたときにはもう家にいなかった泰三が、あるときちょっと姿を見せたかと思うと、子どもの昆虫網とバケツを持ち出して池の鯉をすくっていったことがあったと、達夫はさらに思い出す。「それ、食うんか」と達夫が聞くと、泰三は「絵に描くんや」とにこにこしながら達夫の頭を撫で、「母さんに言うたらあかんで」と言うが早いか、鯉二匹を入れたバケツを提げて消えてしまった。そのあと、会社から戻ってきた母が池を覗いて「あのろくでなし！」と叫び、それを見ていた若い女中が達夫ににやにや笑いかけて言ったのだった。「ぼんもすみにおけへん子やね。あの鯉、一匹五十万するんよ。お父さんにいくら貰うたん？」

その若い女中のうりざね顔を鮮明に思い出しながら、てめえこそ、そのケツ振って親父にいくら貰うたんやと達夫は数十年ぶりに独りごち、そこからまた少し矢田の路地に流れていた時間へと記憶は飛んでいった。時代はその鯉騒動より先のことだったか後のことだったか、雄一郎の家族が住んでいた借家の裏庭には雨が降り続き、古ぼけた居間の畳も壁もひときわ薄暗く感じられたのだった、と。襖には大穴が開いており、その穴から隣の部屋で寝ている非番の親父さんの布団が見えた。前の日に穴は開いていなかったから、夜のうちに酔っぱらった親父さんがひと暴れしたのは明らかなその居間で、自分と雄一郎はお絵描きをさせられ、近くではお袋さんが繕いものをしていた。

お袋さんはときどき針を止めて子どもの絵を覗き込み、にこにこする。そのとき雄一郎は直径五ミリの二重の輪を画用紙いっぱいに描きつらねていて、「それ何」とお袋さんが尋ねると、自動ドーナツ製造機ときた。それが『ゆかいなホーマー君』とかいう本のなかに出てくる代物だと知らなかった達夫が「アホ」と囁くと、雄一郎は黙って唇をかみしめ、ぽろりと涙を垂らす。それから、お袋さんが台所に立ったすきに「泣き虫」と言ってやると、雄一郎は「歯が抜けそうやねん」と情けない声を上げて泣き出し、達夫は「見せてみい。俺が抜いたるわ」と言うが早いか、無理やり開けさせた口に手を突っ込んで右か左の犬歯を引き抜いたのだった。そのあと達夫は家に戻り、しばらくして雄一郎がお袋さんに連れられて歯医者に行くのを前栽の柿の木の上から眺めながら、ドーナツ製造機の滑稽さと、抜け落ちてゆく乳歯の生々しさと、母親に手を引かれて歯医者へゆく子どもへの嫉妬などを混ぜ合わせ、混ぜ合わせ、自分は人生についてなにがしかのことが分かったと思ったのだ。

分かったのは生きることの不快だったが、それは治まることはなく、年月とともに先鋭になるばかりだった。たとえば妹の尚子だ。スカートの丈を短く詰めたセーラー服の裾から生々しい脚を突き出した尚子は、固い目つきも痩せぎすな体型もまったく母親似で、中学になっても女らしい感じはなかった。そのくせ夏もののブラウス姿や、風呂上がりの姿に達夫が出くわそうものなら、侮蔑に満ちた目で「いやらしい」と騒ぎ、そんなぺちゃんこの胸を誰が見るものかとうんざりさせられながら、ひそかに頭のなかで比べていたのは雄一郎のお袋さんの胸だった。すると、そんなふうに比べたこと自体が新たな不快になり、さらに目の前の妹への嫌悪に跳ね返る。口をきわめて夫泰三を罵りながら嫉妬をあらわにする母良子へ跳ね返る。その繰り返しにもいい加減飽きたとき、外をほっつき歩いて家に寄りつかない生活は自然に始まったのだったが、そうだ、あれは俺にとって自然な帰結だったのだ。達夫は思い、十代のころにいやというほど眺めた西成の空がいまも同じ色をしていることに、あらためてげんなりした。

そうして不快が不快を呼ぶいつもの習い性で、達夫は知らぬ間に記憶をほじくり返し続けた末に、結局何もかも雄一郎と会ったせいだというところに立ち戻ると、半分は自分自身が招いた結果だと唾棄し、最後は頭痛を伴った生欠伸の勝ちだった。八月一日に続く二度目の不眠と二日酔いのほうがいまは大問題だと偏頭痛が告げており、今日一日どうやって乗り切ろうかと思うと、さらに頭が疼き出した。見ると、窓の下を行き交う労働者の群れはさらに膨らみ、次第に薄くなっていく空に飛田新地の灰色の屋根が連なっていた。そうか、泰三も女の隣で目覚めた朝にこんな空を見ていたのか。またふと思い、そうと気づかないまま、次に今日一日の段取りを慰みに頭に並べてみた。午前十時から始まる本葬を終えて火葬場で遺体を荼毘《だび》にふし、遺骨を拾うのが昼過ぎ。それから、奈良まで行って病院で泰三の荷物を片付けると、大阪へ戻るのは早くても午後六時。それから新大阪まで行き、新幹線に乗って三時間。羽村まで一時間半。ほとんど日付が変わるころになる。そんな時間まで美保子がアパートで待っているかどうか自信はなく、仮に待っていたらいたで、久々に美保子と肌を触れ合うことになるという予感も、すでにぼんやりしたものだった。

まったく、一昨日からの変調のせいで何もかもが自分でないかのようだ――達夫は張りのない顔の皮膚を両手でこすりあげ、パンパンと音高く叩いた。何ということもない、東京へ戻ったらまたいつもの日常だ。美保子とも、所詮続くことはない仲だ。そうだ、雄一郎だって同じことだ。公務員が人妻に手を出してみろ。クビになるのは勝手だが、土台そんな脱線が出来るようなやつなら、「美保子とはもう長いのか」などと未練がましく問い詰めてきたりするものか。昔は絵に描いたような秀才だったあの雄一郎が、十八年も経ってみればしがない刑事だって？　潤んだ犬のような目をして、美保子の尻が忘れられないって？　考えてみれば俺より哀れだ。親もすでにない。離婚して家庭もない。なんだか荒れた目をして、思い煩うのが美保子のような女一人とは、たしかに俺より哀れだ。

いや、一番分からないのは美保子か。そうだ、美保子だ——。達夫はすでに動きの鈍った頭で独りごちた後、徹夜で燃えているはずの二十台の炉のことを思い浮かべるともなく思い浮かべ、テーパローラ・ベアリングのカップに割レを出した浸炭炉のことを思い浮かべ、午前八時には工場に電話を入れて、保守点検の再確認をしなければと頭に刻んだ。それから、何度時計を見ても午前六時を少し回ったところから針が進まないことにも気づかず、再びベッドに身を投げ出したが最後、いつの間にかうとうとしてしまっていた。

達夫が次に覚醒したとき、時計の針が指していたのは午前十時四十分だった。いつの間にか炎天の日差しがベッドに差しており、建物や窓の外の人声もない静けさに一瞬自分がどこにいるのかも分からなかった。それから、石のような身体を起こして窓から人けの絶えた通りを眺め、ここが西成だったことをやっと思い出したが、その先はやはりしばらく白紙のままで、代わりに早朝よりひどくなった頭痛だけがずしりとこめかみに響いた。

達夫は、少しばかり眠ったという実感もないまま、のろのろと考えた。午前十時に始まったはずの本葬はもう間に合わない。いまから出向くとしたら火葬場へ直行するしかないが、卓郎夫婦や妹夫婦の侮蔑の目を浴びながら、いまさら泰三の骨を拾うことに何の意味があるか。しかしまたそう思う端から、いや待て、いずれ遺産分けの話になったときに、本葬もすっぽかしたとあってはいかにも分が悪いという声が聞こえ、すぐにまた、それにしても何という暑さだと呻く声が聞こえた。達夫は何度か時計を睨み、阿倍野の南霊園にある火葬場へ行くのにかかる時間を計算しながら、自分の人生にこんな不手際が続くのも変調のせいだとあらためて考えたりしたが、その端からふいに泰三が遺したはずの遺産へと頭は回ってしまい、また少しの時間を無駄にする結果になった。仮に法定遺留分で数千万でも入れば、息子の塾の費用やこれから進学する私学の学資の足しになる。ひょっとしたら新しいマンションを購入する頭金にもなる。そうなれば律子だって喜ばないはずはない。もともと夫婦生活以外に取り立てて不満はないはずの律子が、さてどんな顔をするか。想像し出すと一寸楽しみのような、そうでもないような、だった。

　達夫は大して急ぎもせずに身繕いをし、ボストンバッグ一つ手に簡易ホテルを出た。昨日まで念頭にもなかった金の話だけが、いまは自分の足を前へ運ばせているのが分かった。泰三の遺産だけでなく、老人ホームに入ってしまった母良子のもろもろの財産の行方もまた、突然ひっかかり出すと詮索は止まらなくなった。昔、母のタンスの奥に縮緬《ちりめん》の袱《ふく》紗《さ》に包まれて収まっているのを見た本真珠。行李数杯分もの正絹の総絞りの反物。西陣織の帯。オパールの帯留。銀器。古伊万里の和食器一式。青磁の壺。紫檀《したん》の箪笥。螺鈿《らでん》の鏡台。どれもこれも、いまはどこにあるのだ？　そして親父の絵も。

　高くなった日差しに加えて、母の財産を誰かがいいように処分したのではないかといった疑心暗鬼が汗を噴き出させ、一歩毎に早くも疲労をつのらせながら、達夫は人けのない西成の路地を歩き続けたが、たまたま公衆電話のそばを通り過ぎたとたん、今度は忘れていた仕事の懸案まで思い出していた。自分の脳味噌の出来に辟易しながら、そのまま電話ボックスに駆け込み、百円玉を電話機に放り込んで羽村工場の保全課を呼び出した。

「熱処理の野田だが、No.4炉を至急見てくれ。温度が下がるんだ」つながった電話に言うと、保全課の男はいかにも鈍い返事をした。

《担当が温度計を見てるだろう》

「違う。温度計は適正値なのに、温度が下がるんだ」

《温度が下がったら、上げればいいじゃないか》

ばかやろうと怒鳴りながら、達夫は料金切れのブザーの鳴った電話機に百円玉をもう一枚突っ込んだ。

「温度計が適正値を示していても、実際には炉の温度が下がっているんだ。焼入れの不良が出た理由は、それしか考えられない。つまり、温度計が狂っているか、自動制御装置がイカレているということだ。至急に点検してくれ」

《そんな話、聞いたことないがなあ》

「また不良品が出るぞ！　No.4の浸炭炉を今日中に点検してくれ。いいな！」

もっと念を入れたかったが、また料金切れのブザーが鳴り出したために仕方なく受話器を置いた。いや、ほんとうはこの期に及んで炉の一つや二つ、もうどうでもいいという気分でもあった。ガラスの電話ボックスの中は炎熱地獄で、萎れたぺんぺん草のような風体で転がり出ると、行きずりのタクシーを夢中で呼び止め、乗り込んでから逆方向だと気づいた。「南霊園なら遠回りになりますけど、かまいまへんか」運転手が言い、もう声を出す気にもならずに、達夫は首を縦に振って応えた。

市営の斎場と墓地のある阿倍野の南霊園は、西成から東へほんの数キロのところにあり、そこまで大きく遠回りして辿り着いたのは正午を十五分も回ったころだった。事務所で野田泰三の火葬が執り行われているのを確かめ、もう焼却は終わるころだと教えられて、今度は走るはめになった。ガス炉の並んだ焼き場に入ると、炉から引き出された台を取り囲んだ卓郎夫婦と妹夫婦が、すでに遺骨を拾っているところだった。人ひとり燃やすのに一時間半はかかると思っていたのに、年寄りは燃えるのが早いのか。腹のなかで自分に唾しながら、達夫が台に近づくと、最初に卓郎の妻の栄子がびっくりしたように振り向き、《このろくでなし》とばかりに薄く引いた茶色の眉を吊り上げ、何も言わずに背を向けた。続いて卓郎と、尚子とその亭主の良浩が振り向いた。卓郎は同じく目を吊り上げ、尚子は顔じゅうに憤懣の皺を寄せ、良浩は何か悪いものでも見たようにさっさと目を逸らせた。母の良子は、少し離れたベンチで一人背を丸めて口をもぐもぐさせていた。

台の上には、灰のなかに消炭のような背骨や大腿骨や頭骨の一部が残っていたが、すでに卓郎たちの箸で適当についばまれ、人間のかたちを留めてもいなかった。ほとんど白いといってもいいほどの遺灰は意外にうつくしく、達夫は思わず素手で触りそうになったが、卓郎たちの視線があったためにかろうじて自分を抑えた。

みなが黙っているなか、間がもたないと思ったのか、回さなくてもいい気を回して「人間、先に行ってしもうたほうが勝ちやねえ」などと言いだしたのは栄子だった。その赤く塗り潰された唇から洩れると、どんな言葉も毒々しくなる。亭主でさえ返事もしないのに気づいた様子もなく、栄子の唇は傍若無人に動き続けた。「私、義姉さんの気持ちがよう分かるわ。さんざん迷惑をかけられても亭主は亭主やという思いと、最後にいっぺん復讐してやらな、気がすまへんという思いの間で、義姉さんもいろいろ考えてはったんや」そう言いながら栄子はベンチの母のほうを見やり、「復讐て何や――」卓郎が鈍い目を上げた。

「だって義姉さんがどんなに働いても、所詮は泰三さんの会社、泰三さんのお金、泰三さんの家屋敷やないの。そんなもの全部ゼロにしてやりたいと思うても、会社の従業員を路頭に迷わせるわけにもいかへんし、結局、泰三さんのお金を本人に投げつけて返すのが精一杯やったというわけよ。義姉さんが老人ホームのお金を出したのは復讐なんよ」

「お前に何の関係があるんや。もう済んだ話やないか」

亭主の卓郎は、尚子と良浩のいかにも不快そうな顔に気づくだけの神経はあるものの、女房と同じく誠意はない。こんなところで遺骨を拾っていること自体が不本意だという顔をして、面倒くさそうに応じただけだった。そして栄子は、案の定黙る気配もなかった。

「尚子ちゃんも達夫さんも、いまやから話すけど。泰三さんの様子がおかしいいうて民生委員から連絡があったとき、義姉さんがアトリエの片付けに行ったんやけど、トラック一台呼んでね、泰三さんの絵や道具を全部捨ててしもうたんよ。あんたたちにお母さんの気持ち、分かる？」

「絵を捨てた？」達夫は思わず声が出た。

「筆一本残さへんかったらしいわ。その話を聞いたときには義姉さんもきつい人やと思うたけど、泰三さんがしてきたことを思うたら、当然の報いやわ」

「よその夫婦の何が分かる、いうんや。口が過ぎるぞ」卓郎は不機嫌丸出しの口調になり、「達夫さんも尚子ちゃんも、親のことを放ったらかしやったから言うただけよ」栄子は言い、厚化粧で粉をふいている額をハンカチでぱたぱた叩いた。

　話が途切れたところで、火葬場の職員が「それではこれでよろしいですか」と声をかけて、職員は再び炉の蓋を開け、台を炉のなかに押し戻した。達夫の熱処理棟の古いガス変成炉と同じ、ベルトドライブで駆動するコンベアだった。蓋が閉じられる前に参列者はその場を立ち去る決まりなのか、卓郎夫婦はそれを見送りもせずにベンチの母を立たせ、先に立って歩き出した。その後ろについてゆきながら、「これからどうするんや」と達夫は尚子に囁いた。

「お袋と親父の老人ホーム、どっちかが行かなあかんやろ。お前、どっちへ行く」

「私は母さんのほうよ」尚子はつっけんどんに応えた。

「だったら、俺は親父のほうへ行く」

「ねえ、それより――」今度は尚子が声を低くして、達夫の肘をつついてきた。「母さんの預金や、着物や貴金属、どこかへ消えてしもうたみたいなんよ」

「誰に聞いたんや」

「卓郎叔父さんと栄子叔母さんが、葬儀の費用を会社から出すいう話をしていたとき、ちょっと聞こえたんよ。義姉さんに言うても出せる金はないし、って。出せる金がないというのは、母さんがもう何も持ってへんということやないの」

「お前、嫁入りのときにお袋から何をもろうた」

「総絞りの反物三反と帯三本。オパールの帯留。銀食器。青磁の壺」

「ホームへ行って、お袋の持物を確かめるのが先や。もし何もなかったら、卓郎どもに訊いてみて、それから考えよう。俺は親父の絵を探す」

「いまの叔母さんの話、聞いてへんかったん？　母さんが全部捨てたて――」

「アトリエの外にも絵は何点か出てるはずや」

「あんな紙屑！　それより、マンションのことをはっきりさせるほうが先やわ。売買の契約書とか登記の移転とか」

「俺も忙しいんや。ちょっと落ち着いてから、正月にでも卓郎とゆっくり話す」

「相続の話、どないする気よ。正月まで放っておくいうんやったら、もう兄さんには任さへんわ。私が自分で法務局へ行ってくる！」

自分でひそひそ話を始めたくせに、結局周囲に聞こえるような声を出して、尚子は先に行ってしまった。亭主の良浩がけだるそうな鈍い目をよこして尚子の後を追い、入れ代わりに先を歩いていた卓郎が足を止めて振り向いた。

「達夫君。本葬へなんで来なかったんや」

「仕事が入って」

「ええかげんなことを言うな。慶弔休暇取って来とるんやろうが」

「私が休んでも工場は動いていますし、機械の故障も起こりますから」

「何を偉そうに言うとるんや。仕事は誰かて持ってるわ。君は、今日はこれから奈良のホームへ行って、退去の手続きをしてくるんやで。相続の話は、ちょっと落ち着いてから弁護士と税理士に相談して決めることになるから、そのつもりで」

「いまから行きますから、老人ホームの住所を教えてください」

卓郎はそんなことも知らなかったのかという顔をつくり、財布から取り出した走り書きのメモをよこした。泰三がいたという奈良の施設と、母がいる大阪のホームの二つの電話番号があった。結局は卓郎にしても自ら足を運んだことはなく、住所は知らないのだと思った。渡されたメモ一枚を手に、「じゃあこれで」と踵を返しかけると、卓郎は「遺骨は良子さんに持って帰ってもらうから」と言ってよこした。

ボケている母に遺骨を渡してどないするんやと一瞬思ったが、それなら遺骨の管理や納骨は、これからしばらく法務局へ行ったりするという尚子に任せようと勝手に決めて、達夫は先に歩き出した。霊園の外へ出るとハイヤーが来ていて、尚子と栄子が母を車に乗せているところだった。痩せ細った腰を九十度に曲げた年寄りを、女二人が座席に入れようとするものの、母が足を思うように曲げないので、尚子がその足を抱え上げると、靴が脱げて下に落ちた。そのとき初めて、達夫は母が肌色のソックスのようなものを穿いているのに気づいたが、上は一応黒の洋装なのだから、せめてストッキングぐらい穿けなかったのか。自分ではもうそんな気づかいも出来ないのだから、周囲が気を配ってやればいいのに。人ごとのようにそんなことを考えてから、そこまでの気持ちがなかったのは自分も一緒だと思い直した。

達夫は、かんかん照りの日差しを浴びて光る母の白髪を眺め、「おかぁん」と声をかけた。しかし、振り向いたのは栄子と尚子だけだった。

「達夫さん、あんた、どこへ行く気やのん！」と栄子が怒鳴った。

「奈良！」

それだけ怒鳴り返した。道路へ出ると、色の消し飛んだ真夏の炎天が泰三の灰のように白っぽかった。さては泰三のやつ、塵に返って空気のなかに溶け込みやがったなと、達夫は意味もないことを独りごちた。

奈良県橿原市内にある老人ホームには《パレ・セレーヌ》という舌を嚙みそうな名前がついていた。ただし、その四階建ての白亜のマンション二棟の隣には、某医療法人の名を冠した総合病院があり、泰三が死ぬまでの一年を暮らしたのは、そこの三階にある内科病棟のほうだということだった。しかもそれ以前の五年間も、ほとんど同じ病院の六階にある老人病棟にいて、結局、隣の白亜のマンションのバス・トイレ付の個室にいたのは、最初のたったひと月。ホームのほうの受付で書類を調べてもらってそんなことが分かり、達夫は窓口の職員相手に成り行きで言い争うはめになった。

ホーム入所時に三千万の入所費用が支払われたにもかかわらず、肝心のホームに泰三が一ヵ月しか居なかったというのは、どう考えても契約違反ではないか。達夫はそう訴えたが、ホームの側は、痴呆その他の病状に応じて入所者を入院させることが約款に明記されていると繰り返す。その泰三の病状は、カルテによれば《失禁、徘徊、摂食困難、せん妄、幻聴、言語障害、歩行困難》とあり、日常生活に支障のない入所者という施設の運用基準に照らして、医療介護の受けられる病院への入院は契約の範囲内だというわけだった。その上、入所費用のほかにも毎月四十五万も支払っていた諸経費は、病院の治療介護費と差額ベッド代などであって、まったく問題はないという説明でもあった。いや、そう言われても、入所期間が短かった場合、一定の返金の規定があるはずだと達夫は思い、その場で約款の砂粒のような文字に目を凝らしたが、それらしい条文は見つからず、最後は自分が出した金ではないという後ろめたさが舌を鈍らせてしまった。

ホームの白々と明るいロビーを眺めながら、達夫は火葬場での栄子叔母の無駄話を自分の胸に蒸し返し、不快な思いで《なぜ》と考えてみたものだった。ほんとうのところ、母はなぜ泰三のような男のために数千万もの大金をはたいたのだろうか。女の復讐だと栄子は言ったが、そんな証拠がどこにある？　泰三の金を本人に投げつけて返した、だと？

問題は栄子の言いぐさの当否ではなく、何が事実だったか、だった。そもそも泰三自身は、この施設に入ったとき、ほんとうにもう何も分からなかったのか。ボケは突然降ってくる病気ではないとすれば、正確にはいつごろから泰三はおかしくなっていたのか。また、泰三のもとに出入りしていた女どもはそのときどうしたのか。考え出すと、一人の男がボケたといっても、そこに至った道には山ほどの謎があった。また泰三だけでなく、母についても謎は同じだった。ほとんど泰三と前後してボケが来たという母は、自分のいた病院から泰三のアトリエを片付けに行ったという。自分も老人ホームにいながら、泰三に莫大な金を出したのは本人の意志だという卓郎夫婦の話だが、そんなことがあるだろうか。そもそも人一倍しっかりしていた母が、なぜ急にボケたのか。ボケはそんなに急に来るものなのか。

「そういう事情ですので入所金につきましては、当方ではちょっと――」

そう繰り返す職員を遮って、達夫は「父の所持品を確かめたいんですが」と先を急いだ。

すると職員は、またどこからか別の帳面を引き出してきて、「入所のときに運び込まれたのは、衣類、洗面具、上履き、書籍数点――」

「絵の具とかキャンバス、イーゼルなどはありませんでしたか」

「絵の道具ですか？　入所後に買い求められた個人の所持品については、こちらでは分かりかねますので」

「遺体を引き取ったとき、病院で描いていたというデッサンが三百枚ほどあったので、ここでも絵を描いていたはずなんです」

結局、二年前に勤め始めたばかりで泰三本人については知らないという職員では、埒があかなかった。六年前の泰三の入所当時からいる職員に会わせてくれと頼むと、しばらく待たされて、割烹着姿の中年の女が現れた。施設の清掃婦だという女は、ロビーの椅子に腰を下ろすとすぐにタバコをくわえた。

「ああ、あの絵を描いてたお爺さん？　白髪の、ちょっとカッコいい――」女はそう言いかけて、うふふとひとり笑いした。「ええ、よく覚えてますよ。どういうご関係か知りませんけど、着物の襟をこう——すっと抜いた、粋筋のきれいな女性が入れ代わり立ち代わり、よく訪ねておいででしたよ。画用紙や絵の具を入れた紙袋をもって」

「それ、いつごろの話ですか」

「二年前ぐらいまで、でしたかね。容体が悪くなってからはお寂しいことでしたよ。金の切れ目が何とかというやつじゃないでしょうかね。そんな例ばっかりですよ、ここは」

それからしばらく女は無駄話をし、達夫のほうは頭にぽっかり穴が開いたような気分だった。こんなところまで泰三を追ってきた女がいたのを、いったい母は知っていたのか。積年の恨みのために亭主の絵の道具を捨て去った母と、それをきれいに補っていた女たちを比べたとき、ここまで来てなおも貧乏くじを引いたのは母のほうだというのが、自分の神経に意外にこたえているのを感じた。泰三はもちろん、長年故郷に寄りつきもしなかった息子にも、泰三を捨てなかった女たちにもついに落とし前をつけられなかった母は、痩せた足に無ざまなソックスを穿かされて、どうしようもなくただ生きている。それが人生の現実というやつなら、あれこれ引きずり回されるだけバカを見ると、あらためて考えてみたりした。

続けて達夫は、半ばもうどうでもいい気分で病院のほうへ足を運んだ。泰三の遺品は、遺体を引き取りにいったときに栄子が大量の画用紙を持ち帰ったというが、まだ何か残っていないか、念のために確かめておくためだった。しかし、六階の老人病棟でも三階の内科病棟でも収穫はなく、ついでに泰三を訪ねて来ていた者がいたかどうかを尋ねると、やはりこの二年は誰も来なかったという返事だった。また、看護婦の出入りの激しい病院の常で、それ以前のことを知っている者もいなかった。達夫は自分が何かを探しているという確信もなく、ただ機械的に尋ね回っただけだったが、行く先々で自分の背後にひそひそ話の気配を感じ、これは工場と同じ空気だなと遅ればせながら気がついたときだった。看護婦の一人が「そういえば春ごろに、野田さん宛ての絵ハガキが来たような——」と言い出した。

すると、「ああ、ルドンの絵のハガキだったわね」と、また別の看護婦が言い、聞けば、それは確かに泰三の手に渡されたということだった。差出人が誰だったかは当然誰も覚えていなかったが、達夫は突然、自分のポケットに入っていたササヰ画廊のハガキを思い出し、それを取り出してみせると、看護婦たちは「あ、それ、それ！」とクイズにでも当たったような明るい笑い声を上げた。もっとも達夫のほうは、銀座の画廊と自分をつなぐ線が泰三だったという新たな事実を収めるところがないまま、ほとんど逃げるように詰所をあとにし、そのままエレベーターホールの公衆電話へ直行していたものだった。

生前一枚の絵も売れなかったはずの泰三と、銀座の画廊。老人病棟にいた泰三が自分から画廊に接触したというのも、画廊のほうからわざわざ泰三にハガキを出したというのも、どちらも考えにくい話であった反面、現に画廊からハガキが来たというのが事実なら、そこに介在しているのは泰三の絵しかない。母がすべて捨てたというが、それ以前に女たちに気前よくやっていた絵がどこかへ流出しているというのが、とりあえず達夫の脳裏にひらめいたことだった。そしてそうだとしたら、泰三は最後の意識のなかで、自分の絵のことを考えていたのではないか。絵ハガキに目を通しながら、なにがしかの最後の執念を燃やしたのではないか。

達夫は、もう火葬場から帰宅しているはずの卓郎夫婦の自宅に電話をかけ、電話に出た栄子に開口一番、「六年前、お袋のところに親父の様子がおかしいからと連絡してきた民生委員、分かりませんか」と切り出した。

《そんなもの、私が知るわけあらへんでしょ。連絡を受けたのは義姉さんなんやし》と栄子は言った。《それで、いったい何やの。民生委員を探して、どうやというんよ》

「親父の生前の様子を正確に知りたいんです。この春に、外部とハガキのやり取りがあったようなんで。叔母さんのところに、親父の手紙類はありませんか」

《うちに、泰三さんのものがあるわけないやないの。とにかく、あのアトリエにあったものは義姉さんが全部捨てたんやし、何か残っているとしたら、義姉さんがもってはるかも知れへんけど、それは義姉さんのホームで探してちょうだい》

「うちのお袋、ほんとうに親父の絵を全部捨てたんでしょうか」

《だったらどうやと言うの。あんた、いまごろ泰三さんの絵を探してももう遅いわ！》

結局、泰三の私信も絵も、もう一点も残っていないというのが真相に近いとは思ったが、ひょっとしたらあのササ井画廊とやらに、一点ぐらい泰三の絵があるのかも知れない。いや、現に雄一郎が銀座で見たというのだから、きっとあるのだ。そうして少し前まで念頭にもなかった泰三の絵という新たな懸案を得て奇妙に得心すると、達夫はだからどうだという点は抜かしたまま、身体に勢いがつくのを感じた。それは製品に不具合を見つけて熱処理棟を歩き回っているときとまるで同じだったが、自身にはそういう意識もなく、寝不足の疲労がしばし影をひそめているのにも気づかなかった。

達夫は午後四時過ぎに難波へ戻り、そこから地下鉄で天王寺へ出て阿倍野区役所へ向かった。区役所の民生課の窓口で、六年前に泰三が住んでいた北畠三丁目の地区を回っていた民生委員の氏名を調べてもらったが分からず、その足で今度は天王寺のターミナルに戻ってＪＲで芦原橋まで行き、母が入っているという有料老人ホームまで歩いた。駅のそばで急に空腹を覚え、路上に流れてきたお好み焼きの匂いに引かれて二枚買い、紙に包んでもらった。

少し歩くとすぐに重油臭い水の臭いがし、木津川の近くに来たのだというかすかな土地鑑が働いた。大阪湾に注ぐ木津川は、対岸が大正区の工場地帯で、こちら側の川岸には倉庫や町工場の谷間に町家の低い屋根が連なる風景がある。その対岸の空に浮かぶ石油タンクや煙突の煙と入道雲の茜色《あかね》がまるで彼岸のように見えて足が止まると、目と鼻の先にあったのが目的の老人ホームだった。奈良の施設とは比べものにならない古びた建物は、玄関からして病院と役所を足して二で割ったような感じで、達夫が着いたときはすでにガラス戸も閉まり、内側からカーテンが引いてあった。

外から呼鈴を押し続け、やっと玄関を開けてもらうと、そこはやはり病院の臭いがした。いまどき三和土の横に靴箱が並んでいるようなその玄関でビニールのスリッパに履き替え、達夫は職員に教えてもらった三階の部屋へ向かったが、殺風景なリノリウムの床は消毒液と小便の臭いがし、ものの一分で昼間から興奮しっ放しだった頭がようやく冷えてくるのを感じた。

教えられた部屋は四人部屋で、一番奥のベッドの上に正座している小さな塊が母良子だった。隣の婆さんも似たような恰好で動かず、さらにその隣の婆さんは壁を向いて何か食い、一番手前の婆さんはベッドに腰かけた姿勢で空っぽの買物カートを押したり引いたりしていた。窓際にあるテレビから賑やかなCMが流れていなければ、今日もその辺のベッドで一人ぐらい死んだのではないかと想像させられるような、沈滞した空気だった。

達夫はいやなところに来てしまったという思いで、急いで奥のベッドの小さな背中を叩き、「おかぁん」と声をかけた。反応はなく、ちょっと肩を揺すると、母はやっと顔をこちらへ向けていきなり薄笑いを浮かべたかと思うと、「ねえ先生。うち、明日は花見にいこかと思うてますんや」などと言った。

白濁して見えるその目は焦点が合っておらず、小刻みに右へ左へ揺れる眼球も引きつった口許の皺もまるで作り物だった。そういえば昨夜の通夜のときも自分は母の顔を間近で見たのではなかったと、達夫はいまさらのように思い出してみたが、人が老いてこんなふうになるのが悪いのか、優しい息子ではない自分が悪いのか、考えるだけの忍耐もなかった。達夫はほとんど見知らぬ老婆だと言っていいその顔から目を逸らせると、買ってきたお好み焼きの包みを母の手に握らせて、ベッド脇の物入れへ手を伸ばした。

小さい仏壇の載ったサイドテーブル兼用の物入れのなかを覗く間、母は壁に向かって「ねえ、先生」と喋り続けていた。「うちのおかぁんが、卵焼きに紅生姜《べにしょうが》を入れるもんやさかい、弟も妹も食べしまへん。そやし、うちが代わりに作ったろうと思うたら、台所でどんなに探しても卵焼き器が見つからしませんねん。あれ、どこへ行ってしもうたんやろ」

母が生まれた船場の商家の話だと思ったが、達夫は母の焼いた卵焼きを食った記憶はなかった。若いころに弟妹たちに焼いてやったのだとしても、この俺が知るものかと白けながら、達夫はひとまず物入れの蓋を閉めた。なかにはスリッパ一足と下着や寝巻のほか、紙オムツしか入っていなかった。次いで、その上の仏壇のほうへ手を伸ばした。そこには朝、斎場でもらったばかりの泰三の骨壺と、戒名を筆書きした白木の位牌と、実家の父母の位牌が入っていた。後ろでは、いつの間にか隣の婆さんが母の手からお好み焼きの包みをひったくっており、母はまたくっくっと笑いだす。「フサちゃん、あんたは食い意地がはってるさかい、おかぁんに叱られるんやないの。あんたみたいに太ってみっとものうなったら、お見合いの口かてあらへんわ」

そうだった、母には房子という妹がおり、戦時中に大正区の軍需工場で空襲に遭って亡くなったのだ。その妹のことを話すとき、母が《フサちゃん》と言っていたのを達夫は三十年ぶりぐらいに思い出したが、フサちゃんではない隣の婆さんは、歯のない口にお好み焼きを詰め込み続け、母はそれを見ながら調子っ外れの声を上げてただ笑うばかりだった。

達夫は仏壇の引出しに手を入れた。万年筆一本と新しい官製ハガキが数枚。ほかには何もなかった。次いで、物入れの横の《野田》という名札のついたロッカーを開けてみた。昼間着ていた喪服を含めて数着のブラウスとスカートがハンガーに掛けてあり、その下には靴とサンダルが一足ずつ。空のボストンバッグが一つ。金目のものどころか、泰三の手紙を含めた私物らしいものは何もなかった。母は相変わらずベッドに正座したまま笑い続けており、隣の婆さんは餓鬼のようにお好み焼きを食い続け、ほかの二人はぼんやり天井を仰ぎ、空の買物カートを揺すっているだけだった。達夫はもう一度母の顔を見たが、「おかぁん」という声は喉の手前で引っ込み、出てくることはなかった。

五分後には、達夫は足早に元来た道を歩いており、一歩毎に老人ホームも母の顔も遠のいて、代わりに昨夜と同じ宵の熱風が頭の芯まで焼いていただけだった。すでに日は落ち、心底疲れ、空腹だった。行きずりの匂いと明かりに誘われてのれんをくぐり、立ち食いのカウンターで冷えたビール一杯を一気に空けた。ついでに冷し中華を食い、もう一杯ビールを空けて、十五分ほどで店を出た。

新大阪に辿り着いたのは、午後七時四十五分だった。自販機で自由席の切符を買い、閉店間際のキヨスクで五十度のテレホンカードも一枚買った。ホームの公衆電話にカードを差し込み、最初にササキ画廊の番号にかけてみると、留守番電話のテープの声が《本日の営業は終了いたしました》と告げた。大して失望することもなくいったん受話器を置き、今度はいつも財布に入れている薄い手帳をめくって美保子の自宅の番号を探した。結婚して団地に居を構えてから十年、一度も電話をしたことはなかったが、もう何年も前に番号だけは聞いたのを覚えていた。もっとも、どのページに記したのかも分からない番号を探すのには時間がかかり、ほとんど当てもなくページを繰るうちに、いつもと同じだと自分で可笑しくなった。電話番号の数字だけで顔も名前もない、有象無象の女たちと美保子のどこが、どう違うというのか。昨夜は雄一郎と殴り合いまでしたが、結局いつもと同じで手帳に名前も記していない女の一人ではないか。そう考えてみて手帳を閉じ、また開き、再び閉じて、自分を笑った。何をためらっているのだ、俺は。幼なじみを殴り倒してまで自分のものだと確認した女が、今夜アパートで待っていると自分で言ったのだ。聞いたのは、つい昨日の朝だ。東京駅で美保子は自分で言ったのだ。あの唇で。あの目で。

達夫は何か茫洋とした気分で公衆電話を離れ、そのままホームに入ってきた上り列車に乗り込んだ。がくんと軽い振動があって列車が動き出したとき、車窓の外の街の灯火の少なさを目にして、ここが新大阪だったことをあらためて思い出した後、三時間後には自分が東京のど真ん中に運ばれていることを思った。そこから中央線を乗り継いで一時間半。羽村の多摩川沿いのアパートで待っているだろう女が、電話番号の数字だけの何者かであろうはずがないという気がした。女には美保子という名前がついており、目も鼻も口もあり、俺の腕の下で「達夫さん」と囁く。そういう女がいま、羽村で俺を待っている。そう思うやいなや、泰三の死も母の老いっぷりも雄一郎も、卓郎夫婦も妹夫婦ももうかたちもなく、早く着け、早く着けと身体が弾んだ。

＊

雄一郎はその朝、未明に辿り着いた梅田のターミナルホテルの部屋で寝過ごし、森義孝がかけてきた内線電話で飛び起きたのは午前九時前だった。長年の刑事生活で朝寝をする習慣などなかったのに、これも自分に起きている変調の一つかと思うと、ロビーに部下を待たせたまま、裸の腕や脚に残っている青あざを眺め、そのためにまた少し時間を無駄にした。

十八年ぶりに会った幼なじみの男と西成のドヤで殴り合ったのは、自分ではない。拝島と東京の二つの駅で偶然見かけただけの女一人について、なんだか骨まで疼くような思いに駆られたのも、自分ではない。まずはそう独りごちてみたが、その自分ではない自分に振り回されて無ざまな青あざをこしらえ、それをこうして起き抜けに眺めているのもまた自分だとは思えない不毛さだった。そうだ、佐野美保子など存在しなかったことにするか。野田達夫にも遇わなかったことにするか。達夫と美保子の関係など知らなかったことにするか。雄一郎はさらに独りごちた後、自分に勢いをつけて「さて、土井幸吉をどうするんだ」と声に出してみた。「そうだ、土井幸吉だ。捜査の行き詰まりの元凶だ。俺はこの行き詰まりを打開するために大阪に来ただけだ。土井幸吉。土井幸吉――」そう繰り返して、やっとわずかに身体に力が戻るのを確認し、身支度に取りかかった。

午前九時半、森とともに曾根崎の中央病院を訪ねたとき、土井幸吉は土気色の顔をして口をぽっかり開け、天井を睨んでいた。昏睡だった昨日と違い、目を開けていると生きた顔が分かる。医師が言ったとおり、頰や顎に精神疾患の身体症状を窺わせる痙性麻痺があり、きょろきょろ動く目は少し眼球運動異常の気もあったが、そこにはなにかしらつくりものめいた感じがあり、こいつは案外頭が働いているのではないかというのが雄一郎の第一印象だった。

昨日の医師はさんざん嫌な顔をし、鎮静剤が入っているとか、どうせ話は出来ないのにとか言ったが、最後には、「知らなかったことにします」と言って出ていってしまった。

雄一郎はあえて警視庁の某と名乗らないまま、まずは「喉は痛むか」と短く声をかけた。土井は聞こえているような素振りも見せなかったが、眼球に一瞬の生気が走ったのを雄一郎は見逃さなかった。すかさず、「竹内巌が探しているぞ――」と続けた。今度は土井の目が瞬きを繰り返し、森がわずかに身を乗り出した。雄一郎はゆっくりと続けた。「なあ、六月三日の盆はひどかったな――。竹内の爺さん、あの夜は初めにさんざん読みやすい目を出しておいて、最後に一点張りだったが、あそこで竹内はサイコロを取り替えたんだ。重心が偏っていて、どう振っても二と四が出て六になるように細工したやつ。あんた、二百万も札束を積んで、よそ見でもしていたのか。あんな子どもだましのイカサマにひっかけられるなんて」

点滴の針と酸素吸入の管につながれて身動き出来ない土井は、落ち着かない眼球をぐるぐる動かし、喉と鼻孔からひゅうひゅうと奇怪な音を出し始めていた。土井が話を聞いているのは間違いなかったが、内容を理解しているのか否かはまだ分からなかった。

「なに、うちは竹内からちょっとあんたのことを頼まれて来ただけだが、やっと見つけたと思ったらこのザマだ。やってくれるよなあ。剃刀を呑んで借金が消えると思ったのか。そういえば福島の妹の亭主、パチンコ屋で羽振りがいいんだって？　このご時世だから、竹内にしてもぶっそうなことは出来やしないが、担保にとった妹婿のベンツはとりあえずいただきたいとさ。名義の変更は、あんたが責任をもって義弟との間でやるという約束だったんだろう？　やることもやらずに逃げたとなりゃ、竹内が怒るのも当たり前だぜ」

土井は枕の上の頭を動かそうとし、雄一郎はそれをそっと押さえつけた。

「なあ、土井さん。あんたがここにいることは皆知っているんだ。そうそう、竹内が金の作り方を教えてやるって。たとえば海を渡って腎臓を一つ売ってくるというのはどうだ。車に当たるという手もあるぞ。その気さえあれば金を作る方法はいくらでもあるのに、あんたの答えはこれかい。竹内曰く、妹婿との話をつける気がないんなら、その腕一本落として福島に送りつけてやるってよ。竹内は本気だぞ」

土井は枕の上で頭を左右によじるような素振りをみせ、鼻孔から酸素吸入の管が外れた。森が素早くその頭を枕に押さえつけたが、雄一郎は構わずもう一押しした。「なあ、昔あんたの親父さんはプレス工場で片腕を落として、次の年に農薬を呑んで自殺したんだろう？　それであんたは施設に送られたんだろう？　悲しいよな――」

目の前の男の精神がどんな状態であれ、こちらはなにがしかの結果を引き出さなければ帰れないのだ。卑劣だろうが何だろうが、必ず何らかの反応を引き出してやるだけだ。これが俺の本性だとあらためて自分に言い聞かせながら、雄一郎は続いて外れた酸素吸入のビニール管を土井の眼前でゆっくりと振ってみせた。そら、これを見ろ。この管を見ろ。どうだ、ホステスの頸を紐のようなもので絞めたのはお前か。それとも違うのか。ビニール管を追う土井の眼球は鈍く動くが、問いかけに応じたというほどの反応ではなかった。雄一郎はさらに忍耐を繰り出し、今度は探りを入れる方向を変えた。

「そういえば、五月末に尾上組に借りた五十万は、どうしたんだ？　あんた、借金を返さずに次の賭場に出たことは一度もない人だろう？」

土井の眼球はまた右へ左へと動き、雄一郎は続けた。

「尾上の組長が、あんたが借金を返しに来ないのは変だと言っていたぞ」

土井の眉根にかすかに皺が走った。話が核心に触れたか、それとも見知らぬ男二人に警戒し始めたか、だった。

「なあ土井さん、六月三日の竹内の賭場に出る前に、あんたは尾上の借金は返したはずだ。俺はそう信じているが、尾上は受け取っていないと言っている。このままだとあんた、いいようにやられるばっかりだぞ、え？」そう畳みかける間、土井の眼球は小刻みに動き続け、ちらりちらりと雄一郎の顔をかすめていった。こっちを見ているな、と思った。

「そうか、そういえばまだ名乗っていなかったな。俺は桜田門の合田だ。こっちは森。竹内が何か言ってきたら、力になれるのは俺と、ここにいる森しかいないと思え」

雄一郎は手帳を一枚破り、それに八王子署の特捜本部の仮設外線電話の番号と、自分たちの氏名を書いた。それを土井の眼前にぶら下げて見せると、土井の目尻と頬に痙攣が走った。「腕一本」やビニール管とは違う、鮮明な恐怖の色だった。よし、いける。こいつは正気だ。突っ込むチャンスだった。

「警察が怖くて博打なんかやるなよ、な。よし、竹内の話はこのぐらいにして、今度は警察から尋ねたいことがある。六月一日——すなわち、竹内の賭場で大負けした前々日の夜から、翌二日未明にかけての話だ。一日の午後十時半、あんたはタバコを買いに行くと同僚に告げて、社員寮を出ていった。その後、あんたがどこからか戻ってきたのは翌二日の午前六時半、八王子駅だ。さあ、一日の夜にタバコを買いに出たあと、二日の朝までどこにいたんだ？　ここへ書いてくれ」

病院へ来る前に買ってきたＢ４判のノートを土井の眼前に広げ、その片手にサインペンを握らせた。「書けよ」と穏やかに促すと、土井の手は中空で迷い、一分近く待たせた末に《わすれた》と書いた。

「そう言わずに思い出してくれ。一日の晩から二日の朝まで、あんたはどこかへ行っていただろう？　心配するな。証拠がないから博打でパクることはない。六月一日夜から翌二日の未明までどこへ行っていたのか、それだけ書いてくれ」

土井の額に脂汗が滲んでいるのを見届けながら、雄一郎はさらに柔らかい声をつくった。

「あんた、いつもの作業着の上下を着ていただろう？　あの作業着の恰好で、夜中にいったいどこにしけ込んでいたんだ。教えてくれよ」

《寺本の家》と土井はやっと書いた。ぐにゃぐにゃの字だった。

「寺本というのは何者で、家はどこだ」

《不動産会社社長。立川市》

「寺本和幸。秦野組幹部の寺本か」

土井は頭を振って《そうだ》と示した。立川在住の不動産会社の《寺本》といえば、雄一郎が当たってきた賭場で何度か聞いた名だった。正業は不動産業だが、遊びでしばしばサクラをやったりすると聞いていた。博打はプロだ。

「寺本の家にはどうやって行った？　電車、車、タクシー」

土井の手は数秒の逡巡の後、《でんしゃ》と書いた。

「嘘をついたらだめだ、土井さん。立川行きの最終電車は午後十一時三十八分だぞ。そのころ、あんたはまだ八王子にいただろう。甲州街道沿いのコンビニエンスストアの店員があんたを目撃している。さあ、どうやって行ったのか、きちんと書けよ」

《寺本の車》

「何時ごろの話だ」
《わすれた》
「寺本の車に乗ったのは、正確に八王子のどこだ」
《りっきょうの下》
「どの陸橋だ。中央図書館の前、モービルのガソリンスタンドがある追分町交差点、西東京ビルの角、家庭裁判所前の交差点」
《ガソリンスタンド》
「追分町の交差点なら、あんたの寮から歩いて五分じゃないか。タバコを買いに行くと言って寮を出たのが、午後十時半。コンビニエンスストア前で目撃されたのが午後十一時四十五分ごろ。寺本の車に乗るまでずいぶん時間があるが、どこで何をしていたんだ」
《小学校のよこのこうえん》
「八木町公園か？　そこで何をしていたんだ」
土井は虚空に据えていた目を雄一郎の顔へ移した。その一瞬、相手の頭の中身を窺う目になり、またその目を逸らせ、《わすれた》とノートに書く。意外に頭が働いている証であり、雄一郎はわずかにこころがはやるのを感じた。
「では、公園から追分町交差点の陸橋に出たのか？　そこで寺本の車に乗ったのは、約束があったのか？」

土井は首を横に振り、《マージャンにさそわれた》と書いた。

「あんた、ふだんはマージャンをしないだろう?」

その質問には応答も反応もなかった。

「それで、寺本の家でマージャンはしたの? 勝負はどうだった」

《五万まけた》

「寺本のほかに誰と誰がいた」

《知らない》

土井は続けて《のど、いたい》と書いた。本人は痛いという表情はしていなかったが、個人の身体の痛みまでは、さすがに刑事が否定出来るわけもなかった。咽頭癌であれば、早晩手術で咽頭全摘出。一生声を失うことになる男を前に、雄一郎はこれが最後かも知れない聴取の、最後かも知れない質問を絞った。

「あと一つだけ、教えてくれ。尾上組の借金は返したの、返さなかったの」

返事はなかった。土井の喉からまた不気味な空気の音が漏れ始めた。顔の筋肉の痙攣はひどくなり、眼球の動きも速かった。森が「おい」と男の耳を引っ張ったのを制して、雄一郎は精一杯の優しい声を出した。

「返したの、返さなかったの」

そう畳みかけたとき、土井は首を横に振るやいなや上体を跳ね起こそうとしてもがき、無理強いもそこまでだった。ハァハァと荒い息をつくばかりの石になった男に向かって、雄一郎は別れ際まで執拗に脅しをかけた。

「土井さん、あんたが聞こえているのは分かっているから、念を押しておくぞ。いいか、要点は二つある。まず一つ。これまでの前例から考えて、あんたは尾上組への借金は返しているはずだ。借金を返してから、三日の竹内の賭場に出たはずだ。それが返済されていないと尾上が言っている以上、何らかの手違いがあったということになるが、だとすれば少々厄介だぞ。へたをしたら冗談ではなく腕一本の話になると思っておけ。そしてもう一つ。警察は、素人筋の博打の一回や二回は見逃してやるが、人を殺して博打で張る金を盗むような輩がいたら、話は別だ。分かるか――？　六月二日の未明に、八王子の平岡町のマンションの四階で、住人の女性を絞め殺して、八十万円盗っていったやつがいる。強盗殺人だ。土井さん、その件で近々もう一度話を聞きに来るから、そのつもりでいろ」

さあこれで、もしこいつがホシなら逃げるか、自首するか。こいつが逃げてくれたら、膠着状態の捜査が少しは動く。得られたのはただ、そんな可能性一つだったが、それでも何もしないよりましなのは間違いなかった。雄一郎はそうして仕掛けるだけ仕掛けた後、病室を出て階段ホールの公衆電話に直行した。

そこで雄一郎が電話をかけたのは曾根崎署、森は八王子の捜査本部だった。雄一郎は、土井の措置入院の手続きを急ぐよう曾根崎署の防犯課に督促し、あわせて逃亡に備えた警備を依頼した。一方森はその間、林係長相手に有沢《又三郎》を至急呼び出すよう、隣の電話で怒鳴っていた。博打を通じて立川の寺本和幸と面識があるのは有沢《又三郎》であり、寺本の聴取に遣るのは又三郎しかいなかったからだ。この二ヵ月、何度か寺本とは会っているに違いない又三郎だが、肝心の土井幸吉と寺本の結びつきを知っていたのか、知らなかったのか。知らなかったのなら、浣腸どころではすまなかった。

電話を終えたその足で病院を出たとき、森は「土井は曲者《くせもの》ですよ」と自分自身に確認するように呟いたが、雄一郎はそれには応えなかった。もちろん土井は無垢ではあり得なかったが、しかしだからといって曲者と言えるか。これまで不明だった六月二日未明の足取りについては、たしかにすぐには立証出来ない話だらけだったし、土井は立川へ電車で行ったという嘘もついた。マージャンに誘われたというのも十中八九は嘘。しかも、社員寮を出てからコンビニエンスストア前で目撃されるまでの一時間十五分、公園にいたというのもおそらく嘘。空白は依然として埋まっておらず、二日未明に土井が平岡町で強盗を働いたという時間的な裏付けに至っては、なおもゼロなのだった。しかし、これらは土井自身が繰り出した言い抜けや隠蔽工作の結果というより、むしろ事実のほうがもっと複雑で、土井自身も知らない部分があるために、一見不透明に見えるということではないのか。単純な強盗殺人に見えた犯罪事実そのものに、まだ見落としがあるのではないか。そんなことを考えるともなく考えた。

「寺本から何が出てくるにしろ、ともかく追分町交差点を中心に足取りの洗い直しをやりましょう。いまはそれしかないです」森は言った。しかし雄一郎がまたしても返事をしなかったために、森はわざわざ足を止め、あらためて言ったのはこうだった。

「主任が何を考えているか、私にだって分かりますよ。今日、出来る限りの脅しはかけたと思いますが、あの様子では病院から逃げるのはまず無理でしょう。残るは自首ですが、竹内がすでに逮捕されたいま、実際には借金取り立てもしばらくはない。尾上組の借金のほうも、おそらくすでに返済されているとすれば、これも取り立てはない。要は、土井が取り立てから逃れるために自首してくる可能性は、現時点では万に一つもないということです。だとすれば、我々はやはり証拠を固めるしかないんです」

「土井は竹内の逮捕を知らない。尾上に返したはずの借金が返っていない、という新たな疑心暗鬼もある。追い込めば土井は動く。要はどうやってもう一押しするか、だ」

「私自身は、これ以上主任が組関係に深入りするのは賛成出来ません」

分かりきったことをしたり顔で言う、人間の機微もくそもない若い刑事の剛直さが、そのときはいつにもまして面倒に感じられた。「君と俺は違う」雄一郎はそれ以上の話をさえぎり、「ところで昨日、文楽劇場には行ったのか」と話を逸らすと、今度は森が聞こえなかったふりをした。

その後、雄一郎は昨日採取した土井の唾液などを鑑識に届けるという口実をつくって森を一足先に東京へ帰し、何もかもが急を要するというときに特段の当てもなくつくった一時間の空きを、ただ街をぶらついて過ごしたものだった。

梅田ターミナルに近い場末の歓楽街の朝は、看板やシャッターや路地のすべてがくたびれた人間の皮膚のようだった。そこでは前夜に吐き出された無数の食い物やアルコールの臭いが生ゴミと溶け合い、皮膚に泌み込み、老化させる。一つ朝を迎えるたびに、自分のなかで何かが崩れてゆくのが分かり、艶も張りもない醜悪で粗暴な地肌が覗いているのが分かる。雄一郎がそういう感覚を肌で知ったのは、今回の事件で盛り場の奥深く出入りするようになってからだったが、そうして顔を覗かせてきたもう一人の自分はいまやどんなことでも出来、大した玉でもない土井幸吉のような男を、暴力団の名を騙《かた》って脅すことも辞さないのだった。捜査のためとはいえ、やくざと盆を囲むのも、違法も脱線もいつの間にか平気になって、森のようなまっとうな同僚のまっとうな視線には嫌悪すら感じる。いや、それ以上に、人並みの捜査の勘さえ働かなくなっているのかもしれず、そうだという自覚ももうほとんどない。あの野田達夫でさえ本人なりの一線があり、酔い潰れてもなお、いやというほど繊細な神経が見えていたというのに、この俺はどうだ！

雄一郎はひとり笑い出し、数秒後には自分が笑ったことも忘れて、散漫に考え続けた。いや、達夫は繊細どころではなかったな、と。あるとき達夫は庭の熟柿を二つもぎ取って手に載せて見せ、「この二つの色、違うんやで」と言ったが、自分には違いが分からなかった。そうだ、あのとき達夫は色の名前を言ったのだ。そうだ、一昨日飛び込みのあった拝島駅で臙脂色に燃える電車を見たときにも思った、あれは何という名前だったか――。

そうだ、と雄一郎はもう一つ思い出す。昔、写生の時間に達夫の画用紙がいつも真っ白だった理由の一つは、色を作るのに時間がかかり過ぎたためだった、と。自分のようなふつうの生徒は木なら緑、空なら青の絵の具を塗ってお終いだったが、達夫は自分が塗りたい緑を作るために何十分も費やし、最後は「あかん、出来へんわ」と高らかに宣言するやいなや、絵の具箱を放り出して遁走してしまうのだった。あの自由。あの、誰も追いつけない自由に俺は嫉妬したのだ。そんなことを突然甦らせて、雄一郎はまたひとり笑いし、身震いした。

自虐も、自律神経失調症も、昔を思い出すのも、何もかもがいっそう自分を汚し、惑わし、崩れさせる。せっかく賭場通いでつくり上げた厚顔無恥を鈍らせ、腐らせる。そうなったら自分はすべてに負けるだけだった。仕事に負け、組織に負け、同僚に負け、やくざに負け、土井幸吉に負け、野田達夫に負けるのだ。そう思うやいなや、雄一郎は道端で取り出した自分の手帳に《借金取り立て》の一語を賑々しく書きつけ、もう何十回も考えたことをまたぞろ自分に確認していたものだった。殺しの物証が出ない以上、土井には自首させるしかなく、もうひと押しの脅しをかける必要がある。そのために尾上組を使えるか、否か。もしくは、もっと上の組織に一肌脱がせるようなことは可能か、否か。

そして、再び捜査で頭を満杯にするともう、雄一郎の足は新大阪駅へ急いでいたが、東京までの三時間、気がつくと、昨日森に指摘された自分の手帳のかすかな血痕が脳裏に浮かんでいて、また少し脱線を余儀なくされた。そういえば、昭島署が扱っている拝島駅の飛び込み事件のその後はどうなったのか。跨線橋にあった血痕はどう処理されたのか。一応確認しなければと頭のすみに刻む一方、また別の声が頭の芯から湧いてくるのを聞き、少しもこころは鎮まらなかった。佐野美保子はあの拝島の駅で、手に血がつくような何かをやったのだ。亭主と連れの女をただ追いかけただけではない。何かをやったのだ。


午後四時前に雄一郎が八王子署に帰り着いたとき、特捜本部はすでにホステス太田裕子殺しでの、堀田卓美の再逮捕が近いということで慌ただしく、記者会見のために本庁から一課長ほか、第三強行犯捜査の管理官と地検の担当検事が出向いてきていた。そして帰着早々、雄一郎は会議室に呼ばれ、捜査が行き詰まって以来ご無沙汰だった一課長ら本庁幹部の顔を拝むことになったが、用件は想像するまでもなかった。

「大阪で土井幸吉に会ってきたそうだが」一課長の花房がまず口を開き、それを受けて林係長が素早く続けた。

「六月二日未明に立川の寺本とかいう男と一緒だった旨の土井の供述があった件、森から報告は受けた。その上で捜査本部としては、土井の線をこれ以上引っ張る理由はないと判断した。合田、この意味は分かるな？」

「堀田卓美が殺意をもって扼頸に及んだことが確認されれば、殺人と窃盗の容疑での堀田の再逮捕に異存はありません」雄一郎はひとまず答えた。

「殺人と窃盗のほかに、何があるというのだ」

「被害者の頸の索条痕は、扼頸では説明できません。被害者の爪の塩化ナトリウムの問題も残っているし、割れた掃き出し窓もあります。もう一人、侵入者がいます」

「君の言うことは分かるが、それは土井がその侵入者だという説明にもならんな」そう言ったのは担当検事で、いくらかのんびりした微苦笑を雄一郎によこした。「合田君、今回はまず堀田の線で物証を固めるのが先だ。本人が殺ったと自供しているんだし、さっき武道場で現場再現もやらせた。扼痕も一致しそうだ。目撃者も数人揃った。そうそう、贓品も出たし」

「贓品の話はまだ聞いていません」

雄一郎は言い、林が物憂げな手つきで紙一枚を掲げてみせた。「今朝、神田の質屋で品触手配の当たりがあった。七月二十日に堀田が持ち込んだ貴金属十数点のうち、所有者の分からなかったダイヤのブローチについて、同僚のホステスが被害者のものだと確認した。事件当夜に被害者がつけていたものだそうだ。これは有力な物証になる」

「堀田も今日、被害者のブラウスの胸についていたのを盗ったと自供した」と八王子署の刑事課長が補足した。

雄一郎が受け取った用紙は、質屋から現物を仮領置した任意提出書のコピーだった。品名の欄には《ガラード社製1ctダイヤ入りブローチ》とあった。事件発生時に被害者が身につけていたブローチが出たという事実は、堀田卓美が事件現場にいた証拠になり、殺人についても有力な傍証の一つになるが、しかし依然、それだけのことではあった。

「もちろん、これだけでは弱い」検事は言った。「扼頸後、死亡までに時間があったという剖検の所見がある以上、殺意の有無も問題になる。殺人容疑での再逮捕に当たっては、相当強力な物証が欲しい」

「いま、うちの吾妻と八王子署の田代警部補が鋭意、取り調べ中です」林は言い、そこに花房一課長の鈍い一声が響いた。

「殺人でいけるか否か、午後七時をめどに刑事部長に報告を上げるから、そのつもりで君も加わって詰めを急ぐように」

雄一郎は任意提出書の紙を返し、一礼して会議室を出た。ブローチ一個出たぐらいで状況に変化はなく、疑問も失望も増減なしだった。

その足で調べ室に足を運ぶと、扉のなかから被疑者を一喝する田代の怒号が響いていた。

「いいかげんなことを言うな！　これが優しく頸を絞めた痕か、写真を見ろ、写真を！」

続いて、机を叩く拳の音。雄一郎が入室したとき、所轄の強行係長の田代は、四つ切りの死体写真一枚を手に、なおも「優しく頸を絞めたらこんな傷がつくのか、ええ！　お前の頸で試してやろうか」と怒鳴っているところだった。机一つをはさんで被疑者の堀田卓美は下を向いており、ジャージの上下を着た肩や腕はだるそうに垂れ、脚は貧乏ゆすり。頭も感情も働いていない、というのが第一印象だった。

「そら、これを見ろと言っているんだ！　両手の親指が気道にしっかりかかっているじゃないか。殺す気がなくてこんな絞め方するか！」

田代が言っているのは殺意の話だった。堀田はどうやら《殺す気はなかった》と言っているらしい。案の定、すみの筆記机では吾妻哲郎が捜査書類や写真などの上にだらしなく肘をつき、片手のタバコの灰を書類に落としているところだった。吾妻はそれをぱっぱっと手で払い、欠伸をかみ殺し、雄一郎を横目で見ると、自分の肘の下になっていた調書数枚を投げるようにしてよこした。

まずは供述調書。六月二日の事件当日の供述部分にざっと目を走らせると、堀田は事件発生前日の六月一日夜、〇・一グラムの覚醒剤を新宿で買い、駅のトイレで打った後、八王子行きの最終の快速に乗った。前日に侵入に失敗した千人町の忠実屋にもう一度行くつもりだった。時刻は記憶していない。ところが西八王子駅で降りるべきところ、うっかり一つ手前で降りてしまい、しかたなく徒歩で甲州街道を西へ向かった。その途中、本郷横町の交差点で被害者に出会った。時刻はやはり不明。

被害者の太田裕子が店を出た時刻、店の場所、西八王子駅で堀田が駅員に目撃された時刻、そして西八王子駅から本郷横町までの距離の四つの条件から、堀田が本郷横町で被害者に出くわすためには、一時間ばかりどこかへ寄り道をしなければならない計算になるが、その点についても《覚えていない》とのことだった。

本郷横町の交差点で出会ったとき、太田裕子はふだんより一時間早く店をしめて帰宅する途中だった。《裕子のほうから先に「卓美ちゃん」と声がかかりました。私は高校時代に付き合っていた女だと思い出しました。裕子はかなり酔っていて、ふらふらしながら「うちへ来る? ビール奢るわよ」と言いました。私は彼女の派手なスーツやハンドバッグを見て、それなりの金をもっているだろうと思い、ついてゆくことにしました。女のほうから誘ったのだから、いくらか金を要求してもいいだろうと思ったのです。そのときは、盗みは考えていませんでした》

マンションの四階へはエレベーターで上がっている。昇降ボタンは太田裕子が押した。部屋の鍵も裕子が開けた。部屋のドアを開けたところで裕子は三和土にへたり込み、もう動けないと笑いながら訴えた。そこで堀田は自分のズックを脱ぎ、女を両腕で抱いて玄関を上がり、ソファに運んだ。両手がふさがっていたため、明かりはつけなかった。明かりのスイッチがどこにあるのかも知らなかった。

明かりはつけなかった。雄一郎は頭の中で傍点をつける。

《私は裕子をソファに仰向けに置きました。裕子はずっと笑っていました》

雄一郎は、吾妻たちが堀田に描かせた部屋の見取り図を見てみた。ほとんど落書きに近いそれは玄関と居間だけの不正確な図で、ソファの位置も不正確だった。〈明かりをつけなかった〉のでよく見えなかったのか、初めから見る気もなかったのか。ソファの上に裕子を〈こんなふうに置いた〉と描いた一枚は、死体発見時とほとんど手足の位置が変わっていない仰向き。

供述調書の続き。堀田は『二、三万貸してくれないか』と裕子に切り出し、裕子は『お金なんかないよ』と笑ってとり合わなかった。そこで堀田は《自分がバカにされていると思い、カッとなって、裕子を黙らせるためにソファの上の女にのしかかり》、両手で頸を絞めた。

その次の一行は、《両手指の一部はブラウスの襟にかかったかも知れませんが、襟を使って頸をしめたのではありません》となっていたが、この供述は微妙だった。遺体が発見されたとき、被害者のブラウスの襟には引き絞られたような皺があった。それは、襟を絞殺用の索条代わりに使ったとも言えるし、扼頸のために指で襟の一部が押さえられ、引っ張られたとも言える皺で、雄一郎たちはこれまで前者だと考えてきたのだった。

雄一郎は次いで、武道場でやったという現場再現の写真十数枚を机から取り上げた。まず、武道場の床にソファに見立てた白線を引き、そこに被害者に見立てた小柄な巡査を、仰向けにさせて撮った写真。次に、堀田がその上に屈み、右膝をソファの上の巡査の左腰の横につき、左脚を床に置いて、両手を巡査の頸に回している写真数枚。目を引いたのは、頸を絞められた巡査の両手が、本来であれば下から堀田の両手首を摑むべきところ、堀田のズボンの股ぐらへ伸びていたことだった。

「何や、これ」と吾妻をつつくと、吾妻ポルフィーリィは口を開くのも面倒だという素振りで、「供述通りさ」と吐き捨てた。頸を絞められたとき、被害者の太田裕子は堀田の戯れだと思ったということなのか。「だから、殺す気はなかったんだと」と呟いて、吾妻は被疑者のほうを顎でしゃくった。取り調べの机では、その堀田卓美が相変わらず五分刈りの頭を垂れたまま、馬耳東風の貧乏ゆすりだった。

雄一郎は残りの現場再現の写真に目を戻した。頸にかけた両手指の位置は、実際の扼痕とはほぼ合っている感じだった。それから、再び供述の続き。

《それほど強く絞めたつもりはありません。殺すつもりはまったくなかったからです。裕子が笑うのを止めおとなしくなったので、私は手を外しました。頸を絞めていた時間については、覚えていません。裕子はくうくう鼻息を洩らしていたので、眠ってしまったのだと思いました。暗かったので、彼女がどんな顔をしていたかはよく見えませんでした》

これが事実なら、急死ではなく蔓延性窒息の可能性もあるという剖検の所見通りだった。
《私はこんな女のマンションについてきたことに嫌気がさし、薬も切れかけていたので頭が痛くなってきました。出てゆこうと思ったとき、ソファの足元に裕子の手から落ちて転がっていたハンドバッグが見えました。明かりはつけていませんでしたが、レースのカーテンだったので部屋は薄明るかったのです。私は忠実屋に押し入るために用意していた軍手をはめ、裕子のハンドバッグの中をあらためて財布から五万円を抜き取りました。ついでに、仰向けで寝ている裕子のブラウスの左胸にブローチが見えたので、それも取りました。そのあと、すぐに玄関から逃げました。八十万円入りの銀行の封筒については、私は見ていません。手に取ったのはハンドバッグだけであり、そこには封筒は入っていませんでした》
　いったい、割れた掃き出し窓はどうなった？　堀田は《窓はカーテンが閉まっていました。私は近づいていません》と供述していた。雄一郎は、堀田が自分で描いた現場の絵をもう一度ひっくり返してみた。そこに記された〈入り〉と〈出〉の間の動線は、玄関とソファのほぼ直線の往復のみ。しかし、それを立証する足痕跡はもともと採れていない。
　雄一郎は、自分のために要点を脳裏に走り書きした。
　一、被害者の帰宅時、玄関は旋錠されていた。
　一、堀田の〈入り〉から〈出〉まで、部屋の明かりはなかった。

一、堀田はベランダの掃き出し窓には近づかなかった。

とすれば、事件当夜に堀田以外の侵入者Bがいなければならない。明かりが一度もつかなかったために被害者宅に自分以外の客が来ていたことを知らず、その客が姿を消したあとにベランダから侵入し、現金八十万円を盗っていったのはBだ。そして、そうであれば問題は、そのBの侵入時に被害者太田裕子が生きていたのか、死んでいたのか、だった。Bは被害者に触れたのか触れなかったのか。それが明らかにならないうちは、もちろん堀田が殺したという話にならないことだけは確かだった。

「堀田の衣類は?」雄一郎は吾妻に尋ねた。

「昼前に、堀田のアパートから衣類を全部かき集めてきて並べてやったが、思い出せないそうだ」という返事だった。目撃者の調書では、事件当夜の堀田の服装は〈青か緑の長袖のジャージもしくはジャンパーと、ジーパン〉となっているが、押収した衣類には青や緑の上着はなかったという。ジーパン数本とズック数足はすでに鑑識で鑑定中。

「軍手は」

「次の日に上野駅のゴミ箱に捨てたそうだ。どのゴミ箱かは特定出来ん。それより合田、これを何とかしろ。大阪で骨休めをしてきたんだから、エネルギーが余ってるだろ」

吾妻は、机に散らばった現場再現写真のなかから、被害者の女に見立てた巡査が堀田の股ぐらを摑んでいる写真を指で弾いてよこし、「ふざけやがって」と独りごちた。

取調べのほうは、田代係長が「殺すつもりはなくても、現に死んだら殺したことになるんだ、ばかやろう」と吐き捨てたところで、雄一郎が「私が代わります」と声をかけると、田代はやれやれとばかりに額の汗をハンカチで拭いながら椅子を立った。

雄一郎は現場再現写真数点と供述調書を手に、代わりにその椅子に座り、初めて正面からじっくり堀田卓美という男を見た。骨格の太い大柄な身体は覚醒剤の常用で筋肉が落ち、アンバランスな脂肪がついてむくんでいるのが一目で分かった。土井も実年齢より老けていたが、こちらのほうは齢《よわい》三十八にしてすでに臓器の腐敗が始まっているような、生きた屍というところだった。

「ところで被害者の太田裕子は、バスト九十三センチだったそうやないか。股ぐらを触ってもらった気分はどうだった」と、雄一郎は切り出した。

「別に」堀田は声を出すのも面倒だというふうに呟いた。

「別に、はないだろう。女の上に乗っているんだぞ、あんた。こうやって、ちゃんと女の手の位置まで覚えているんだから、そのときの気分も覚えてるだろう。どうだったのか、聞かせてくれ」

「別に。彼女は触ってきたけど、私はそんな気はなかったですから」

「具体的にどういうふうに触ってきたんだ」

「ジッパーを下ろそうとして――。それから股を摑んできたんです」

「ジッパーは下ろしたのか、下ろしていないのか」

「下ろさなかったです」

「女に股を掴まれて、それであんたはどうしたんだ」

「むかむかして、このやろうと思いました」

「あんた、女に股を掴まれたらむかむかするたちか」

「薬をやっているときは、触られるのが嫌なんです。いつもそうです。腕が触っただけでも、鳥肌が立つ」

「むかむかして、このやろうと思って、それでどうしたんだ？」

「頸を絞めました」

「いいか。正確に答えろ。あんたが女の頸に手をかけたのが先か。女が股ぐらを掴んできたのが先か。どっちだ」

「同時――」

「女がジッパーを下ろそうとし、次に股ぐらを触った。その間、あんたは何をしていたんだ。あんたの手はどこにあった」

堀田は虚をつかれたように目をしばたたいた。雄一郎の顔を見、田代や吾妻のほうへ目を移し、うつむいて「覚えてません」と吐き捨てた。

「だったら、同時というのは何や」

堀田は髪を掻き、手を揉んで「そんなこと知るか」とうそぶいた。

「知らないんなら、教えてやる。よし、初めから順番にいくぞ。立て。再現だ」

雄一郎は手早く椅子三脚をかき集めて並べ、そこに仰向けに横になった。はみ出した脚は床へ落とした。「いいか、俺が太田裕子だ。酔って笑っている——」

「早くしろ、この位置だろう」田代が堀田を椅子のそばに立たせ、雄一郎は続けた。

「あんたは金を貸してくれと言い、裕子は『金なんかないよ』と笑う。ずっと笑い続ける。あんたはカッとする。それで？」

雄一郎は椅子の上から堀田を見上げ、堀田は鈍い顔のまま雄一郎を見下ろしていた。

「おい、カッとしてどうしたんだ！」田代がその背をつつく。

堀田はなおも虚ろに椅子の上の雄一郎を見下ろし、雄一郎は見つめ返した。すると、ヤク中の男の目はまるで犬のように逃げ出し、戻り、また逃げ出して、しばらく横たわった雄一郎の身体をさまよった後、やっと雄一郎の右腕に止まった。

「あいつが手を伸ばしてきたんです」堀田は呟き、雄一郎は「こっちの手か？」と自分の右手を挙げて確認した。

「裕子が俺の手を摑んで、『来てよお』って言ったんす」

雄一郎は右手を伸ばし、堀田の左手を摑んでみせた。かさかさに乾いた手だった。

「あいつが引っ張ったんで、俺はソファにぶつかって、膝であいつを跨《また》いで——」

「やってみろ」

堀田は雄一郎に手を引っ張られて不器用に右膝を椅子の上に上げ、それを雄一郎の左脇腹に置いた。左脚は床で踏ん張る恰好だった。

「さあ、ここからだぞ。俺の顔を見ろ。俺は裕子だ。あんたの手を引っ張り、笑っている。あんたが上に乗ってきた。さあ、来いよ」

「俺はあいつに言ったんです。先に二万貸してくれ、と。俺は女とやる気はなかったし」

「ああ、それは分かっている。そのときどんな姿勢だった？　やってみろ」

数秒の逡巡の後、堀田の右手は雄一郎の頭の右横に移動した。左手は中空。椅子の上についた右膝と右手で身体を前に倒し、雄一郎の顔を覗き込む姿勢になった。堀田が顔をそむけるので、その耳を引っ張って雄一郎は「俺の顔を見ろ」と促した。「さあ、あんたは先に二万貸してくれと言った。彼女は笑っていたのか？」

「俺が金の話をしているのに股なんか触ってきやがるから、むかむかしてきたんです」

「先に二万貸してくれとあんたが頼んでいるときに、女は股ぐらを触っていた。そうだな？　それで、むかむかして、どうした」

「やめろと言って、手を払いました」

「どうやって払ったんだ？」

堀田は空いている左手で雄一郎の右手を掴み、払いのける仕種をした。

「よし、それで女はどうした？」

「笑ってばかりでやめないから、ほんとにむかむかして、吐きそうになって、面倒臭いから、頸を絞めました」

それだけ言うやいなや、もういいだろうとばかりに身を起こした堀田の腕を雄一郎はすかさず摑んだ。そろそろ目を覚まさせるときだった。

「なんで頸を絞めた。一発殴ったらええやないか。あんた、女を殴るのは慣れとるやろ」

「面倒臭かったんすよ！」

「何が面倒くさかったんや、言うてみろ」

「何がって――吐きそうだったから！　シャブやってるときは吐きそうになるんだ！」

「女の上に吐いたらええやないか」

「そんなことしたら、あいつが悲鳴上げて余計に始末におえねえ」

「そこまでしっかり頭が働いて、面倒臭かったということはないやろうが！」

雄一郎は男を突き放して身を起こすやいなや、自分と入れ代わりに男を椅子に座らせた。「いいか、頸を絞めるのには渾身の力が要るんや。吐きそうになって、出来ることやないぞ！　面倒臭いから頸を絞めたと言うたな。面倒臭かった理由を言うてみろ！」

堀田の垂れた頭を摑んで、雄一郎は一発平手を見舞った。

「吐きそうだったと言うたな、え？　吐き気を辛抱して、面倒臭いのにわざわざ頸に手をかけた理由を言うてみろ!」

「理由なんか——」ほとんど聞き取れない声で、堀田はぶつぶつ呻いた。もう一度その頭を摑んで顔を上げさせ、張り飛ばした。そのとたん、堀田は鼻血を飛び散らせて椅子から腰を浮かせ、それをすかさず押さえつけて、雄一郎はその顔を間近に覗き込んだ。

「あんた、インポか」

次の瞬間、堀田の大柄な身体が椅子から飛び上がり、雄一郎めがけて突進してきた。田代が後ろからそれをはがい締めにしたが、雄一郎はそのとき、一瞬にして堀田の顔に生身の神経が戻ったのを見、《イケるな》と思った。

「立つのかよ」雄一郎はもうひと押しし、堀田は一気にわめき出した。

「ふざけやがって! あのアマはなあ、『山内の組長殺し、あんたでしょう』って言いやがったんだ。俺のチンポいじりながら、『あんたでしょう』だぜ! 二十年ぶりに出くわしたアマが、いきなり『あんたでしょう』だぜ!」

肩を上下させて荒々しい息を吐く堀田は、ヤク中の泥沼から一時的に蘇ったような勢いだった。「とんでもねえや。あんたら、知ってるはずだ。あの組長殺しは俺はやってねえんだ。俺は関係ねえ。俺のほうこそ聞きてえよ、あのアマ、山内の筋の女なのかよ? 笑いながら『あんたでしょう』だぜ! 俺だって、十年前の組長殺しは覚えてら。ホシが挙がってねえのも知ってら。だから、ややこしいことになったら困るから、頸を絞めてやったんだ、文句あるか！　二十年ぶりに出くわした男のチンポ触りながら、『あんたでしょう』なんてアマは、土台、男をなめてやがるんだ！」

十年前、荒川に当時の山内組組長が溺死体で浮いた事件は、雄一郎の記憶にもあった。組同士の抗争なら手打ちや自首があるが、それもなく迷宮入りだったと記憶していた。そして被害者のホステス太田裕子は、これまでの捜査の結果、確かにかつて山内組の息のかかったクラブで働いていたことはあるのだった。

雄一郎は、内心へたり込みたい思いで喉を絞った。

「殺そうと思ったのだな？」

「ああ、思ったよ！　だから頸を絞めたんだよ！」

「殺すために頸を絞めたのだな？」

「殺したいとは思ったけど、殺しちゃいねえ！　死んでねえよ。くうくう鼻息立てて寝ちまいやがったんだ。ちゃんと鼾をかいていたんだから、死んでねえ！」

「どうして、せっかく絞めた手を外した」

「怖くなったんだよ、手を外したら悪かったのかよ、もっと絞めたらよかったのかよ！」

「怖くなるのが、ちょっと遅かったな」

その一言で雄一郎は切り上げた。入れ代わりに吾妻哲郎がひょいと立ち上がり、机の上の四つ切り写真数枚を引き裂くと、いまにも笑い出さんばかりに口許を引きつらせて言ったものだった。「では、現場再現はやり直し。調書も取り直し。堀田、そこへ座れ。合田は写真班を呼んでこい」

絶望的な状況だった。堀田卓美は一応殺意を自供した。しかし、現に被害者の女はすぐには死なず、鼾をかいていたという自供通りなら、堀田は女がやがて死ぬことを予想出来なかったということも言えるのだった。すると、女の鼾を聞きつつそれ以上の行為に及ばなかった堀田には、明確な殺意がなかったとも言え、その自供内容は、十年前の組長殺しの余談を含めて、到底そのまま受け入れてすむものではなかった。

また、その一方では、堀田卓美の侵入の後にベランダから掃き出し窓を割って侵入し、現金八十万円を盗んでいったBがいることも、ほぼ確実になったのだった。そして、堀田卓美の侵入時にマンションの明かりがつかなかった以上、ベランダからの侵入を狙っていたBは、ふだんより早い時刻にホステスが帰宅したことを知らず、そのとき連れがいたことも知らなかったと推測出来る。だからこそ侵入を決行したと考えて矛盾はなかったが、そうだとしてもそのB、すなわち土井幸吉が侵入した時点で、堀田卓美に頸を絞められた被害者がすでに死亡していたなら、土井がわざわざ積極的に死体に触れる理由はない。しかし実際には、被害者の爪から検出された塩の汗や、頸に残った不鮮明な索条痕がある以上、土井はほぼ間違いなく被害者の頸を絞めたのであり、被害者の女もまた、そのとき土井の上着を摑んだと考えられるのだった。すなわち土井が侵入したとき、被害者は生きていたことになるのだったが、そうなると、そもそも堀田卓美による最初の扼頸がどの程度のものだったか、疑わしくなってくる。

いや、それ以上に、土井による第二の絞頸があった場合、第一の加害者である堀田卓美は、その殺意の有無にかかわらず、殺人未遂にしかならないという刑事法上の決定的な事実があった。仮に土井が侵入した時点で被害者が生きていたのなら、それが死亡寸前の瀕死状態であれ何であれ、土井による第二の絞頸が殺人の既遂になり、堀田は殺人の未遂にしかならない。この明白な事実を、捜査本部はほんとうに無視する気か。このまま真相に蓋をして、土井幸吉の存在そのものをなかったことにする気か。いや、堀田卓美を殺人容疑で再逮捕する以上、自動的にそうなるのだったが、これはいったい夢か。いや、土井が侵入したとき、被害者がすでに死んでいたのなら、土井が死体に触れようが触れまいが、堀田の殺人容疑は成立するが、土井の自供がない現時点で、被害者がたしかに死んでいたことを証明するすべはない。ともかく、堀田卓美を殺人容疑で立件するのであればなおさら、雄一郎たち現場としては、土井幸吉の事情聴取がますます火急の課題になってきたということではあった。

武道場で堀田が現場再現をやり直すのを見学しながら、担当検事は「うーん」と一声唸り、様子を覗きにきた一課長の花房たちも、眉根に寄せられるだけの皺を寄せていた。一課長は「いつまでこんなことをやっているんだ」と険しい声を上げて一足先に姿を消し、林係長はそれを追うべきかどうか一寸迷ったような顔を見せて下を向き、はたまた新任の木崎管理官は火がついたような貧乏ゆすりだった。板張りの床に引かれた白線の上では、堀田卓美がポーズを取り続け、「脚の位置が違う！」「手はどこだ、手は！」と所轄の刑事たちに怒鳴られながら、ぼろ切れのよう泣いていた。

夕刻、外回りの捜査員たちが本部に戻り始めたのをよそに、署長室では署長と副署長、刑事課長、本庁の一課長、管理官、検事、そして林係長の幹部七人は依然、堀田卓美の再逮捕をどうするかという協議を続けており、組織のすみずみが動脈硬化を起こしているような、そのどろりとした空気は、トイレで顔を洗っていた雄一郎のところにも伝わってきた。そこへ吾妻が入ってきて、便器に小水を飛ばしながら「再逮捕だそうだ」と一言吐き出したとき、雄一郎はいまさら新たな失望もなく、「へえ」と応じただけだった。

「木崎の野郎、武道場から一課長が出ていったのを見ていただろう？　おおかた、あのあと一課長を追いかけて《堀田でイケます》とでも言ったに違いない。すると、今度は一課長が《堀田でイケます》と部長に言ってだな、部長が警察庁に《堀田でイケます》と言ったわけだ。そして、最後は誰が言った、言わなかったになるのさ」吾妻は根も葉もない邪推を口にして、口許をぎりりと歪めて笑い、雄一郎も笑った。

「いったん動き出したら、組織として引っ込みがつかねえのは分かるが、それにしてもこんなひどい刑事部は久しぶりだぜ。なに、早晩この落とし前はつけさせてやるさ。いまに見てろ、半年もたねえようにしてやるから」

同じ大口でも、吾妻がたたくと一寸ほんとうにそうなるかもしれないと思わせるのが、おそろしいところだった。「部長の首なんか知らんが、土井だって最低、窃盗罪だ。捜査は終わったわけやない」雄一郎が適当に逃げると、すかさず吾妻は言った。

「土井を挙げるのなら、堀田の送致前だぞ」

「間に合わなかったら？」

「あとで部長の首が飛ぶだけだ。それもいいけどな、ヘッヘッ」

吾妻はざらついた笑い声をあげ、出ていってしまった。土井幸吉にしても白黒は五分五分という現状では、いまさら堀田卓美の殺人容疑での再逮捕にいちゃもんをつけるのが現実的でないことぐらい、現場なら誰でも分かっているのだった。仮に土井が殺人を自供して刑事部の公式発表が覆される事態になると、いったいどういう捜査をやっていたのだと上から締め上げられるのは現場であり、仮に土井の供述があいまいなままで終わると、そらみたことかとやはり現場は叱責される。いったい堀田卓美を殺人罪で送致することにどんな現実的な不都合があるのか、雄一郎自身分からないというのが本音ではあった。いや、少し前までなら、いまなお不明の点が残っている以上、悩む以前に身体が動いていたのではないか。いまやそうではない自分の変調に怯えるあまり、自分はなおも土井に固執してみせているだけではないのか。そんなことを頭のすみで考えた後、雄一郎はハンカチで顔を拭い、鏡を見た。昨夜大阪で着替えた白のポロシャツに、堀田の鼻血が飛び散っていた。どこかの覚醒剤中毒者の身体の破片はただの異物ではすまない毒々しさで、それも以前はこうではなかったと思った。そうだ、こうではなかった。どこかの男一人の血痕が血痕でなく、声をもち、触手をもって、バクテリアのように肌の奥に忍び込んでくる、こんな感じは。

そしてまた一寸、自分の手帳についた佐野美保子の血のことを考えるともなく考えたとき、鏡のなかに新たに侵入してきたのは有沢《又》三郎の顔だった。騒々しい素振りでトイレに入ってきた又三郎は、涼しげな額に汗の粒を光らせて、「寺本和幸に会ってきましたよ」と鏡のなかで言った。

「大阪で土井が吐いたそうですが、六月二日未明に土井が寺本の家で雀卓を囲んでいたという話なら、私は早くに寺本から聞いてましたよ。一寸探りを入れたい点があったんで、主任らには言いませんでしたが」

あと一秒で含み笑いが洩れ出しそうな男の顔から目をそむけて、雄一郎は洗面台でシャツの血痕のつまみ洗いにかかった。

「知っていたのなら、わざわざ会いにゆく必要はないだろう?」

「確認してきただけですよ。寺本は当日、甲府で組の会合があったその帰りで、午前三時ごろに甲州街道の追分町交差点で土井を拾った。連れは秦野組の男二人。マージャンの頭数が足りなかったところへ土井と出くわし、カモにするために誘った。土井は午前五時半までいて、五万ほど負けた。これは、一緒にいた連中のウラも取りました。そのときの土井の服装は、灰色の長袖の作業着。以上」

「いま言った、探りを入れたい点というのは」

「それはまあ、いろいろと」

そこで堪忍袋の緒が切れた。雄一郎はとっさに向き直るやいなや、濡れた手で相手のシャツの胸ぐらをわし摑みにしていたが、しかし精神的な余裕があったのは又三郎のほうだった。先にやんわり上司の手を押し返して身を退き、「慣れない博打に手を出して、イラついているんですか」と言うと、又三郎は今度こそ待ち構えていたように口許をにたりと引きつらせてみせた。

雄一郎はすぐに言葉が見つからないまま、「土井の線は時間がないんだ」と言った。すると、「だから寺本に会ってきたんですよ」と二本目を取られ、又三郎はやっと勝ち誇ったような三度目の笑みを浮かべて、こう続けたものだった。

「主任は、寺本の野郎が尾上の組長と懇意なのはご存じですか？　今日寺本から聞きだしたところでは、まず五月末に尾上が、土井の五十万の借金の話を寺本にしたんだそうです。ボーナスが出たら清算するという約束だったが、どうせ会社からの前借り分を差し引いたら手取りは知れている。そういう事情なので、あんたからも土井に一言いっておいてくれ、ということだったらしい。それで寺本は二日に土井とマージャンをやったとき、尾上の借金をどうする気だと土井に尋ねると、土井は《金は入ったんで、近々返します》と言ったんだそうで」

「しかし、尾上に金は返っていない」

「そこですよ。土井は、借金を返さずに次の賭場に出るような胆《きも》はない。にもかかわらず、三日深夜の浦和の賭場に出た。ということは、土井自身は三日夜の時点で借金をすでに返したと思っていた――。そう考えることは出来ませんかね？」

「大阪で、俺もそういう感触をもった」

「そうですか。だったら、臭うのは寺本でしょう。あいつは尾上から土井の借金の話を聞いている。二日未明に土井が《金は入った》というのも聞いている。案外その場で、土井から尾上に返済する金を預かったのかも」

「あんた、ウラを取ってきたんだろう？」

「一緒にマージャンやった秦野組の二人が金の受け渡しを見ていたそうで」

「よし。尾上にも寺本にも、しばらくその件は言うな。その上であんた、大阪の土井に脅しをかけるよう尾上を仕向けられるか？」

「やるだけはやってみますけど。それで主任は、寺本の上の秦野組に当たるということですか？　ははァ、そういえば新宿署の連中の話では、主任は六代目にえらく気に入られているんだとか。言っておきますが、私も生活がかかっていますんで、賭場のほうはこの辺で手を引かせてもらいますよ。あとは主任のお好きにどうぞ」

いかにも勘のいい又三郎であり、これまで自分の専権事項だった裏社会との情報網を上司に荒らされて苛立つ又三郎であり、最後はこれが本性らしい、冷酷で狡猾で賢明な又三郎だった。そして言い換えれば、その又三郎が手を引くというところまで自分は足を踏み入れているということだったが、雄一郎の心身の反応はなおも鈍かった。言うだけ言って又三郎が出ていってしまったあと、なおも数分、シャツの血痕を落とそうと躍起になり、その間、考えるともなく考えていたのは、今度ははるか昔の、野田達夫のいる大阪の矢田の風景だった。

署長と一課長が記者会見を始めたころ、会議室ではいつも通りの捜査会議になり、堀田の取調べの経過や、裏付け捜査の結果報告が淡々と行われた。冷房が切れた部屋はじわじわと暑くなり、汗の臭いが立ち、私語も絶えた。一日も早くこの事件から足を洗いたかった捜査員たちの意に反して、都内のどこかでよほど重大な殺しが新たに出ない限り、まだしばらく立件に備えて延々と歩き回る日々が続くことになるということでもあった。

「結局、土井はどうするんですか」と尋ねた八王子署の刑事の声には、《いい加減にしてくれ》という悲鳴が聞こえるようだった。本庁の捜査一課を代表して、林係長は「新たな証拠次第だ」と答えたりしていたが、堀田以外の侵入者がいるのは確実な状況では、現場の疲労をさらに深める結果にしかならず、最後は吾妻のやけっぱちな一喝が飛んだ。「がたがた言うヒマがあったら、ウラを取ってこい！　ウラが足りないから、こういうことになるんだろうが！」

雄一郎はほとんど聞いていなかった。頭のなかは、土井を追い込むための方策が一つ、水戸へ義兄を訪ねるという約束が一つ、佐野美保子の顔が一つ、浮いたり沈んだりしていた。考えたからどうなるというのでもないそれらの懸案を押し退けるために、緩んでもいないスニーカーの紐をくくり直し、赤羽の団地の郵便受けに溢れているはずの新聞のことを思い出してみたり、ベランダに出しっぱなしの洗濯もの、払い忘れている自治会費、読みかけて枕元に伏せたままの本のことなどを思い出してみたりだった。昨夜は大阪でかなり呑んだが、また呑みたくなる。氷をひとかけら入れたウィスキーにありつけるなら、約束通り、水戸まで義兄を訪ねていくのもまあいいかという気になった。そうしてウィスキーの幻で気分がほんの少し軽くなり、また少し土井を自首へ追い込むための方策を考えてみる間に、又三郎の極道者が「まあ一応、一人ぶち込んだことだし」と大声を張り上げていた。「みんな、今夜は早く帰って、ワールドカップ予選だあ！」

拍手が上がった。日本プロ・サッカーのナショナルチームが、ワールドカップ出場をかけて、今夜もどこかの国と対戦している。夏のこの時期、どこもかしこもJリーグ一色だった。おかげで土井だ、堀田だ、といった不毛な話は又三郎のひと声で流れ去り、一課長らも不在だったのに乗じて、ただでさえ憤懣と疲労で走る気のなかった会議はいっぺんに脱線転覆だった。吾妻もこれ幸いにそしらぬ顔だったたし、雄一郎もだんまりを決め込んだ。会議室の一番後ろのすみでは、森義孝がひとり閻魔帳を手にうつむいていたが、結局林係長がどうでもいい締めをやって、早々に散会になってしまった。

午後七時過ぎだった。殺人容疑で再逮捕となった堀田卓美は、覚醒剤の禁断症状が出て取調べは出来ず、報道関係への記者会見は課長らが何をどう説明したのか、早々に終わっていた。雄一郎が署の玄関を出たときは追ってくる記者の姿もなかった。

これから、まずは先送りできない大事な電話を一本かけ、それから水戸へ行き——と一日の終わりに残った予定を確認しながら歩き出したとき、近くで待ち構えていたらしい男が一人、すっと横に並んだ。「新宿署の野上」と男は言った。年中、強行犯の絶えない新宿署へは本庁の係も入れ替わり立ち替わり出入りしているので、たいがいの顔は分かる。野上は腕のいい暴力団担当の警部補だった。

「大宮の竹内の件ですか」と、先に尋ねた。

「二日の晩、あんた、大宮にいたんだって？」野上は応じた。

歩道脇の電話ボックスの前で雄一郎は足を止め、野上も従った。

「急いでますんで、手短に頼みます」

「大宮へ行く前、大久保の竹内の事務所にスイカを持っていったのか」

「持っていきました」

「昨日、竹内をパクったついでに事務所のガサをやったら、きれいに片付いてやがった。ゴミ一つなかった。あんた、連中に何か言ったんじゃないだろうな」

「金とサイコロを片付けろと言った。それだけです」

「よもや、大宮の手入れの話、どこからか聞いていたってことはないだろうな」

「そんなバカげた話、聞く耳持ちません。それよりつい最近、私宛てにサイコロ入りの封筒を送ってくれた人がいるんですが、お心当たりはありませんか」

「うちにはそんないじましい人間はいないと思うが。とにかく、うちの管内をあんまりうろうろしてくれるな。そっちは一時の捜査だから組関係にいい顔も出来るだろうが、こっちは三百六十五日の話だし、身銭を切りたくても限界がある。うちの若い連中が嫉くから、管内ではちょっと控えてほしい」

日夜、地下社会と接触しなければ情報の取れない四課担当からの、痛い注進だった。雄一郎は少々忸怩となりながら「申し訳ない。気をつけます」と頭を下げた。

「分かってくれたらそれでいい」そう言って野上は足早に立ち去った。

雄一郎は、目配りがいま一つ足りなかったのだと自分に認める一方、自分は係の仲間に対して野上のような気配りをしたことがあるだろうかと三秒考えた。日々、小さなことならしているような気もしたが、それ以上にいまは余計な脱線を強いられたこと自体に苛立ち、自分が何かを考えたことも振り捨ててそのまま電話ボックスに入った。テレホンカードを入れ、番号ボタンを押し、「ソバの出前を」とつながった電話に言った。

一瞬の間を置いて、《うちはソバ屋じゃないですよ》と男の声が応え、電話は切れた。それは合図の言葉だった。電話の相手は、そばに人がいるので別の部屋の別の電話にかけ直してくれと言ったのだった。雄一郎は、相手が別の部屋に移る一分ほどの時間を見計らい、もう一度別の番号ボタンを押した。

《この間はどうも》と再びつながった電話の声は応えた。

電話は、従業員二百人、ダンプカー六十台を持つ大手産廃会社の社長室にかかっていた。会社は構成員二千人を抱える暴力団秦野組の企業舎弟の一つであり、社長室に座っているのは、二日夜に新宿で出会った六代目組長、秦野耕三本人だった。去年六代目を襲名してからも、ふだんはそこにいることが多いことから、おおかた裏稼業のカムフラージュによほど都合がよいのだろうというのが雄一郎の感触だったが、それこそ新宿署の野上たちの守備範囲の話ではあった。

《そうそう、うちのダンプが昨日板橋で人を撥ねた件で、被害者を百メートル引きずったから遺体損壊だとか所轄の阿呆が言いだしまして。ちょうどいま弁護士と対応を相談していたところなんですが、合田さん、何かいい知恵はないですかね？》秦野はあながち虚言とも言い難い世間話から切り出した。

「遺体損壊の容疑に不服なら、遺体臓器の再鑑定を申し立てるしかないと思いますが」

雄一郎が適当に応えると、六代目秦野は電話口で鮮やかな作り笑いを響かせた。

《合田さんがそう仰るなら、そうさせていただきましょう。で、ご用件は？》

「近々、私と一寸遊んでいただけませんか」

《この秦野と？　お付き合いしたいのは山々ですが、何をお望みかに依りますよ》

「竹内組の絡みで、借金の取り立てを一つやってほしい」

《竹内が取込み中なのをご存じの上でのことですかな？》

「そのつもりです」

《ま、捨ててもいい金をいくらか用意していらっしゃい。たまには遊びましょう》

そのあたりで、受話器からは獲物を射すくめたような、抑えに抑えた忍び笑いが洩れ伝わってきた。

「では明日夜、十時に」そう告げて受話器を置いたとき、雄一郎はたったいま自分がかけた電話も速やかに頭から追い出して、足下に捨てられていた夕刊紙を拾っていたものだった。すでに何人もの靴に踏まれて汚れた紙面の、短い記事にはこうあった。

『二日午後、JR青梅線拝島駅構内で中国から研修で来日していた李華丹さん（二二）がホームから転落し電車に轢かれて死亡した事件を捜査している昭島署は、四日午前、李さんの受入れ先の企業から事情を聞くとともに、李さんと交際していた佐野敏明容疑者（三七）を過失致死の疑いで逮捕した』

一刑事として、捜査が何らかの理由で迷走しているのを直感したのも束の間、逮捕となれば、関係者である佐野美保子もまた当面は捜査対象だという思いが走った。雄一郎はその場でテレホンカードを入れ直し、昭島署の刑事課へ電話をかけるやいなや、強引に担当者につないでもらっていた。電話口に出た刑事の声は、拝島の駅で雄一郎に「お引き取りを」と繰り返した当人で、相手がそのときの本庁の刑事だと知ると、《またお宅ですか》と含み笑いする口調になった。

「跨線橋の血痕がその後どうなったか、気になりましたので」雄一郎は言った。

《血痕は佐野敏明のものです。佐野は手に刃物によるとみられる傷を負っていて、シャツにも血痕がついていたんですが、誰に切りつけられたのかは黙秘。現場で採取した靴痕跡やヘアピンが佐野の女房のものと判明したので、女房にも事情を聞いていますが、これも黙秘。こちらの見立てとしては、佐野と不倫相手の女性を佐野の女房が追いかけ、跨線橋で夫を切りつけた。驚いた不倫相手はホームへ逃げ、あとを追った佐野と揉み合った、と

いうところです。ほかに何か？》
「佐野を切りつけたのは女房、ですか」
《被害者の女性の所持品、佐野の所持品のいずれからも刃物は見つかっていませんので。こちらからは以上ですが、まだ何かご不満でも？》
「いいえ、お手数をおかけしました」
受話器を置いた。これといった実感も湧いてこないまま、佐野美保子は銃刀法違反容疑での事情聴取は免れない、と思った。しかしまた、その端から汗で光った女の青白い額やふくらはぎが自分の額に張りついてくるのを感じ、ガラスの外の闇に深い穴のような女の目が穿たれているのを感じた数秒、電話ボックスの蒸し風呂も忘れており、雄一郎はまたぞろ骨から振動し始めるような欲情のなかで、自分のものとも思えない声が《俺が刑事だからだ》と呻くのを聞いた。民間人であれば、現状でも佐野美保子との接触に制限はない。刑事の自分が手を出せないところで、あの野田達夫などはこれからも好きなときに美保子に会い、あの肌に触れ、あの目に見入るか。ひょっとしたら今夜も会っているか。
雄一郎はそのとき、自分が何かを考えたという意識もなかった。あっという間に元来た道を引き返して八王子署の階段を駆け戻る間、どこもかしこも血栓だらけのような脳血管のどこかを、何かが一筋、すっと流れ落ちたような感じがしただけだった。そして、それもまたほとんど気づくこともなく、奇妙に軽くなった身体を二階の刑事部屋に運ぶと、

「A号照会（犯歴）です」と当直に声をかけ、そのまま専用端末に向かっていた。当直二人は出前の弁当を手に顔を振り向けただけで、自分たちが代わるとも言わなかった。

雄一郎は端末に氏名、生年月日、出生地の三つを入力し、リターンキーを押した。CRTの画面は《照会中》に変わり、すぐに《有》の一文字が浮かんだ。犯歴《有》。

雄一郎は数秒その見慣れた一文字を見つめ、こんな形、こんな線、こんな大きさだったのかと不思議な感覚に襲われた。捜査本部が立ったびに数十回、数百回と繰り返す照会作業でそのつど画面に浮かぶ《無》か《有》の一文字は、刑事には交通信号と同じただの記号であり、《有》なら本式の電話照会をやるだけのことだったが、目の前のそれは目下のホステス殺しとは何の関係もなかった。自分の私生活のなかに灯った黄信号一つだった。

雄一郎は画面をクリアし、警電の受話器に手を伸ばした。照会センターにつながった電話に「A号を一件」と言うと、《そちらの番号と氏名所属を》と応答があった。

「八王子署七〇三の刑事課。本庁捜査一課、合田雄一郎」

《了解。対象者をどうぞ》

「野田達夫。昭和三三年二月十日。大阪市」

《印字しますか》

「いや、電話で結構です」

《了解。電話を切ってお待ちください》

冷房の切れた部屋は窓が開いていた。町の灯が白々しく瞬き、頭上の闇も仄かに発光しているように明るかった。額に冷たい汗を滲ませ、誰かのタバコの灰の散った事務机に肘をついてそれを眺めながら、雄一郎は強いて野田達夫の顔を思い浮かべ、佐野美保子の顔を思い浮かべた。すると、それはぼんやりとうごめく吐息か熱気の靄になり、裸の身体が絡み合うような波動になって、雄一郎は身を固くしてただ目を凝らしながら、他人の情事を覗き見るというのはこんな感じか、と思った。いや、こうしてただ想像しながら自身は興奮もせず、ただ臓腑を煮え立たせながら、遠いところから卑劣な計略を一つ思い巡らせている自分は、さてどういう男か。自分は昔からこんな男だったか。

電話の音で我に返り、受話器を取った。交換台の声が《センターから合田警部補へ》と言い、すぐにセンターの声に代わった。

《A号で野田達夫、昭和三三年二月大阪市生まれ。沢山ありますよ、いいですか》

「ええ、どうぞ」

《昭和四九年七月十八日検挙・大阪府大阪市・傷害・処分同年七月二十二日・大阪家裁・不処分。昭和五〇年一月二十一日検挙・大阪府大阪市・傷害・処分同年一月二十五日・大阪家裁・不処分。昭和五〇年五月六日検挙・大阪府大阪市・傷害及び公務執行妨害——》

机に散らかっていた何かの紙の裏に、それらを書き連ねていった。十代のころ、野田達夫は年に数回は警察の世話になり、そのほとんどすべてが《傷害》《不処分》となっていた。不良少年が盛り場を徘徊し、お決まりの喧嘩沙汰になり、そのどれもが保護処分になるほどひどいものではなかったというところだった。そして高校卒業後の昭和五二年以降、東京へ出てきてからは、五二年に同じく傷害で逮捕・不送致、五三年に公務執行妨害と軽犯罪法違反で逮捕・不送致が一回あり、そこで達夫の犯歴は途切れていた。二十歳で、無頼の生活からすっかり足を洗ったようだった。

雄一郎は書き留めたばかりのそれをひとまずシュレッダーにかけた。裁断される紙一枚と一緒に、脳髄のどこかに詰まっていた血腫がまた一つ破れ、頭のすみずみにどす黒い血が回ってゆくような感じだったが、痛みはなく、むしろ些細な物思いの回路が次々に濁流に呑み込まれてゆくのは、頭の芯がふうと膨らむような、熱が回るような心地好さでさえあった。なるほど、あのヤク中の堀田卓美はカッとなって女の頸を絞めたと言ったが、あれは嘘だ。死ねと思った瞬間、前後の脈絡もなく茫々として心地好かったはずだ。そんなことを考えて急に可笑しくなり、それから再び熱の潮が退くようにして《いくらでも方法はある》と呟いている自分がいた。

実際、野田達夫本人に逆利用出来るような犯歴はなくとも、証拠を残さず法に触れることもなく一人の人間を叩き潰す方法はいくらでもあった。目の前から消し去る、追い落とす、破滅させる、どれもやろうと思えば簡単な話だった。手足の一本や二本もぎ取ろうと思えば、それも容易だった。少しの知恵が働き、個人情報を際限なく入手出来る立場と職権を、使ってはならない形で使うことさえ辞さなければ。

雄一郎は刑事部屋に備付けの分厚い企業人名鑑を機械的に繰った。太陽精工の羽村工場の欄から、人事総務・製造の各部各課の部長、課長の個人名を拾うと、全部で十四あった。そのメモを手に、再び照会センターとつながった端末のキーボードを叩いた。

人ひとりを貶《おとし》めんとするならば、必ずしも当人の弱点を直接攻撃する必要はなく、何らかの弱点をもつ第三者を利用するという手もある。たとえば達夫の勤務先の上司たち。そのなかに適当な者が一人や二人はいるはずで、犯歴のほか、家族・友人知人・土地建物・税金その他、あら捜しの鉱脈はいくらでもある。口を割らない被疑者を揺さぶり、シラを切り続ける関係者に脅しをかけるためにさんざん知恵を絞ってきた刑事の経験が、いざとなったらこんなかたちで働く。それには自分でも驚いたが、驚きと自制の回路は見事に寸断されているようで、本来ならあるはずの逡巡や恐怖の回路も同様だった。

顔も知らぬ人々について、巨大なコンピューターが警察庁に登録された膨大なデータを検索し、犯歴の有無を瞬時に回答してゆく。送致・起訴・微罪処分はもちろん、不起訴、起訴猶予、不送致、不処分であれ、一度警察で取調べを受けて指紋を採られたものはすべてデータに残るシステムが、いまは自分の指の下で悪のための高性能なシステムと化していると思った。しかしシステムが現に存在する以上、恐怖を覚える側ではなく、恐怖を与える側に立てばよいのだ。

調べた結果、十四名のうち四名について《有》の回答が出た。年齢から見て、大学紛争当時にゲバ棒でも振り回したか、車で人身事故を起こしたことがあるか。また、そのうち総務部長の肩書を持つ川島誠吾という一名については、太陽精工ほどの大企業ならばないはずはない総会屋対策で、必ずネタがあるはずだったし、不正確な記憶ながら、最近国税当局が本社のほうの相当額の使途不明金の内偵をやっているという話も聞いたことがあった。ともあれ、詳しい話の入手は四課をつつけば造作なく、この線でいける、と思った。野田達夫をとりあえず羽村工場から地方へ《栄転》させてやる。佐野美保子との物理的距離を作ってやる、と。

刑事部屋は警電も鳴らず、同報のスピーカーも静かで、どこもかしこも盆を控えた夏休み気分のようだった。テレビのサッカー中継を観ている当直二名に「どうも」と一声かけて、雄一郎はメモを懐に刑事部屋を出た。

その後、新宿の歌舞伎町に立ち寄って生花とウィスキー一本を買い、遅くなる、と水戸に詫びの電話を入れて、上野発の寝台特急に乗ったのは午後十時四分だった。電話で元義兄は《無理するな》と繰り返したが、その淡泊な口調からは真意のほどは窺えなかった。

声を聞くだけで双子の妹と重なってしまうその遠い顔を押し退け押し退けしながら、雄一郎はわずかな時間も惜しんですぐに寝入り、一昨日と同じ夢を見た。西日の照りつける路面電車の軌道に、赤い服を着た女が飛び込んでゆく。電車の車輪の下で潰れた臓器の、煮立つような臭気を嗅ぐ。達夫が「親父が殺した」と呻く。それは違う、女が自分で飛び込んだのを見たやないかと思いながら、その達夫の声が自分の胸に刺さる端から咽《むせ》び泣きたくなるような悲哀を感じた。達夫は声を出さずに泣き続ける。

咽び泣く声はいつの間にか貴代子になる。結婚まもないころの顔か、数年経ったころの顔か、あるいは決裂が避けられなくなったころの顔か、どれもこれも醜い皺を作って崩れ、歪んでいる顔だった。なぜそんな顔をする。そんなに俺が悪いか。憎いか。

雄一郎も泣く。崩れた視界に広がるのは臙脂色に燃える空で、まるでいくつもの顔や声を投げ込んだ炉のようだと思いながら、目を凝らし続けた。佐野美保子か、野田達夫か、貴代子か、兄の祐介か。あるいは自分もいるのか。火の粉のはぜるような音と遠い唸りの混じった轟音は、誰の声か。達夫か？　貴代子か？　そうだった、あの臙脂色についていた特別の名前は何というのだったか――。

水戸まで約一時間半、爽快とは言いがたい時間を過ごした末に辿り着いた旧家の、磨かれた広い玄関の上がり框に、加納祐介は優雅な紬の着流しを着て立っていた。いくら元は身内だったと言っても、常識で許される範囲を超えた深夜の来客を、当主としては歓待するわけにもゆかず、さりとてそれを承知で招いたのは自分だという事実を鑑みるに、とりあえず見た目の威厳をとりつくろってみたといった風情だった。ともにまだ十八、九だったころから、何につけ数ヵ月の年長や、教養や、家柄という社会的基盤の違いを理由に、雄一郎の庇護者を任じてきて、いまやそれが習い性になった永遠のお殿様。兄上様。雄一郎は一秒考え、自分がハガキの返事を先伸ばしにしてきたほんとうの理由はこれだなと思った。しかしまた、その一秒後には従順な弟の役回りに甘んじている自分がおり、他人には見せられない隠微な兄弟ごっこをやりたかったのは自分も同罪だと認めると、まずは苦笑いを噴き出させるほかはなかった。そして相手も同様に苦笑いで応え、開口一番言ったのはこうだった。

「いま、君は水戸くんだりまで何をしに来たんだと考えていただろう？」

「着流しが似合うなあと考えていただけだ。遅くなってすまん」

「早く上がれ。仏壇に線香をあげて、一風呂浴びて、それから痛飲だ」

元義兄は顎で早く上がれと促し、先に立って中庭をかこむ回り廊下を奥座敷へ進んだ。

この大きな家を、雄一郎はよく知っていた。学生時代に加納兄妹と知り合って以来、その両親にほとんど息子のように迎えられて、夏休みや正月休みを過ごした家だった。磨き上げられた廊下や建具の艶。色褪せた檜の飴色。毎年張り替えられる障子の白。欄間《らんま》の彫物に積もった埃の深さ。前栽の苔やつくばいの水の匂い。書庫に埋もれた蔵書の日向臭さ。そのどれもが自分には無縁の暮らしや、伝統とか血筋といったものの動かしがたい現実のあることを若い雄一郎に思い知らせたが、雄一郎自身はそれに対して一定の敬意を払うというかたちでしか相対することが出来ず、どこまでも自分が同化することはなかったのだった。しかし、加納家の人びとはそれをまた人間の品格だなどと言い、母親を亡くして天涯孤独になった雄一郎をことのほか慈しんだ。そして、そんな過ぎた時代がみな幻想だったことを、先代当主夫妻が知らずに他界したことこそ幸福というもので、家を継いだ息子はいまだに結婚もせず、管理人に家を預けて盆暮れにしか戻らない気ままさだけならまだしも、妹の結婚生活を破綻させた男をいまなお亡父母の仏前に招き、雄一郎もまた本来なら上がれるはずのない家に上がり、たまに泊まったりもするのだ。

それはほとんど加納祐介と自分の共犯というものだったが、企んでいることの中身まで同じだという確信は雄一郎にはなかった。元義兄がいまでは別の男とアメリカで暮らしている妹への未練を抱き続けているというのは自分の想像に過ぎず、片や自分自身も、たんに兄弟ごっこのために十六年も一人の男と付き合っているはずがない。いまなお何かにつけ貴代子が、貴代子がと互いに話題にし続けている反面、どちらにとっても年々遠いものになってゆく貴代子はいまや言い訳に過ぎないのではないかとも思うと、すべてが霧のなかというのが真実ではあるのだった。しかも、それにもかかわらず自分はなおも元義兄に会い、元義兄もまるで当たり前のように庇護者もしくは年長の友人の顔をつくる。そうして顔を合わすたびに記憶は更新され、改竄され、二人してとりあえずいま問題がないのであればとすべてを未決に留めるのだが、しかしいったい何のために？　檜の廊下を進みながらそんなことを考えるともなく考えていると、「そら、また俺の背中で何か考えているだろう」と元義兄は言った。

「そうかも知れない。今夜はお参りはやめておくよ。花だけ供えてさしあげて」

生花を渡してそう言うと、元義兄は「正直なやつ！」と声を上げて笑い出した。

正直？　違う。どちらも不実だ。本心などどこにもなく、どちらも少しも相手のことを知らないことを知っていて踏み出そうとしない。これは不実だ。雄一郎は思ったが、それにしても不実にすら意味がない。自分たちはまったく意味のない時間をこうして積み上げているというのが、一番当たっているのだった。

とはいえ、一風呂浴びて浴衣に着替えたころには、自分もそろそろ生活を落ち着けることを考えなければといった方向へ頭は逸れてゆき、あまりの現実味のなさに辟易したところで、広縁のほうから「おい、トマトが冷えてるぞ！」と呼ぶ元義兄の声が響いた。

元義兄は昔の自分の部屋に面した広縁を開け放して、ウィスキーの用意をしていた。管理人夫婦の畑でとれたトマトとキュウリが氷の入った手桶に放り込んであり、七輪の網にはこれも頂き物に違いない笹ガレイと蛤が載っていた。雄一郎は薦められるままにトマトにかぶりつきながら、去年の夏にも同じようにして同じトマトを食ったと思い出したが、何か言おうとしてもろくな言葉が出てこなかった。美味いとか何とかどうでもいい言葉を吐いて、注がれたウィスキーを呷りながら、何もかも見透かしているような元義兄の視線を感じた。

「昨日、東京駅で十八年ぶりに大阪の幼なじみに会うてな。太陽精工の羽村工場に勤めているということやったが、あそこ、国税の内偵が入っていなかったか」

「社有地の売買に、その筋の不動産会社が関わっているという話は聞いたことがある」

「そうか。特捜部が関知するような話でないんなら、よかった。ところで、ゼネコンの贈収賄事件のほうは夏休みか」

「夏休みというか、中休みというか。永田町を疑心暗鬼にさせておくのも悪くない」

元義兄はいかにも特捜検事らしい物言いで、さらりとかわした。十年前には、書物に手足が生えたような、こんな高等動物が地検のなかにもある不毛な権力闘争を渡ってゆけるのかと思ったが、いつの間にか得体の知れなさや厚顔までしっかり身につけて、少なくとも社会的には磐石そうな加納祐介だった。

「それで、君のほうはまだ八王子の殺しをやっているのか」と聞かれ、雄一郎はまた少しなげやりな気分に戻りながら「まあな」と応じた。

「行き詰まりか？　話なら聞くぞ」

「いやや。ウィスキーが不味くなる」

「その前に、賭場になんか出るな」

そらきた、と思った。地検内部の隠微な権力争いのなかで、一度は身内だった刑事一人の身辺までがネタになって飛び交い、元義兄の耳に入る。いつものことではあったが、見ず知らずの何者かの悪意や中傷よりも、元義兄に知られることとそのことが神経にこたえた。いや、元義兄の善意がこたえたのだと自分に認めた一方、ほんとうは賭場どころではない、俺はいまは私生活のなかで嫉妬を一つ飼っているのだ、この男は何も知らないのだと思い直して、やっと自分を落ち着かせた。

「検事の名刺一枚で代議士でも呼びつけられるような人間に言われたくない」

「言っておくが、俺が博打なんか許さんのは違法行為だからではない。それが裏社会という暴力装置につながっているからだ。俺は暴力が嫌いだ。暴力の薄暗さが嫌いだ。同じ理由で、この国の政治の系譜にも憎悪を覚える。警察や検察権力の系譜も同じだ。ああいや、政治家や官僚はどうでもいい。君だけは暴力装置と無縁の人間でいろ」

「カレイを焼きながら言うことか。それ、もう焼けているやろ。食うてええか？」

「食ったら、話せよ」

黄金色にぷっくりと焼けた笹ガレイは美味かった。雄一郎はつい昨日、大阪の飛田新地の小料理屋で何を食ったのか思い出せないまま、俺はいったいここで何をしているのだと思い思い一枚を平らげ、元義兄のほうはたったいま披瀝した暴力装置云々ももう頭にないかのような顔で、二杯目のウィスキーを悠々と啜っていた。

「それで、八王子のホステス殺しのどこが、どう行き詰まっているんだ」

「被害者は一人。現場も一つ。そこにホシが二人。各々がわずかな時間差でまったく別々に関与した、いわゆる同時犯の話だ。今日現在、別件で逮捕された第一のホシが、被害者の頸を手で絞めたことを自供している。これは被害者の顔見知りで、犯行は居直り。殺意はあった。二人目はベランダからの侵入で、被害者の爪から検出された汗の成分などから、容疑者はほぼ割り出されているが、捜査幹部は二人目の存在そのものを認めない。そういうわけで今日の夕方、一人目のホシを殺人と窃盗で再逮捕したところだが、剖検の所見では、一人目が被害者の頸を絞めたとき、すぐには死ななかった可能性があるというんだ。実際、二番目の賊がさらに被害者の頸を絞めたと思われる、扼痕とは別の索条痕もある」

「その二度目の索条痕に、生活反応はあったのか、なかったのか」

「わずかにあった。だから厄介なんだ。二度目に頸が絞められたとき、被害者が生きていた可能性も、死亡直後だった可能性もある。もっとも常識的には、二番目の侵入者がわざわざ被害者の頸を絞めたのであれば、絞めなければならない理由があったと考えるのがふつうだろう。つまり、少し前に第一のホシに頸を絞められて失神していた被害者が、急に息を吹き返して起き上がったとか、物音に気づいて声を上げたとか」

「まず、一回目の扼頸で被害者がすぐに死ななかったというのは、殺人もしくは殺人未遂の構成要件を阻害しない。その上で、第二の絞頸については、そのとき被害者が生きていたのであれば、第一の扼頸に対する因果関係の中断となり、この第二が殺人の既遂、第一は殺人未遂となる。これは、仮に第一の扼頸がなければ第二の絞頸は起こらなかったとする場合でも、第一の扼頸と死亡との相当因果関係は認められないので、答えは同じになる。次に、第二の絞頸が行われたときに被害者が死亡していた場合は、この第二の絞頸はふつうは客体がないものとして不能犯となるが、行為無価値論に立って未遂犯とする考え方もないではない。ちなみにこの場合、どちらの論を採用しても、当然のことながら第一の扼頸が殺人の既遂となる」

「だから現場は悩んでいるんやないか。第二の絞頸が行われたときに、被害者が生きていたか死んでいたかが証明不能なんだ」

「先に言っておくと、第二の賊を挙げてもいない段階で、いかなる断定もすべきではない。その上で言うが、仮に第二の絞頸が行われた時点での被害者の生死がどうしても不明の場合、結論から言えば、死亡を採用するほかない。君が言うとおり、第二の絞頸は、その時点で被害者が生きていたから起こったと見るのが合理的ではあるが、被害者が生きていたことの立証責任は訴追側にあるから、立証が出来ないのであれば仕方がない。いずれにしろ現時点で君がすべきことは、ともかく第二の賊をひとまず殺人容疑で引っ張ることだろう。その上で、被害者の生死についてはあらためて精査すればよいのだ」

元義兄の意見は筋が通り過ぎていて、苦笑いしか出なかった。雄一郎は首を横に振った。

「あんたに言われなくても、問題が捜査のいろいろな不足にあるのは承知の上だ」

「物証が揃わずとも、犯罪を構成したという合理的な疑いがあれば引っ張ることは出来る。二人いるホシを一人にすることだけは許されんぞ」

「とにかく、送致までに第二の賊をせめて自首に追い込むことが出来れば――」

「自首は、第三者が追い込んだら自首にはならない。頭を冷やせ」

「頭を冷やしていたら、一つ失い、また一つ失い、自分が立つ場所もなくなってゆく。一つ失うたびに、確実に何かが減ってゆく。少々強引だろうが違法だろうが、目の前のホシを挙げることで、自分がやっとどこかに立っていられる。こんな感じはあんたには分からんだろう。もうやめよう、こんな話」

雄一郎はそう言って話を打ち切り、「じゃあ呑もう」と元義兄は新たなウィスキーを二つのグラスに注ぎ足した。貴代子との離婚以来、どちらも互いの神経に触れるところまでは踏み込まない習慣がついて、やめようと言えばやめる。呑もうと言えば呑む。ずいぶん大人にはなったということだった。しかし、そうして新たに呑み始めてすぐ、元義兄は今度は雄一郎の左手を取って素人の手相見を始め、また少し、やめろ、やめないといった子どもじみたやり取りになった。

「そら、この間見たときからずいぶん皺が増えている――。寝ても醒めても何事か考え続けて、悩みを溜めて、じっとちぢこまっている子どもの手だ」元義兄は言い、

「猿でも悩むんやそうや」雄一郎は言い、今度は自分が元義兄の手を取って覗き込んでみたが、それも細かい皺に満ちた繊細な掌だった。しかも、貴代子と実によく似た掌。

そら見ろ。人知れない悩みの深さという意味では、この男は自分よりずっと上のはずなのだ。そして、この目。貴代子と同じ目。旧家の奥深い静けさのなかで、双子にしか分からない隠微な情念を溜めていた兄妹の目。貴代子と雄一郎の間に立って、理性の采配をふるいながら、その実ひそかに二人に対する嫉妬の火を燃やしていた男の目。どんなに理智の覆いをかけても、必ず愛憎と苦悶の下地が浮き出してくる目。

雄一郎は、自分と相手の双方に対する解きほぐせない感情の塊を認めながら、ひねり潰したいような思いで、自分の手のなかのもう一つの手を締めつけ、ふりほどいた。しかし、そのとき元義兄のほうはまったく別のことを考えたに違いなく、少し間を置いていかにも元義兄らしいやり方で韜晦《とうかい》してみせたものだった。

「痛恨は悔悛の秘跡の始まりだから、喜べばいいんだ。突然魂を襲う意志こそ浄化の唯一の証拠だと言ったのは、ダンテの――」

「スタティウスが、ダンテとヴェルギリウスに言うんだ。煉獄の何番目かの岩廊で」

「しかし、ほんとうに意志の問題なのか、どうか」

元義兄は自分で言い出しておきながらめずらしく言葉を濁し、雄一郎のほうはふと、この元義兄に尻を叩かれて貴代子と一緒にダンテの『神曲』を読んだのは二十歳のころだったことを思い出したものだった。人生の道半ばにして正道を踏み外し、暗い森の中で目覚めたというダンテが、詩人ヴェルギリウスに導かれて、地獄から煉獄へ、そして天国へと通じる岩廊を登っていく一夜の間に、さまざまな歴史上の人物に出会う。その絢爛豪華な叙事詩は、雄一郎にはそれなりに面白く感じられたが、頭脳明晰な貴代子は『これは、詩人の豪華なお遊びだわ』と言い、『一篇ずつカルタにしましょうか』と囁いて、悔悛の《涙一滴》を吟《うた》う詩人の詠嘆を、鮮やかに笑い飛ばしたのだ、と。もうはるか昔、雄一郎の目のなかで永遠の光と一つだった時代の、輝くばかりの貴代子がそこにいた。

「あんたにも、意志ではどうにもならないことがあるわけか」

「目の前にいるよ」

「そんな真顔で言わんといてくれ。ドキッとするやないか――」

雄一郎はあまり正確ではないと思いながら、そんな返事しか出来なかった。

午前三時前、元義兄は先にベッドに横になった。広縁からその姿を眺めながら、雄一郎は二十一歳の秋、その同じベッドで貴代子を初めて抱いたことをまた一つ思い出した。加納祐介が司法試験の三次口頭試問のために東京に残り、二次で落ちた雄一郎は貴代子に誘われるままにこの家で連休を過ごしたのだが、それは貴代子と二人になった初めての機会だった。雄一郎が求め、貴代子が応じるかたちで抱き合ったとき、二人していまから始まる未来の精神の修羅場を予感したのは、それぞれの立場で祐介を出し抜いたことに対する痛恨の念と、無縁ではなかったはずだが、そうして兄妹の絆や男同士のある種親密なつながりを一気に瓦解させるに至ったそのベッドで、ひとり己の立場のなさや嫉妬と折り合いをつけてきた男が、いまは安らかに手足を投げ出して眠っていた。そして、その魂を再々裏切って、いまや貴代子ではない女のことを考えている自分がいた。

＊

達夫がアパートに辿り着いたとき、美保子は明かりもつけていない部屋で作業机の椅子に座って居眠りをしていたようだった。達夫がドアを開けると、「缶ビールを呑んだら眠くなったのよ」と美保子は言い、少し慌てたようにほつれ毛に手を当てた。

美保子は、昨日とは違う襟の白いブラウスと、薄い水色のスカートといった恰好だった。ストッキングは椅子の背にひっかけてあり、むき出しの裸の足を見て、足を洗ったのだと達夫は思った。化粧気のない、白くつるんとした顔も洗ったに違いなく、だとすれば今晩はもう帰らないということだった。

「ラジオが大阪は三十五度だって言ってたわ。ビール、呑む？」

「かえって気を遣わせて悪かったな。美保子も呑もう」

「もう生ぬるくなってると思うけど」

「そんなん、かまへん。ビールはビールや」

流しの洗面器に水道の水を張って、缶ビール二缶が入れてあった。その傍らで達夫はワイシャツと靴下を脱ぎ、先に顔と足を洗った。それから畳に積もった削り屑の上で、美保子と一本ずつ、生ぬるい缶ビールを空けた。

「昔は美保子、コップ二杯で真っ赤やった」

「敏明が呑むのよ。だから私も」

「亭主、どのぐらい呑むんや」

「三日でウィスキー一瓶。見かけによらないでしょ」

「へえ。それは酒代が大変やな」

「大変なのは空き瓶よ。ご近所の手前もあるし、私が袋に入れて福生の駅前の酒屋さんへ運ぶの。ついでに私の呑んだ缶ビールの空き缶も入れて。敏明には内緒よ」

美保子は小さく肩をゆすって笑った。缶ビールぐらい可愛いものだ。達夫は美保子の肩を抱き、汗のほのかな匂いを嗅いだが、目のほうはやはりすっと逃げていった。

「達夫さんの奥さんは呑まないの」

「ビールをコップ一杯ぐらいやな。呑むより食うほうや。しっかり肉をつけとる」

「きりっとして素敵な人よ。いつもセンスのいい服を着てらっしゃるし」

「美保子のほうが美人や」

達夫は軽口のつもりだったが、美保子はそんなふうに言われるのが嫌だったのか、「隠すことが何もない人生というのが羨ましいわ」と言っただけだった。

「そういえば、亭主の調べはどうなっているんや」

「今日、過失致死で逮捕されたわ。事情が事情だからということで、私も調べられているの。私があの場に行きさえしなかったら、敏明と相手の女性の間にあんな事態はおきなかったと言われたら、それもそうだし」

「任意やろ？」

「ええ。おかげさまで、ここで達夫さんとビールを呑んでいられるわ」

美保子はふいと笑ったが、その一瞬理由もなく見知らぬ女の顔が覗いたような気がし、いや、それも確かではないと思い直すと、達夫は何にしても自分の頭が鈍くしか働いていないのだと思った。若いころにいやというほど世話になった警官らの、鉛のような目をして拳をふるう顔のいくつかが甦ったせいか。大阪で殴り合ってきた合田雄一郎のせいか。いや、そもそも二日朝、いまから亭主に会いにゆくと言って羽村駅前を歩いていた美保子の姿からして、実は男の目にはよく分からない凄味があったのだと考えてみたが、だから何なのだと自問しても、やはり分からないままだった。それよりも睡眠不足と葬式で疲れた身体にビールが回り、いよいよ欲望と眠気の区別もつかなくなりかけているのを感じた。

「ところで切り出しナイフは、ちゃんと捨てたか？」

「ええ」

「考えるなと言うても無理やろうけど。女が電車に轢かれたのは美保子のせいやないんやから、もうあまり考えるな。亭主も、過失致死なら罰金払うて終わりや」

達夫は空いたビールのアルミ缶を握り潰して投げ捨て、美保子の顔は見ずに「服、脱げや」と言った。しばらく時間を置いて美保子は「そうね」と呟き、ブラウスを脱ぎ始めた。スカートを下ろしてスリップ一枚になると、「達夫さんも脱いで」と美保子は言った。

「見るなよ」

「だって」

達夫は自分のシャツやズボンを脱ぎ捨てながら、美保子の乳房を掴んだ。自分の手のなかでひとかたまりの肉が弾み、振動し、それが自分の身震いと一つになった。見せろ、見せないと掴み合った末に二人して倒れ込むと、畳みに散った削り屑が枯れ葉のようにカサコソ鳴った。

蒲団や畳ではなく、削り屑の上に横たえた美保子は、素材と造形の出会いといってもいい絶妙な姿だった。達夫は、乳白色の腕一本を肩の線と同じ高さに伸ばし、もう片方の腕は少し湾曲させて反対側へ伸ばす。片脚を斜め下方に置き、もう片方は膝で折って開かせる。あるいは、両腕を頭上へ持ち上げ、両脚はまっすぐに伸ばして軽く足首で交差させてみる。どのような姿勢を取らせても、腕二本脚二本と胴体と、胸の二つの山と尻の丸みと股間の深い谷が作る造形は、人工でも自然でもない特別な空間を創り、生身とも人形とも違う特別な美保子になった。

昔は気づかなかったが、いまの美保子は自分の肉体に自信を持っているようだった。そうして見られるのが心地好いようで、組み立て玩具のように達夫の手で伸ばしたり曲げたり広げたりさせられるままになった。達夫は集中し、目のすべての力を注いで美保子を眺め、木から形を彫り出すように撫で、また眺め続けた。すると、見られるうちに美保子は肌を上気させ、達夫に食らいついてくるような葡萄の目が潤み、その目を閉じると今度は虚空に浮いているような放心の表情を浮かべて「気持ちいい」と呟く。開かせた美保子の脚の中心には靄か雲のような陰毛があり、その下から一筋ふた筋流れ出す液体が糸をひいて光りながら滴り、削り屑を濡らしてアミーバのように広がってゆくのだった。

「亭主とは、もう長いことやってなかったんか」

「ええ」

雄一郎とはどうなんだと思いながら、「もっと出せ」と達夫は囁き、自分の指で美保子の脚の間で光る糸をすくいあげた。二、三度すくいあげると、美保子は身をよじりあげて低い唸り声を上げた。

「なあ、合田雄一郎と最後に会うたんはいつや」

その声は喘ぎ始めた女の耳には届かなかったのか、あるいは届いたが応えられなかったかだった。達夫は女の脚の間に入れた手指に糸をからませ、その手で乳房を摑み潰しながら言葉を探した。

「なあ、合田雄一郎と知り合いか」

「誰の話――」

「警視庁におるやつや。知り合いか」

美保子は薄く目を開けて、「それがどうしたの――」とため息を吐くように呟き、また快感の海に沈むように目を閉じた。達夫はその海に自分の指を深く差し入れながら、なおも執拗に繰り返した。

「合田とは、俺が警察によう世話になっとった時代の知り合いなんや。なあ、美保子――。あいつと、寝たんか」

「合田がどうしたの」

「東京駅の《銀の鈴》で、あいつが君と俺の逢引きを見とった。ほんとうや。君が帰ったあと、気がついた。声をかけようと思ったら、逃げよった」

「ほんと？」

「ああ」

「うそ――」

「なあ、あいつと寝たんか――」

そう繰り返しながら、達夫は一方では自分の問い自体にどれほどの意味があるのか分からなくなってゆくのを感じ、自分のなかで何が起こっているのか、またしても自問せずにはおれなかった。土台、これがどこかの見知らぬ男なら、自分はこんな感じにはならない。雄一郎だから知らずにおれないのだったが、はたして自分はむかついているのだろうか。これはむしろ興奮ではないのか。あの雄一郎と二人でこの美保子を共有していることに、俺は燃えているのではないか。達夫は考えに考え、ふと遠い昔にも自分と雄一郎はこんなふうだったような気がしたが、それもまたすぐに分からなくなった。

それから、しばらく間を置いて「寝たわ」という美保子の声が聞こえた。

「いつ」

「ずっと前」

「どこで」

「忘れたわ、もう。遠い人よ、刑事なんか」

「よかったたか」

「何が」

「あいつとやって、よかったか」

「ええ」

「どんなふうに」

「――こんなふうに！」

美保子の声が引きつり、震え、歪んだ。その唇を吸おうとして、達夫もまた獣のように身悶えした。十数年前の美保子がこんなふうに底知れない感じだったかどうかはもう思い出せなかったが、いまそこにある美保子の身体に吸い込まれるのを止めるものは何もなかった。焼けついてくる額の奥で、達夫は、雄一郎は男としてはそんなに感度のいいほうではなかったはずだと執拗に思い巡らせ、この美保子が雄一郎の身体をいったいどんなふうに包んだのかと思い巡らせ、その眼前で、美保子のほうは脚の谷間からまた新たなアミーバを一筋生まれ出させては、削り屑まみれの太股を光らせていた。そこに割り込んだとたん、削り屑がいくつか一緒に滑り込んで、達夫と美保子はほとんど同時に苦痛と歓喜の叫び声を上げた。


（下巻に続く）

本書は一九九四年七月に小社より刊行された作品を、大幅改稿し分冊した上巻です。

| 著者 | 高村 薫　1953年、大阪に生まれる。国際基督教大学を卒業。商社勤務を経て、'90年『黄金を抱いて翔べ』で第3回日本推理サスペンス大賞を受賞。'93年『リヴィエラを撃て』で日本推理作家協会賞、『マークスの山』で直木賞を受賞。'98年『レディ・ジョーカー』で毎日出版文化賞を受賞。他に『神の火』『わが手に拳銃を』『地を這う虫』『晴子情歌』、最近著に『新リア王』などがある。

照柿《てりがき》(上)

高村《たかむら》 薫《かおる》

2006年8月11日第1刷発行

発行者――野間佐和子
発行所――株式会社 講談社
東京都文京区音羽2-12-21　〒112-8001
電話 出版部 (03) 5395-3510
販売部 (03) 5395-5817
業務部 (03) 5395-3615

Printed in Japan

講談社文庫
定価はカバーに表示してあります

デザイン―菊地信義
本文データ制作―講談社プリプレス制作部
印刷―――大日本印刷株式会社
製本―――大日本印刷株式会社

落丁本・乱丁本は購入書店名を明記のうえ、小社業務部あてにお送りください。送料は小社負担にてお取替えします。なお、この本の内容についてのお問い合わせは文庫出版部あてにお願いいたします。

ISBN4-06-275245-X

講談社文庫刊行の辞

二十一世紀の到来を目睫に望みながら、われわれはいま、人類史上かつて例を見ない巨大な転換期をむかえようとしている。

世界も、日本も、激動の予兆に対する期待とおののきを内に蔵して、未知の時代に歩み入ろうとしている。このときにあたり、創業の人野間清治の「ナショナル・エデュケイター」への志を現代に甦らせようと意図して、われわれはここに古今の文芸作品はいうまでもなく、ひろく人文・社会・自然の諸科学から東西の名著を網羅する、新しい綜合文庫の発刊を決意した。

激動の転換期はまた断絶の時代である。われわれは戦後二十五年間の出版文化のありかたへの深い反省をこめて、この断絶の時代にあえて人間的な持続を求めようとする。いたずらに浮薄な商業主義のあだ花を追い求めることなく、長期にわたって良書に生命をあたえようとつとめるところにしか、今後の出版文化の真の繁栄はあり得ないと信じるからである。

同時にわれわれはこの綜合文庫の刊行を通じて、人文・社会・自然の諸科学が、結局人間の学にほかならないことを立証しようと願っている。かつて知識とは、「汝自身を知る」ことにつきていた。現代社会の瑣末な情報の氾濫のなかから、力強い知識の源泉を掘り起し、技術文明のただなかに、生きた人間の姿を復活させること。それこそわれわれの切なる希求である。

われわれは権威に盲従せず、俗流に媚びることなく、渾然一体となって日本の「草の根」をかたちづくる若く新しい世代の人々に、心をこめてこの新しい綜合文庫をおくり届けたい。それは知識の泉であるとともに感受性のふるさとであり、もっとも有機的に組織され、社会に開かれた万人のための大学をめざしている。大方の支援と協力を衷心より切望してやまない。

一九七一年七月

野間省一

講談社文芸文庫

田村泰次郎

肉体の悪魔・失われた男

解説=秦昌弘　年譜=秦昌弘

一兵卒としての中国従軍体験は、理念や思想の虚妄を教え、兵士たちの犯す罪業や現地の人々の惨苦を透徹した眼差しでとらえることを強いた。戦争をめぐる傑作選。

たAD1　198451-9

高橋英夫

新編　疾走するモーツァルト

解説=清水徹　年譜=著者

小林秀雄、河上徹太郎等、日本人のモーツァルト受容史を精緻に跡づけ、その音楽のミステリアスな魅惑に迫る表題作に、モーツァルトをめぐる随筆十四を加えた新編。

たG3　198450-0

駒井哲郎

白と黒の造形

解説=粟津則雄　年譜=中島理壽

現代銅版画の先駆的役割を果し、極限の美の世界に生を賭した芸術家。その創造の秘密にふれる芸術論、ルドン、クレーらへのオマージュ等、ポエジー溢れる随筆集。

こP1　198449-7

津本　陽　乱世、夢幻の如し（上）（下）
津本　陽　前田利家　全三冊
津本　陽　加賀百万石
津本　陽　真田忍俠記（上）（下）
津本　陽　歴史に学ぶ
津本　陽　おおとりは空に
津本　陽　本能寺の変
津本　陽　武蔵と五輪書
津本陽／江坂彰　信長秀吉家康〈勝者の条件　敗者の条件〉
津村秀介　宍道湖《しんじこ》殺人事件
津村秀介　洞爺湖殺人事件
津村秀介　水戸の偽証〈三島着10時31分の死者〉
津村秀介　浜名湖殺人事件〈富士－博多間37時間30分の謎〉
弦本將裕　12動物60分類完全版マスコット占い
津原泰水監修　エロティシズム12幻想
津原泰水監修　血の12幻想
津原泰水監修　十二宮12幻想
司城志朗　秋と黄昏の殺人
司城志朗　恋ゆうれい

土屋賢二　哲学者かく笑えり
塚本青史　呂　后
塚本青史　王　莽
塚本青史　光武帝（上）（中）（下）
辻原　登　百合の心・黒髪　その他の短編
出久根達郎　佃島ふたり書房
出久根達郎　たとえばの楽しみ
出久根達郎　おんな飛脚人
出久根達郎　御書物同心日記
出久根達郎　続　御書物同心日記
出久根達郎　御書物同心日記　虫姫
出久根達郎　土龍《もぐら》
出久根達郎　漱石先生の手紙
出久根達郎　俥《くるま》宿《やど》
出久根達郎　二十歳のあとさき
ドウス昌代　イサム・ノグチ〈宿命の越境者〉（上）（下）
童門冬二　戦国武将の宣伝術〈隠された名将のコミュニケーション戦略〉
童門冬二　日本の復興者たち
藤堂志津子　ジョーカー

藤堂志津子　恋　人　よ
鳥羽　亮　三鬼の剣
鳥羽　亮　隠猿《おぬざる》の剣
鳥羽　亮　鱗光の剣〈深川群狼伝〉
鳥羽　亮　蛮骨の剣
鳥羽　亮　妖鬼の剣
鳥羽　亮　秘剣鬼の骨
鳥羽　亮　幕末浪漫剣
鳥羽　亮　浮舟の剣
鳥羽　亮　青江鬼丸夢想剣
鳥羽　亮　双つ龍〈青江鬼丸夢想剣〉
鳥羽　亮　吉宗謀殺〈青江鬼丸夢想剣〉
鳥羽　亮　風来の剣
鳥羽　亮　影笛の剣
鳥羽　亮　波之助推理日記
鳥越　碧　一　葉
東郷　隆　御町見役うずら伝右衛門（上）（下）
東郷　隆　御町見役うずら伝右衛門・町あるき
東郷隆／上田信　絵　【絵解き】戦国武士の合戦心得〈歴史・時代小説ファン必携〉

2006年6月15日現在